D0108282

Bescherelle

la Grammaire
pour tous

Mots et groupes de mots
Les phrases
Usages et textes
Annexes

HATIER

Avant-propos

Quels sont les objectifs du Bescherelle Grammaire ?

Le *Bescherelle Grammaire*, ouvrage simple et complet, tente le pari difficile de répondre à trois types de questions que peuvent se poser élèves, enseignants, parents ou grand public.

1. Comment s'y reconnaître parmi des termes grammaticaux de plus en plus nombreux, divers, les uns récemment introduits, les autres plus traditionnels ?

2. Quelles sont les différentes manières d'analyser un groupe de mots, une phrase ? Quels outils permettent d'étudier un texte ? Ces différentes méthodes sont-elles exclusives les unes des autres ou au contraire complémentaires ?

3. Comment résoudre les problèmes pratiques tels que l'accord du participe passé, le pluriel des adjectifs composés, l'emploi du subjonctif, etc. ?

À qui s'adresse le Bescherelle Grammaire ?

Le *Bescherelle Grammaire* a été conçu de façon à pouvoir être utilisé par le plus large public possible.

Aux élèves des classes du cycle 3 à celles du lycée, il permet de maîtriser les notions grammaticales, les procédures d'analyse, et d'en percevoir l'utilité.

Aux parents, il permet de faire le lien entre une grammaire dite traditionnelle, qu'ils ont apprise au cours de leur scolarité, et les analyses plus récentes qui sont présentées à leurs enfants.

Aux enseignants, il permet de coordonner leur enseignement de la grammaire avec celui des collègues.

À tous ceux qui peuvent avoir certaines hésitations quant à l'utilisation écrite ou orale de la langue française, le *Bescherelle Grammaire* apporte des solutions efficaces et pratiques.

Comment est construit le Bescherelle Grammaire ?

Le *Bescherelle Grammaire* est désormais constitué de trente-cinq chapitres regroupés dans quatre grandes parties :

- Mots et groupes de mots
- Les phrases
- Usages et textes
- Annexes

Ces chapitres traitent chacun d'une notion grammaticale particulière. Chaque chapitre est divisé en paragraphes courts qui développent une seule règle à chaque fois. Les paragraphes sont numérotés et tous les renvois, à l'intérieur des chapitres comme dans l'index, indiquent le numéro des paragraphes auxquels il faut se reporter.

Comment utiliser le Bescherelle Grammaire ?

Le *Bescherelle Grammaire* permet différentes utilisations.

Un usage ponctuel et pratique

On recherche une information ou une solution à un problème pratique tel que l'accord du participe passé des verbes pronominaux. On consultera alors l'index à l'entrée « participe passé », ou « pronominaux », ou « verbes pronominaux » ou encore « se + verbe ». Dans chaque cas, le lecteur est renvoyé à un paragraphe de l'ouvrage où il trouvera la réponse à son problème.

Une recherche plus approfondie

On veut faire le point sur une notion grammaticale telle que le complément circonstanciel, les propositions subordonnées, les caractéristiques d'un texte narratif, etc. Le lecteur peut directement se reporter au chapitre qui l'intéresse. Si le problème grammatical ne fait pas l'objet d'un chapitre entier, il consultera l'index.

Sommaire

USAGES ET TEXTES

ANNEXES

INDEX

adj. : adjectif
adv. : adverbe
art. : article
C. de phrase : complément de phrase
C. de verbe : complément de verbe
C. du nom : complément du nom
CC : complément circonstanciel
CC acc. : complément circonstanciel d'accompagnement
CCL : complément circonstanciel de lieu
CCT : complément circonstanciel de temps
COD : complément d'objet direct
COI : complément d'objet indirect
com. : comparatif
compl. : complément
COS : complément d'objet second
D : déterminant
fém. : féminin
GN : groupe nominal
GN prép. : groupe nominal prépositionnel
GNS : groupe nominal sujet
GV : groupe verbal
masc. : masculin
part. : participe
passé comp. : passé composé
pers. : personne
pl. : pluriel
poss. : possessif
prép. : préposition
prés. : présent
pron. : pronom
pron. pers. : pronom personnel
sing. : singulier
sub. : subordination
subj. : subjonctif
subord. : subordonnée
V : verbe

REMARQUE
attire l'attention sur une
exception fréquemment
rencontrée, une nuance
importante, un point sur lequel
les erreurs sont nombreuses.

→ **40 à 50** (renvois)
invite à se reporter à un ou
plusieurs autres paragraphes
pour des informations
complémentaires
ou plus approfondies.

signale que la phrase donnée
en exemple n'est pas
grammaticalement correcte.

→

signale le passage d'une forme
à une autre :
masculin → féminin.

Mots et groupes de mots

*Les numéros renvoient
aux numéros des paragraphes.*

Nature et fonctions

La grammaire classe les mots en grandes catégories. Ces catégories, ou *classes grammaticales*, représentent la nature des mots. On distingue neuf catégories, appelées encore *parties du discours* :

- **les noms ;**
- **les adjectifs qualificatifs ;**
- **les déterminants ;**
- **les verbes ;**
- **les pronoms ;**
- **les adverbes ;**
- **les prépositions ;**
- **les conjonctions ;**
- **les interjections.**

Le dictionnaire indique la nature des mots.

Le mot conserve sa nature même si sa forme change. Un verbe qui se conjugue change de forme *(chante, chanterai, chantèrent)*, mais il s'agit toujours d'un verbe. Les mots ont en général une nature et une seule.

En revanche, certains mots peuvent remplir plusieurs fonctions ; un nom peut être, par exemple, sujet, complément du verbe ou complément d'un autre nom. Certaines fonctions sont interdites à certains mots ; un adverbe ne peut jamais être sujet d'un verbe.

Pour les groupes de mots, c'est leur *noyau* qui définit leur nature.
C'est aussi le noyau qui définit la fonction des groupes.

Une phrase verbale minimale peut s'analyser en deux groupes : le *groupe nominal* et le *groupe verbal*.

> Le chat a sauté sur le tronc.

Le chat : groupe nominal, organisé autour du nom noyau *chat*.
a sauté sur le tronc : groupe verbal, organisé autour du verbe noyau *a sauté*.

DÉFINITIONS

1 Nature des mots

Les mots de notre langue se rassemblent en classes grammaticales : noms, verbes, adjectifs, adverbes, déterminants, etc. Chacune de ces classes constitue la nature d'un grand nombre de mots.

Par exemple, les mots suivants sont des noms :

caillou, chou, jambon, enfant

Ils ont en commun certaines caractéristiques : ils sont le plus souvent précédés d'un déterminant *(le, ce, des...)* ; ils sont pourvus d'un genre (masculin ou féminin) et varient en nombre (singulier ou pluriel).

Les mots suivants sont des adjectifs qualificatifs :

gentil, médiocre, petit, jeune

Ils dépendent d'un nom dont ils expriment une caractéristique. Ils s'accordent en genre et en nombre avec ce nom.

2 Rôle du dictionnaire

C'est le dictionnaire qui nous indique la nature de chaque mot. Il utilise pour cela des abréviations : *n.* = nom ; *v.* = verbe ; *adj.* = adjectif qualificatif ; *adv.* = adverbe ; *pron.* = pronom, etc.

3 Fonction des mots

Les mots peuvent avoir dans les phrases des fonctions différentes. Un nom peut ainsi désigner :

- **celui qui agit ;**

     Le chat mange la souris.

- **celui qui subit ;**

     Le chien mange le chat.

- **celui qui reçoit.**

     Marie donne à manger au chat.

UNE NATURE – PLUSIEURS FONCTIONS

4 Permanence de la nature d'un mot

La nature d'un mot ne change pas même si sa forme change.

> *J'ai un <u>ami</u> très proche.*
> *J'ai deux <u>amis</u> qui se détestent.*
> *J'ai une <u>amie</u> qui a quitté Paris.*
> *J'ai des <u>amies</u> en Chine.*

La forme du mot ***ami*** change selon son genre et son nombre et pour autant la nature de ce mot reste identique ; c'est un nom.

> *J'<u>ai chanté</u> une mélodie.*
> *L'oiseau <u>chante</u> au soleil.*
> *Nous <u>chanterons</u> à la fête de l'école.*

Le verbe ***chanter*** prend des formes très différentes, sa nature reste la même.

REMARQUE Il arrive que certains mots de la langue changent de classe grammaticale sans changer de forme. Ainsi l'adjectif *orange* peut être aussi utilisé comme nom dans une phrase comme : *J'aime beaucoup l'orange.*
Ce type de transfert (appelé aussi dérivation impropre) enrichit surtout la classe des noms.
Exemples de noms provenant :
– d'adjectifs : *le gris, une brune, les vieux* ;
– de verbes : *un dîner, des participants* ;
– d'adverbes : *le dessous (des cartes), le pour et le contre.*

5 Variation de la fonction d'un mot

La fonction d'un mot change.

> *La <u>chèvre</u> a mangé le chou.*
> *Le loup a mangé la <u>chèvre</u>.*
> *J'ai donné à manger à la <u>chèvre</u>.*

Le mot ***chèvre*** est d'abord sujet, puis complément d'objet direct, enfin complément d'objet second. Il a pris trois fonctions différentes mais il n'a pas pour autant changé de nature : c'est un nom, quelle que soit la fonction qu'il occupe.

> *La maison est <u>rouge</u>.*
> *La maison <u>rouge</u> brûle.*

Le mot ***rouge*** est d'abord attribut du sujet, puis épithète du nom ***maison***. Il n'a pas pour autant changé de nature : c'est un adjectif qualificatif.

6 Analyse de la phrase en groupes fonctionnels

Autour du noyau verbal, la phrase s'organise en groupes de mots qui sont chacun reliés au centre verbal et qui ont chacun une fonction déterminée. On différencie ainsi les groupes sujet, objet, circonstanciel, etc. On appelle ces groupes *groupes fonctionnels*.

> *Les jeunes fuyards* remontaient *le fleuve* *à contre-courant*.

Le noyau verbal est **remontaient** (il est distingué par la marque *-aient* de l'imparfait). Autour de ce noyau, on distingue trois groupes fonctionnels :
– *Les jeunes fuyards* : groupe fonctionnel sujet.
La fonction de ce groupe nominal est marquée par sa position avant le verbe.
– *le fleuve* : groupe fonctionnel complément d'objet direct.
La fonction de ce groupe nominal est marquée par sa position après le verbe.
– *à contre-courant* : groupe fonctionnel complément circonstanciel.
Ce groupe nominal (prépositionnel) est placé ici après le verbe mais pourrait être déplacé, par exemple, en tête de phrase.

7 Noyau d'un groupe de mots

C'est le noyau d'un groupe de mots qui définit sa nature.

- **Lorsque le noyau d'un groupe est un nom,** on a affaire à un groupe nominal (GN).

    > un petit <u>chien</u>

- **Lorsque le noyau est un adjectif,** on a affaire à un groupe adjectival.

    > <u>noir</u> de rage

- **Lorsque le noyau est un verbe,** on a affaire à un groupe verbal (GV).

    > Nous aurions pu <u>manger</u>.

C'est aussi le noyau qui définit la fonction d'un groupe de mots.

> Le petit <u>chien</u> de grand-père dort.

> Un camion a écrasé le petit <u>chien</u> de grand-père.

Dans ces deux phrases, le groupe nominal *le petit chien de grand-père* a pour noyau le nom *chien*. Dans la première phrase, *chien* occupe la fonction de sujet et donne sa fonction à tout le groupe. Dans la seconde phrase, le nom *chien* est COD et donne cette fonction à tout le groupe.

8 Des fonctions déterminées par la nature des mots

N'importe quel mot ne peut pas occuper n'importe quelle fonction. Un adverbe, par exemple, ne peut pas occuper la fonction de sujet. C'est la nature d'un mot qui détermine la ou les fonctions qu'il peut occuper.

Le nom est le mot qui peut occuper le plus grand nombre de fonctions : sujet, complément d'objet, complément circonstanciel de lieu, attribut, etc.

L'adverbe est le plus souvent complément circonstanciel.

Le verbe (lorsqu'il est conjugué) est toujours le noyau de la phrase.

9 Nature et fonctions des mots

Voici un tableau des principales fonctions occupées par les mots des classes grammaticales les plus fréquentes.

NATURE		FONCTIONS	EXEMPLES
NOM		Sujet	*Le jour se lève.*
		COD	*Elle attend le jour avec impatience.*
		COI	*Elle pense aux jours passés.*
		COS	*J'ai offert un livre à Éva.*
		Complément d'agent	*Nous avons été surpris par le jour.*
		Attribut du sujet	*Et la nuit devient le jour.*
		Complément du nom	*J'aperçus les premières lueurs du jour.*
		Complément circonstanciel	*Dès le jour, il partit.*
ADJECTIF QUALIFICATIF		Épithète liée	*Il harangua la foule enthousiaste.*
		Épithète détachée	*Le public, enthousiaste, applaudissait.*
		Attribut du sujet	*Il semblait enthousiaste.*
VERBE	conjugués	Noyau de la phrase ou de la proposition	*Ils partirent pour Rome au matin.*
	à l'infinitif	Sujet	*Partir, c'est mourir un peu.*
		Complément d'objet direct	*J'aime partir à l'aventure.*
		Complément circonstanciel	*Les poètes voyagent sans partir.*
PRONOMS		Sujet	*Vous avez cassé l'ordinateur.*
		COD	*Je vous salue bien.*
		COI	*Ce chien vous obéit.*
		COS	*Je vous ai remis cet argent.*
		Complément circonstanciel	*Je serai chez vous à dix heures.*

NATURE	FONCTIONS	EXEMPLES
ADVERBES	Complément circonstanciel	*Hier, il était encore ici.*
DÉTERMINANTS Articles	Déterminent le nom	*Un chien a mordu le jardinier.*
Déterminants : – démonstratif – possessif – indéfini – numéral		*Ces deux joueurs vont changer de club.* *Mon chien a mordu le facteur.* *Tel père, tel fils.* *Elle a eu trois enfants.*

GROUPE NOMINAL ET GROUPE VERBAL

10 Définition du groupe nominal et du groupe verbal

Une phrase verbale de base peut s'analyser en deux groupes constitutifs : le groupe nominal et le groupe verbal. Chacun de ces deux groupes se définit par la nature de son propre noyau : un nom pour le groupe nominal et un verbe pour le groupe verbal.

Ainsi, la phrase :

Un gros poulet lui suffit à peine.

se décompose en :
– *Un gros poulet* : groupe nominal, organisé autour du nom *poulet* ;
– *lui suffit à peine* : groupe verbal, organisé autour du verbe *suffit*.

11 Visualisation

On peut schématiser la composition de la phrase ainsi :

P (phrase) ⟶ GN (groupe nominal) + GV (groupe verbal)

La représentation en arbre permet de schématiser l'analyse de cette phrase.

Un gros poulet lui suffit à peine.

GN	GV

phrase

12 Thème et propos

On notera que l'analyse de la phrase en deux groupes (GN et GV) est proche de celle obtenue en posant les deux questions suivantes :
– De quoi parle-t-on ? *D'un gros poulet.*
– Qu'en dit-on ? *Qu'il lui suffit à peine.*
On appellera *thème* le groupe qui désigne ce dont on parle et *propos* le groupe qui permet de dire quelque chose du thème. Certaines grammaires utilisent dans le même sens les termes *sujet/prédicat*. Il y a là un risque de confusion car le mot *sujet* peut désigner alors deux notions différentes : la fonction sujet et le sujet du couple sujet/prédicat. → 218, 576 à 580

13 Construction du groupe verbal

Le groupe verbal s'analyse lui-même en plusieurs groupes. Examinons l'exemple suivant :

Tiphaine saisit la main de son père.

Cette phrase se décompose en :
– *Tiphaine* : groupe nominal ;
– *saisit la main de son père* : groupe verbal.

Le groupe verbal s'analyse à son tour en :
– *saisit* : verbe ;
– *la main de son père* : groupe nominal.

La représentation en arbre reflète cette analyse.

On voit donc apparaître un nouveau groupe nominal à l'intérieur du groupe verbal.

REMARQUE Afin de ne pas faire de confusion entre les groupes nominaux, certaines grammaires tentent de les différencier :
– soit en utilisant le terme de sujet pour le premier groupe nominal : *Tiphaine* sera appelé *groupe nominal sujet* (GNS) ;
– soit en numérotant les groupes nominaux : GN1 pour *Tiphaine*, GN2 pour *la main de son père*.

Le groupe nominal verbal peut être beaucoup plus complexe. Analysons la phrase suivante :

La jeune femme présenta son travail à l'assemblée.

Elle se découpe en deux groupes :
– *La jeune femme* : groupe nominal ;
– *présenta son travail à l'assemblée* : groupe verbal.

Le groupe verbal s'analyse lui-même en trois éléments :
– *présenta* : verbe ;
– *son travail* : groupe nominal ;
– *à l'assemblée* : groupe nominal prépositionnel, appelé ainsi parce qu'il comporte la préposition *à*.

On peut schématiser la composition de ce groupe verbal ainsi :

GV ⟶ V + GN + GN prép.

La représentation en arbre permet de montrer l'articulation des différents groupes.

La jeune femme	*présenta*	*son travail*	*à l'assemblée.*
	V	GN	GN prép.
GN		GV	
		phrase	

Groupe nominal

Le groupe nominal (GN), organisé autour du nom noyau, comporte des éléments obligatoires et des éléments facultatifs.

On parle de groupe nominal, même si parfois le groupe ne comporte qu'un nom précédé d'un déterminant.

> *Mon fils est arrivé.*

Il peut même être réduit à un seul mot.

> *Pierre est arrivé.*

La plupart du temps, le groupe nominal est présenté en tant que groupe nominal sujet : GNS ou GN1. En effet, dans une première analyse de la phrase, on peut distinguer le groupe nominal sujet et le groupe verbal.

> *Le cerisier du jardin   n'a pas fleuri cette année.*
> GNS   GV
> phrase

Un groupe nominal peut remplir d'autres fonctions que celle de sujet. Il peut être complément d'objet, complément circonstanciel, complément du nom, etc. C'est la fonction du nom noyau du groupe nominal qui détermine la fonction du GN.

> *La foule s'entasse sur le quai de la gare.*
> noyau
> CC

> *Les feuilles des arbres commencent à jaunir.*
> compl. du nom

CONSTITUTION DU GROUPE NOMINAL

14 Définition du groupe nominal

Le groupe nominal est constitué d'éléments qui se rattachent tous à un nom noyau. Certains de ces éléments sont obligatoires, d'autres sont facultatifs.

15 Définition du noyau nominal

Le groupe nominal comporte toujours un nom appelé noyau ou *chef de groupe*, ou *mot support*. Ce nom est indispensable, on ne peut jamais le supprimer.

>   <u>Le soleil pâle</u> descend sur la mer.
>   <small>GN</small>
>
>   ● *Le ~~soleil~~ pâle descend sur la mer.*

Parfois un nom peut, à lui tout seul, constituer le groupe nominal. C'est le cas en particulier de certains noms propres.

>   <u>Pierre</u> *nage sur le dos.*

La plupart du temps, le nom est accompagné d'autres mots, qui sont appelés *constituants du groupe nominal* ou encore *compléments du nom*.
Ces autres mots qui constituent le groupe nominal sont soit obligatoires, soit facultatifs. Ils précisent ou restreignent le sens du nom.

16 Nature des constituants obligatoires du GN

Les grammaires nouvelles les appellent *déterminants* ou *déterminatifs*.
→ 59 à 65
On regroupe sous ce terme ce que traditionnellement on nomme *articles* et *adjectifs non qualificatifs* (possessifs, démonstratifs, etc.).

17 Identification des constituants obligatoires du GN

Les constituants obligatoires du groupe nominal (les déterminants) présentent simultanément les caractères communs suivants.
On ne peut les supprimer sans rendre la phrase grammaticalement incorrecte.
Ils s'accordent avec le nom.
Ils appartiennent à des ensembles fermés.
Ce sont des mots grammaticaux.
→ **Mots grammaticaux et mots lexicaux, 539 à 550**

18 **Nature des constituants non obligatoires du GN**

Ils sont de trois types :

- **les adjectifs qualificatifs épithètes** → 347 à 354

    Le chien jaune a aboyé toute la nuit.

- **les compléments du nom** (ou compléments déterminatifs) : ce sont des groupes nominaux prépositionnels. → 355 à 362

    Le chien du voisin a aboyé toute la nuit.

- **les propositions subordonnées relatives** → 430 à 436

    Le chien qui est malade a aboyé toute la nuit.

Certaines grammaires font entrer dans cette catégorie le nom mis en apposition.

Mon ami, un berger, m'a tout raconté.

19 **Identification des constituants non obligatoires du GN**

Ils sont facultatifs ; on peut les supprimer. La phrase est moins riche mais elle reste correcte.

Le chien du voisin a aboyé toute la nuit.

Le chien a aboyé toute la nuit.

Ils ne sont pas toujours placés avant le nom noyau (contrairement aux déterminants).

L'adjectif qualificatif épithète peut généralement se trouver soit avant, soit après le nom.

Il a mangé un énorme rôti. Il a mangé un rôti énorme.

Le complément du nom est placé après le nom.

Il porte une chemise en nylon.

La proposition subordonnée relative est également placée après le nom.

La pelouse que j'ai tondue ce matin est superbe.

Ils n'appartiennent jamais à des listes courtes (fermées). On ne peut dénombrer ni les adjectifs qualificatifs, ni les compléments du nom, ni les propositions subordonnées relatives : ce sont des constituants de type lexical et non grammatical.

→ Mots grammaticaux et mots lexicaux, 539 à 550

En ce qui concerne l'accord, seul l'adjectif qualificatif s'accorde avec le nom noyau. Le complément du nom et la proposition subordonnée relative ne s'accordent pas avec lui.

REMARQUE Le caractère facultatif des expansions du groupe nominal et le caractère obligatoire des déterminants permettent d'envisager la notion de groupe nominal minimum à deux termes : déterminant + nom. Il peut même se réduire à un seul nom dans le cas d'un nom propre :

> *La grande table en bois de merisier est cassée.*
> *La table est cassée.*
> *Pierre est parti.*

FONCTIONS DU GROUPE NOMINAL

20 GN complément du verbe

Le groupe nominal peut remplir toutes les fonctions qui se rattachent au verbe : il peut être sujet, complément d'objet direct ou indirect, complément d'objet second, complément circonstanciel, complément d'agent.

> *Il a donné un bouquet à la mère de son ami.*
> GN COS

21 GN complément du nom

Le groupe nominal peut être complément d'un nom, lui-même noyau d'un autre groupe nominal.

> *Ils ont démoli la belle maison en briques rouges.*
> V   GN1   GN2

Le GN *en briques rouges* est complément du nom noyau *maison* et le GN *la belle maison en briques rouges* est complément du verbe *ont démoli*.

22 Les constituants du groupe nominal

Le tableau de la page suivante fait apparaître l'articulation entre termes anciens et termes nouveaux pour désigner les éléments du groupe nominal qui se rattachent au nom noyau (ou mot support, ou chef de groupe).

	CONSTITUANTS OBLIGATOIRES	CONSTITUANTS FACULTATIFS
TERMES ANCIENS	• Les articles • Les adjectifs non qualificatifs • Les adjectifs déterminatifs (possessifs, démonstratifs, indéfinis, numéraux, interrogatifs, exclamatifs)	• Les adjectifs qualificatifs épithètes • Les compléments de nom • Les compléments de détermination • Les propositions subordonnées relatives • Les phrases relatives
TERMES NOUVEAUX	• Les déterminants • Les déterminatifs	• Les compléments du nom • Les expansions du nom
PROPRIÉTÉS	**Mots grammaticaux** • Appartiennent à des ensembles fermés. • Place fixe avant le nom. • S'accordent avec le nom noyau.	**Mots lexicaux** • Appartiennent à des ensembles ouverts. • Pas de place fixe avant le nom. • Ne s'accordent pas avec le nom noyau (sauf l'adjectif qualificatif).

Dans ce tableau, les termes nouveaux ne remplacent pas les termes anciens, ils les regroupent.

Toutes les grammaires s'accordent pour regrouper en deux grandes catégories les différents mots qui constituent le groupe nominal :
- **les déterminants : constituants obligatoires ;**
- **les autres mots : constituants facultatifs.**

Elles soulignent les caractères communs aux éléments de chacune de ces catégories.

Plusieurs termes désignant les mêmes réalités grammaticales (plusieurs termes par case), on pourrait choisir pour chaque cas un terme unique, évitant toute ambiguïté.

Déterminant est plus utilisé que *déterminatif*. *Déterminants* pourrait être réservé pour désigner l'ensemble des mots qui accompagnent obligatoirement le nom dans le groupe nominal.

Complément du nom pourrait être réservé au traditionnel complément de nom.

On utiliserait alors le terme *expansions du nom* pour nommer les constituants facultatifs.

On peut alors construire le même tableau avec des termes mieux adaptés et ne faisant pas double emploi (un seul terme par case).

CONSTITUANTS OBLIGATOIRES			CONSTITUANTS FACULTATIFS		
	Mots grammaticaux		Mots lexicaux		
	Déterminants		Expansions du nom		
		NOM			
articles	adjectifs		adjectifs	compléments	subordonnées
	non qualificatifs		qualificatifs	du nom	relatives
			épithètes		

Nom

L'ESSENTIEL

Le mot *nom* est un terme utilisé dans toutes les grammaires, aussi bien anciennes que récentes. Ce qui est nouveau, c'est que les fonctions se rapportant au verbe sont attribuées au *groupe nominal* et non plus au nom en particulier. Dans la phrase :

Le petit chat noir saute par la fenêtre ouverte.

l'analyse traditionnelle dit que *chat* est sujet du verbe *saute* et *fenêtre* complément circonstanciel du même verbe. Les grammaires récentes préfèrent dire que c'est le groupe nominal *le petit chat noir* qui est sujet du verbe *saute* et le groupe nominal *par la fenêtre ouverte* qui en est le complément circonstanciel.

Le nom est étudié quant au rôle qu'il joue à l'intérieur du groupe nominal. Il en est le noyau, le centre, l'élément indispensable qui ne peut être supprimé et auquel se rattachent les autres éléments de ce groupe. Dans le groupe nominal :

Le petit chat noir

les mots *le*, *petit* et *noir* accompagnent le nom *chat*.

La composition minimale d'un groupe nominal est la suite déterminant + nom. *Le chat* est un groupe nominal au même titre que *Le petit chat noir*. Parmi les noms, on distingue les noms communs des noms propres. Un nom propre renvoie à un référent unique et n'a donc pas de sens lexical. On le reconnaît à l'écrit à sa majuscule initiale.

QU'EST-CE QU'UN NOM ?

23 Définition sémantique du nom

Du point de vue du sens, le nom est un mot qui désigne une personne, un animal, un objet concret ou une notion abstraite, ou encore une action.

Un homme, *Pierre* désignent des personnes.

Le chat, *la truite* désignent des animaux.

La table fait référence à un objet concret ; *la liberté* à une notion abstraite ; *le langage* à un processus.

24 Définition syntaxique du nom

Du point de vue de la fonction, le nom est le noyau du groupe nominal (on dit parfois le chef de groupe). C'est un élément indispensable au groupe nominal, il n'existe pas de groupe nominal sans nom.

>   *Les lourds nuages gris s'amoncelaient.*

>   ⊖ *Les lourds ~~nuages~~ gris s'amoncelaient.*

Le nom noyau est obligatoirement accompagné d'un déterminant.

→ **Déterminants, 59 à 100**

>   *les nuages – ces nuages – quelques nuages*

Cependant, surtout dans le cas de noms propres, le nom peut constituer à lui seul le groupe nominal.

>   *Pierre est sorti sous la pluie.*

Les deux définitions du nom, sémantique et syntaxique, ne sont pas contradictoires. Au contraire, elles sont, l'une et l'autre, nécessaires pour comprendre le fonctionnement du nom dans la phrase.

LE GENRE ET LE NOMBRE DES NOMS COMMUNS

25 Genre des noms communs

Le genre d'un nom commun (masculin/féminin) est fixe dans la langue ; il est indiqué dans le dictionnaire.
Celui des noms inanimés est arbitraire.
Pour les noms animés, la distinction des genres correspond en général à une distinction des sexes. → **Classement des noms, 34, 37 à 39**

26 Formation du féminin

En général, les noms animés forment leur féminin sur le modèle de l'adjectif, avec un *e* final.

>   *le cousin – la cousine*

Parfois, cependant, le féminin est marqué par un suffixe spécifique ou par l'adjonction d'un terme classificateur.

>   *le vendeur – la vendeuse*

>   *le maître – la maîtresse*

>   *un médecin – une femme médecin*

REMARQUE Pour certains noms animés, seul le déterminant change.
un élève – une élève

27 Nombre des noms communs

Le nom commun varie en nombre. Selon que le locuteur fait référence à une occurrence de l'être ou de la chose désignés par le nom ou à plusieurs, le nom est au singulier ou au pluriel. Tous les noms dénombrables peuvent ainsi être mis au pluriel. → **Classement des noms,** 27 à 29

le chat – les chats

28 Formation du pluriel : règles

COMMENT SE FORME LE PLURIEL	EXEMPLES	EXCEPTIONS
La plupart des noms forment leur pluriel en ajoutant un -s.	*Il a de nouveaux amis.*	
Les noms en -*ou* forment leur pluriel en ajoutant un -s.	*Tous ces trous sont des marques de clous.*	**bijou, caillou, chou, genou, hibou, joujou, pou** forment leur pluriel en ajoutant un -x : *Elle a de magnifiques bijoux.*
Les noms en -*eu* forment leur pluriel en ajoutant un -x.	*À 22 heures, tous les feux étaient éteints.*	**bleu** et **pneu** prennent un -s : *On avait crevé les quatre pneus.*
Les noms en -*(e)au* forment leur pluriel en ajoutant un -x.	*Il a évidemment reçu beaucoup de cadeaux.*	**landau** et **sarrau** prennent un -s : *Pour ses jumeaux, elle a acheté deux landaus.*
Les mots en -*al* forment leur pluriel en -*aux*.	*Elle lit plusieurs journaux chaque jour.*	**bal, carnaval, chacal, festival, régal**, etc., ont leur pluriel en -s : *Il assiste régulièrement à plusieurs festivals.*
Les noms en -*ail* prennent un -s au pluriel.	*Les détails de l'affaire lui échappent sans doute.*	**bail, corail, émail, fermail, soupirail, travail, vantail, vitrail** forment leur pluriel en -*aux* : *Le cambrioleur tenta d'ouvrir quelques soupiraux.*
Les noms qui se terminent par -s, -x et -z au singulier ne prennent pas de marque de pluriel.	*Les prix augmentent toujours.* *Les Chinois connaissent différentes sortes de riz.*	

REMARQUES Certains noms, tels que *ténèbres, obsèques, fiançailles, mœurs,* n'ont pas de singulier. Le passage du singulier au pluriel entraîne, pour certains, un changement de sens.

un ciseau (de menuisier) → *des ciseaux (de couturière)*

Certains objets sont désignés indifféremment par un nom singulier et un nom pluriel.

Je mets mon pantalon/mes pantalons.
Je monte l'escalier/les escaliers.

Certains pluriels entraînent un changement de prononciation.

bœuf → *bœufs* [bœf, bø]
œuf → *œufs* [œf, ø]
os → *os* [ɔs, o]

Certains noms changent totalement de forme au pluriel.

ail → *aulx*
œil → *yeux*

29 Pluriel des noms composés : règles

La formation du pluriel des noms composés dépend souvent du sens de chaque mot composé. On peut cependant donner quelques règles d'accord.

NOM COMPOSÉ	FORMATION DU PLURIEL	EXCEPTIONS
NOM + NOM Les deux noms prennent la marque du pluriel.	*des oiseaux-mouches*	*des timbres-poste* (des timbres pour la poste) *des années-lumière* *des gardes-chasse*
NOM + PRÉPOSITION + NOM Seul le premier nom prend la marque du pluriel.	*des arcs-en-ciel*	*des bêtes à cornes* *des chars à bancs* *des tête-à-tête* *des pot-au-feu*
ADJECTIF + NOM Les deux mots prennent la marque du pluriel.	*des basses-cours*	L'adjectif *grand* + nom féminin reste invariable : *des grand-mères* L'adjectif *demi* + nom reste invariable : *des demi-journées*
ADJECTIF + ADJECTIF Les deux adjectifs prennent la marque du pluriel.	*des sourds-muets*	

NOM COMPOSÉ	FORMATION DU PLURIEL	EXCEPTIONS
VERBE + NOM		
• Seul le nom prend la marque du pluriel.	*des tire-bouchons* *des tourne-disques*	
• Ni le verbe ni le nom ne prennent la marque du pluriel.	*des abat-jour*	
MOT INVARIABLE + NOM Seul le nom prend la marque du pluriel.	*des avant-scènes* *des non-lieux*	
VERBE + VERBE Aucune marque de pluriel.	*des laissez-passer*	
MOTS ÉTRANGERS	*des snack-bars* *des pull-overs* *des week-ends*	Aucune marque de pluriel : *des post-scriptum*

ACCORD AVEC LE NOM

30 Accord avec le nom

On ne peut pas dire que le nom s'accorde en genre et en nombre. C'est lui qui impose son genre et son nombre.

31 Accord des déterminants et des adjectifs épithètes avec le nom noyau

En tant que noyau du groupe nominal, le nom entraîne l'accord :

- **des déterminants ;**

    le chien – la chienne
    le fauteuil – les fauteuils

- **des adjectifs qualificatifs épithètes.**

    ce chien méchant – cette chienne méchante – ces chiens méchants

32 Accord de l'adjectif attribut et du verbe avec un nom sujet

Quand le nom est noyau d'un groupe nominal sujet, c'est avec lui que s'accordent :

- **l'attribut du sujet ;**

    Ce chat est noir.

    Ces chattes sont noires.

- **le verbe** (en nombre seulement, le genre n'ayant aucune influence sur le verbe).

    Le chien aboie.

    Les chiens aboient.

33 Accord du participe passé avec un nom COD

Quand le nom est noyau d'un groupe nominal complément d'objet direct, il entraîne l'accord du participe passé employé avec *avoir*, dans certains cas.

→ Complément d'objet direct, 280 à 282

    Les raisons que je t'ai données restent valables.

CLASSEMENT DES NOMS

34 Principes de classement

On peut classer les noms de diverses manières. On distingue ainsi :

- **les noms communs et les noms propres ;**

Les noms propres s'écrivent avec une majuscule et s'emploient générale-ment sans déterminant ; surtout on ne peut pas les définir comme on définit un nom commun ; ils font en effet référence à une personne ou un objet unique dans la situation où ils sont employés.

- **les animés et les inanimés ;**

- **les dénombrables et les non dénombrables.**

	NOMS PROPRES	NOMS COMMUNS
ANIMÉS	HUMAINS *Bernard*	HUMAINS *mon oncle*
	NON HUMAINS *Médor*	NON HUMAINS *mon chien*
INANIMÉS	DÉNOMBRABLES *un Picasso*	DÉNOMBRABLES *un verre*
	NON DÉNOMBRABLES *la Seine*	NON DÉNOMBRABLES *l'eau*

35 Noms communs et noms propres : emploi des déterminants

Traditionnellement, les noms communs sont obligatoirement accompagnés d'un déterminant. Les noms propres, eux, n'ont pas cette obligation.

> *Mon chien est parti.*

> *Médor est parti.*

On rencontre cependant des noms communs construits sans déterminant. Cela résulte, par exemple, d'une construction grammaticale obligatoire.

> *Il marchait avec peine.*

> *Ils s'entendaient comme chien et chat.*

> *Ils ont acheté des fauteuils en cuir.*

Pour plus de détails, → **Déterminants, 59 à 100**

On rencontre aussi des noms propres accompagnés d'un déterminant. C'est le cas de beaucoup de noms utilisés en géographie.

> *la Loire – le Brésil*

Si le nom propre est accompagné d'un adjectif qualificatif, d'un complément du nom ou d'une subordonnée relative, le déterminant réapparaît.

> *C'est le célèbre Bernard qui a gagné la course.*

> *Ma chère Nicole, comment vas-tu ?*

> *C'était un Japon de rêve...*

Dans un usage populaire, l'utilisation volontaire d'un déterminant avec le nom propre peut servir à donner une nuance pittoresque ou affective.

> *La Marie a encore cassé une assiette.*

> *Mon Pierre est arrivé le premier.*

L'utilisation d'une majuscule pour un nom commun permet de donner une valeur symbolique à ce qui est désigné.

> *Liberté, j'écris ton nom.*

> *l'État, l'Église* (catholique et romaine)

36 Noms propres : pluriel

Les noms propres ne se mettent en général pas au pluriel.

> *la France* (n'existe pas au pluriel)

> *Les Dupont viendront dîner.*

Il s'agit de plusieurs personnes portant le même nom. Le nom propre ne prend pas le -s du pluriel, mais il impose son pluriel au déterminant *les* et au verbe *viendront*.

> *Elle avait acheté trois superbes Picasso.*

Le nom du peintre désigne, ici, ses œuvres.

Certains noms propres sont toujours au pluriel et en prennent la marque (-s).

> *les Pyrénées – les Balkans – les Antilles*

Les noms désignant des peuples ou des habitants de pays, de régions, de villes prennent une majuscule comme tous les noms propres mais prennent également les marques de genre et de nombre.

> *un Breton – une Bretonne*

> *des Bretons – des Bretonnes*

REMARQUE En fait, le même mot peut être employé soit comme adjectif, soit comme nom.

> Les usagers <u>parisiens</u> du métro sont nombreux.
>   adjectif

> Les <u>Parisiens</u> sont nombreux à se déplacer en métro.
>   nom

> La cuisine <u>lyonnaise</u> est réputée.
>   adjectif

> Les <u>Lyonnaises</u> sont bonnes cuisinières.
>   nom

Seuls les noms prennent une majuscule.

37 Intérêt de la distinction entre animés et inanimés

Le classement qui distingue les noms désignant des êtres animés (hommes ou animaux) et les noms désignant des objets inanimés est particulièrement utile lorsque l'on veut remplacer un nom par un pronom et lorsque l'on veut exprimer le lieu à l'aide des prépositions *à* et *chez*.

Pronoms remplaçant des noms animés et inanimés

Lorsque l'on est amené à utiliser des pronoms de type personnel, interrogatif ou « négatif », on est obligé de distinguer animés et inanimés.
Les substituts du nom utilisés dans le cas des animés sont *qui, personne, lui (elle, elles, eux)* ; ceux utilisés dans le cas des inanimés sont *que, quoi, rien, y, en*.

- **lui, y**

Elle pense à son frère.	*Elle pense à lui.* (animé)
Il pense à son jardin.	*Il y pense.* (inanimé)

- **lui, en**

Il parle de son frère.	*Il parle de lui.* (animé)
Il parle de son jardin.	*Il en parle.* (inanimé)

- **qui, que**

Il regarde un enfant.	*Qui regarde-t-il ?* (animé)
Elle observe un arbre.	*Qu'observe-t-elle ?* (inanimé)

- **à qui, à quoi**

Il pense à son frère.	*À qui pense-t-il ?* (animé)
Il pense à son jardin.	*À quoi pense-t-il ?* (inanimé)

- **personne, rien**

Elle voit son frère.	*Elle ne voit personne.* (animé)
Je vois un arbre.	*Je ne vois rien.* (inanimé)

En fait, dans l'usage courant, la série *que, quoi, rien, y, en* n'est pas strictement réservée aux inanimés. On peut entendre souvent :

Il voit un enfant.	*Que voit-il ?*
Il voit son frère.	*Il ne voit rien.*
Il pense à son frère.	*Il y pense.*
Il parle de son frère.	*Il en parle.*

Dans cette série, c'est le pronom *quoi* qui est le plus rarement utilisé avec un animé. En revanche, les pronoms *qui, personne, lui (elle, elles, eux)*, sont strictement réservés aux animés.

Les animés des exemples pris plus haut étaient tous des humains. Le cas des animaux est plus complexe : dans le cas des animaux proches de l'homme, les substituts ont tendance à s'employer de la même manière que pour les humains. En revanche, dans le cas d'animaux peu familiers, on aura tendance à utiliser les substituts de la série « inanimés ».

Il pense <u>à son chien</u>.	*À <u>qui</u> pense-t-il ?*
	À <u>quoi</u> pense-t-il ?
Il pense <u>aux fourmis</u>.	*À <u>qui</u> pense-t-il ?*
	À <u>quoi</u> pense-t-il ?

39 Emploi des prépositions *à* et *chez* avec des animés et des inanimés

Le classement entre animés et inanimés est important lorsque l'on veut former un complément circonstanciel de lieu à l'aide des prépositions *à* ou *chez*. Lorsque l'on fait référence à un lieu désigné par un nom de personne, la règle veut que l'on utilise la préposition *chez*.

> *Je vais <u>chez</u> le coiffeur. Il n'y a plus de pain <u>chez</u> le boulanger.*
> *Il faut qu'il aille <u>chez</u> le docteur.*

REMARQUE On observe actuellement une tendance à utiliser *chez* pour tous les commerçants, même lorsque le magasin n'est pas désigné par le nom d'une personne.
> *Il achète ses chaussures chez Brailly.* (non humain)

40 Noms dénombrables et non dénombrables

Les noms dénombrables évoquent des êtres ou des objets que l'on peut compter *(tables, livres)*.

Les noms non dénombrables désignent des substances ou des notions qu'on ne peut pas décomposer en unités *(sucre, tendresse)*.

41 Emploi des déterminants avec un nom dénombrable

Un nom dénombrable peut être accompagné d'un déterminant numéral *(un, deux)* ou d'un déterminant indéfini *(quelques, tous)* afin de faire varier sa quantité.

> *une table – deux tables – quelques tables*

42 Emploi des déterminants avec un nom non dénombrable

Un nom non dénombrable est accompagné de l'article partitif, d'un adverbe de quantité *(peu, beaucoup, pas...)* afin d'indiquer la plus ou moins grande masse que l'on évoque.

> *de l'eau – peu d'eau – pas d'eau*

REMARQUE Parfois, certains noms dénombrables sont utilisés comme des noms non dénombrables : *dix agneaux ; de l'agneau*.
Et inversement : *de la gentillesse ; toutes vos gentillesses*.

Adjectif qualificatif

L'ESSENTIEL

Comme son nom l'indique, l'adjectif qualificatif sert à préciser une qualité, une caractéristique d'un être animé ou d'une chose inanimée : *beau, laid, gentil, méchant, blanc, noir* sont des adjectifs qualificatifs.

Il faut bien distinguer les adjectifs qualificatifs des déterminants, que l'on nomme aussi adjectifs dans la grammaire traditionnelle : les déterminants possessifs *(mon, ton, son...)*, les déterminants démonstratifs *(ce, cette...)*.
→ Déterminants, 80 à 100

Les adjectifs qualificatifs sont très nombreux (ce sont des mots lexicaux), alors que les adjectifs non qualificatifs, ou déterminants, sont en petit nombre (ils font partie des mots grammaticaux).
→ Mots grammaticaux et mots lexicaux, 539 à 550

L'adjectif qualificatif peut avoir plusieurs fonctions : *attribut, épithète* (liée ou détachée). Quelle que soit sa fonction, il s'accorde en genre et en nombre avec le nom qu'il qualifie.

C'est parce qu'ils peuvent tous remplir les mêmes fonctions que les adjectifs qualificatifs forment une *classe grammaticale*, de même que les noms et les verbes.

FONCTIONS DE L'ADJECTIF QUALIFICATIF

43 Fonctions de l'adjectif qualificatif

Si l'adjectif qualificatif appartient au groupe verbal, il est *attribut*.
→ Attribut du sujet, Attribut de l'objet, 339 à 346

> Cette fillette est malicieuse.
> GV

S'il appartient au groupe nominal, il peut être *épithète liée*. → 347 à 354, 364

> La malicieuse fillette a caché le ballon de son frère.
> GN

Il peut aussi être, suivant la nouvelle terminologie, *épithète détachée*.
→ 363 à 367

> *La fillette, malicieuse, a caché le ballon de son frère.*
> GN

44 Représentation en arbre

Il est intéressant de constater, grâce à la visualisation, le comportement syntaxique particulier de l'adjectif selon qu'il est épithète ou attribut. L'adjectif qualificatif en fonction d'épithète fait partie du GN.

> *Cet enfant adore les plats sucrés.*
> COD   adjectif épithète

L'adjectif qualificatif en fonction d'attribut fait partie du GV.

> *Cette femme est courageuse.*
> sujet   adjectif attribut

DEGRÉS DE QUALIFICATION DE L'ADJECTIF QUALIFICATIF

45 Sens des degrés de qualité

Comme nous l'avons vu, l'adjectif qualificatif exprime une caractéristique, une qualité d'un être animé ou d'un objet inanimé. Cette qualité peut être exprimée avec plus ou moins de force :

• **au comparatif :** un être ou un objet est plus ou moins grand que quelqu'un ou quelque chose ;

• **au superlatif :** un être ou un objet est très grand ou le plus grand de tous.

46 Comparatif de supériorité

La forme *plus... que* entourant un adjectif qualificatif permet d'exprimer le comparatif de supériorité.

Pierre est plus <u>intelligent</u> que Jacques.

Dans cette phrase, l'adjectif qualificatif ***intelligent*** qualifie à la fois ***Pierre*** et ***Jacques***. Mais, en utilisant la forme *plus... que*, on indique que la qualité d'intelligence s'applique avec plus de force à Pierre qu'à Jacques. Pierre a une intelligence supérieure à celle de Jacques.

Pierre est plus <u>bête</u> que <u>méchant</u>.

Dans cette phrase, Pierre se voit attribuer deux caractéristiques : ***bête*** et ***méchant*** ; mais, en utilisant la forme *plus... que*, on indique que la caractéristique de bêtise est plus importante que celle de méchanceté. Il s'agit aussi du comparatif de supériorité.

47 Comparatif d'infériorité

Si, au lieu d'utiliser la forme *plus... que*, on utilise la forme *moins... que*, on obtient une comparaison d'un autre type : le comparatif d'infériorité.

Pierre est moins <u>drôle</u> que Jacques.

Cet objet est moins <u>utile</u> que dangereux.

48 Comparatif d'égalité

Si, enfin, on emploie la forme *aussi... que*, on marquera un comparatif d'égalité.

Pierre est aussi <u>séduisant</u> que Jacques.

Cette femme est aussi <u>belle</u> qu'<u>intelligente</u>.

REMARQUE Dans les phrases de ce type, on rencontrera souvent une reprise utilisant la forme verbale avec être.

Cette femme est aussi belle qu'elle <u>est</u> intelligente.

On peut établir une comparaison d'égalité entre deux qualités attribuées chacune à une personne ou à un objet différent.

Jeanne est <u>aussi nerveuse que</u> Marie est <u>calme</u>.

comp. d'égalité

49 Construction comparative

La forme comparative comporte donc un élément : *plus*, *moins*, *aussi* qui précède l'adjectif qualificatif ; celui-ci est suivi de *que*, qui introduit le deuxième terme de la comparaison.

	plus			
Le tigre est	*moins*	*féroce*	*que*	*le lion.*
	aussi			

indicateur du type de comparatif — adjectif qualificatif — introduit le 2e terme de comparaison

Le deuxième terme de la comparaison peut être :

- **un nom ;**

    Le tigre est plus féroce que le lion.

- **un autre adjectif ;**

    Il est plus bête que méchant.

- **un adverbe ;**

    Il fait moins beau aujourd'hui qu'hier.

- **un groupe nominal prépositionnel.**

    Il fait meilleur ici que dans ma chambre.

REMARQUE On trouve fréquemment des phrases où le premier terme de comparaison est sous-entendu.

    Il fait moins beau qu'hier.
    Il fait meilleur que dans ma chambre.

De même, le deuxième terme de la comparaison peut être sous-entendu ou négligé.

    Le soleil faisait paraître la plage plus blanche.
    Il rêve d'une essence moins chère.

50 Comparatifs irréguliers

Il existe trois adjectifs qui possèdent un comparatif de supériorité irrégulier :

- **bon → meilleur**

    Le vin est meilleur en Europe qu'aux États-Unis.

- **mauvais → pire**

    Sa situation est pire que la tienne.

- **petit → moindre**

    C'est un moindre mal.

On ne doit pas utiliser *meilleur*, *pire*, *moindre* au comparatif : ce sont eux-mêmes déjà des comparatifs.

- ⬤ *plus meilleur* ou *moins meilleur*
- ⬤ *plus pire* ou *moins pire*
- ⬤ *plus moindre* ou *moins moindre*

51 Superlatif relatif

Le superlatif relatif permet de distinguer, à l'intérieur d'un même ensemble, des éléments qui possèdent une qualité au plus haut ou au plus bas degré :

- **superlatif relatif de supériorité : le(s) plus... (de...) ;**

  J'ai choisi <u>les plus rapides des</u> joueurs.

- **superlatif relatif d'infériorité : le(s) moins... (de...).**

  Elle a cueilli <u>les moins belles des</u> fleurs.

52 Construction et place du superlatif relatif

Le superlatif relatif peut ne pas être suivi du complément introduit par *de*, qui indique l'ensemble des objets *(fleurs)* ou des êtres *(joueurs)* soumis au superlatif relatif ; dans ce cas, le nom précède l'adjectif au superlatif.

J'ai choisi les joueurs les plus <u>rapides</u>.

Elle a cueilli les fleurs les moins <u>belles</u>.

Écoutez les musiques les plus <u>belles</u> à l'horaire le plus <u>fou</u> !

53 Superlatif absolu

Il permet d'indiquer le très haut degré d'une qualité attribuée à un être ou à un objet sans qu'il soit question de le comparer à d'autres êtres ou objets possédant aussi cette qualité. Il se forme en faisant précéder l'adjectif de l'adverbe *très* ou de l'un des adverbes de quantité qui peuvent se substituer à lui pour marquer le haut degré d'une qualité.

	très	
Elle est	*super*	*intelligente.*
	extrêmement, etc.	

	merveilleusement	
Il est	*drôlement*	*beau.*
	fort, etc.	

REMARQUE Certains adjectifs comme *excellent, exceptionnel, formidable* marquent par eux-mêmes un haut degré de qualité et ne peuvent être mis au comparatif ni au superlatif. On ne peut pas dire :

⊖ *La soupe était plus excellente que le dessert.*

⊖ *Cette fille est la plus exceptionnelle de celles que j'ai connues.*

ACCORD DE L'ADJECTIF QUALIFICATIF

54 **Accord des adjectifs qualificatifs**

L'adjectif, qu'il soit épithète ou attribut, s'accorde en genre et en nombre avec le nom qu'il qualifie.

> *J'ai acheté des fleurs merveilleuses.*
> fém. pl.   épithète liée

> *Affolées, les brebis s'enfuirent.*
> épithète détachée   fém. pl.

> *De loin, la ville semblait plus belle.*
> fém. sing.   attribut

Lorsqu'un adjectif qualifie plusieurs noms, il se met au pluriel.

> *Un homme et un enfant beaux comme des dieux s'avancèrent.*
> sing.   sing.   pluriel

Lorsqu'un adjectif qualifie plusieurs noms de genres différents, l'adjectif qualificatif se met au masculin pluriel.

> *Le chat, la belette et la souris semblèrent atterrés.*
> masc.   fém.   fém.   masc. pl.

55 **Accord des adjectifs de couleur**

Les adjectifs qualificatifs dérivés de noms de fleurs, de fruits, de pierres précieuses, etc. ne s'accordent ni en genre ni en nombre.

> *Nous portons toutes les deux des robes orange.*
> pluriel   invariable

> *Ces boucles d'oreilles émeraude sont belles.*
> pluriel   invariable

REMARQUE Les adjectifs *rose, écarlate, fauve, incarnat, mauve, pourpre* s'accordent en nombre.
Elle a toujours les joues roses.

56 Accord des adjectifs composés

L'accord des adjectifs composés dépend de la nature des mots qui les composent. Si adjectif composé est formé de deux adjectifs, les deux adjectifs s'accordent en genre et en nombre.

> Il prononça des _paroles_ _aigres-douces_.
>   fém. pl.   fém. pl.

Si l'adjectif composé est formé d'un élément invariable et d'un adjectif, seul l'adjectif s'accorde en genre et en nombre.

> Il abandonna à l'_avant-dernière montée_.
>   inv.   fém. sing. fém. sing.

Les adjectifs composés désignant des couleurs ne s'accordent ni en genre ni en nombre.

> Ils portaient tous _des chemises_ _rose pâle_.
>   fém. pl.   invariable

Il en va de même si la nuance de couleur de l'adjectif est précisée par un autre nom.

> _des chemises_ _vert pomme_
>   fém. pl.   invariable

57 Formation du féminin des adjectifs qualificatifs

RÈGLES	ADJECTIFS
On forme le plus souvent le féminin des adjectifs en ajoutant simplement un -e.	_petit_ → _petite_ _abondant_ → _abondante_ _grand_ → _grande_ _joli_ → _jolie_
Les adjectifs se terminant par un -e ne changent pas au féminin.	_aimable_ → _aimable_ _pâle_ → _pâle_
Les adjectifs se terminant par -on et -ien doublent leur consonne finale au féminin.	_bon_ → _bonne_ _ancien_ → _ancienne_
Les adjectifs se terminant par -el, -ul et -eil doublent leur consonne finale au féminin.	_cruel_ → _cruelle_ _nul_ → _nulle_ _pareil_ → _pareille_
Les adjectifs terminés par -et doublent leur consonne finale au féminin, sauf _complet, désuet, discret, inquiet_... qui se terminent par -ète.	_coquet_ → _coquette_
Les adjectifs terminés par -ot ont un féminin en -ote, sauf _pâlot, sot, vieillot_... qui se terminent par -otte.	_idiot_ → _idiote_

RÈGLES	ADJECTIFS
Les adjectifs terminés par -s ont un féminin en -se, sauf bas, épais..., qui forment le féminin en -sse ; frais qui devient fraîche, etc.	gris → grise bas → basse
Les adjectifs terminés par -x font leur féminin en -se, sauf doux, faux, roux... : douce, fausse, rousse.	nerveux → nerveuse doux → douce
Les adjectifs terminés par -er forment leur féminin en -ère.	léger → légère
Les adjectifs terminés par -f forment leur féminin en -ve.	neuf → neuve
Les adjectifs terminés par -c font souvent leur féminin en -che. Mais : les soldats francs, les armées franques.	franc → franche blanc → blanche
Les adjectifs beau, nouveau, fou, mou, vieux donnent au féminin : belle, nouvelle, folle, molle, vieille. Mais ces mêmes adjectifs suivis d'un nom commençant par une voyelle prennent des formes, au masculin, qui se prononcent de la même façon que celles du féminin : un vieil abruti, un fol amour, un nouvel appartement.	beau → belle fou → folle vieux → vieille

58 Formation du pluriel des adjectifs qualificatifs

RÈGLES	ADJECTIFS
On forme le plus souvent le pluriel de l'adjectif avec -s.	grand → grands petit → petits
Terminés par -s ou -x, les adjectifs ne changent pas au masculin pluriel.	doux → doux gros → gros
Terminés par -al, ils forment leur pluriel en -aux sauf : banal, bancal, fatal, final, glacial, natal, naval qui prennent un -s. Remarque : on peut dire ou écrire des fours banaux.	royal → royaux naval → navals

Déterminants

Déterminant est un terme nouveau (on dit parfois *déterminatif*). Il est utilisé actuellement dans toutes les grammaires et ne remplace aucun terme ancien. Il réunit un ensemble de mots qui font partie du groupe nominal et ont, dans ce groupe, le même comportement. Les déterminants se placent devant le nom noyau avec lequel ils s'accordent. Grâce à leurs marques d'accord, ils donnent des indications à l'oral sur le nombre, parfois également sur le genre du nom.

Les principaux déterminants sont :

• **les articles** (définis, indéfinis, partitifs) ;
• **les adjectifs non qualificatifs** (déterminants possessifs, démonstratifs, indéfinis, numéraux, exclamatifs et interrogatifs).

Les déterminants peuvent parfois être combinés ensemble.

> *Je dîne avec <u>mes trois</u> amis.*

Dans la terminologie traditionnelle, le même mot *adjectif* désigne aussi bien des déterminants que l'adjectif qualificatif. Ils ont cependant un comportement syntaxique différent. Adjectifs qualificatifs et non qualificatifs n'ont en commun que le fait de s'accorder avec le nom et de le déterminer. Les caractères principaux des adjectifs non qualificatifs, notamment la fonction qu'ils occupent par rapport aux noms, les distinguent nettement des adjectifs qualificatifs. En raison de ces différences, les nouvelles grammaires préfèrent parler de *déterminant* plutôt que d'*adjectif non qualificatif* et, par exemple, de *déterminant possessif* plutôt que d'*adjectif possessif*.

DÉTERMINANTS : IDENTIFICATION

59 Définition et rôle des déterminants

On appelle *déterminants* les mots comme *le, un, son, ces...* qui se placent devant le nom dans le groupe nominal. Ces mots permettent de présenter un personnage, un animal ou un objet d'une façon particulière.

60 Emploi des déterminants

Les déterminants ont un caractère obligatoire. Dans un groupe nominal, le nom noyau est toujours accompagné d'un déterminant. La suppression du déterminant rend la phrase grammaticalement incorrecte. On peut dire :

> <u>Nos</u> amis sont venus ; nous nous sommes promenés dans <u>le</u> jardin.

On ne peut pas dire :

> ⊖ ~~Nos~~ amis sont venus ; nous nous sommes promenés dans ~~le~~ jardin.

Le déterminant forme avec le nom le groupe nominal minimum.

61 Omission des déterminants

Dans certains cas, on peut rencontrer des phrases grammaticalement correctes dans lesquelles le nom n'est pas accompagné d'un déterminant.

- **Avec certains noms propres**

> <u>Christophe</u> a téléphoné.
> <u>Paris</u> est une ville extraordinaire.

- **Avec certains noms communs,** dans des situations particulières :
– étiquettes, pancartes

> Sucre – École

– annonces

> Vente publique
> Départ dans cinq minutes

– titres

> Menace de conflit en Asie (journal)
> Crime et Châtiment (roman)
> Prélude (œuvre)

– invocations

> Ô soleil !
> Salut, voisin !

- **Dans certains groupes nominaux prépositionnels**

> Il voyage <u>en train</u>.
> Je l'ai rencontré <u>par hasard</u>.
> Il mange <u>avec plaisir</u>.

- **Dans un GN désignant un ensemble**

  Femmes et enfants couraient sur le quai.

  Il recevait <u>*parents et professeurs*</u>.

- **Avec un nom en fonction d'attribut du sujet**

  Il est <u>*professeur*</u> *au lycée.*

- **Avec un nom en apposition**

  Mon voisin, <u>*journaliste bien connu*</u>*, m'a expliqué toute l'affaire.*

- **Dans certaines expressions figées**

  Il ne rêvait que <u>*plaies et bosses*</u>*.*

  <u>*Noblesse*</u> *oblige.*

  Ils s'entendaient comme <u>*chien et chat*</u>*.*

REMARQUE Dans le cas où un mot peut être, avec la même orthographe, soit un nom, soit un verbe, la présence du déterminant indique clairement qu'il s'agit d'un nom.

L'homme <u>*peuple*</u> *la terre.* (verbe)

Le <u>*peuple*</u> *est en fête.* (nom)

62 Place des déterminants

Ils sont placés à gauche du nom dans un texte écrit, même s'il arrive qu'ils soient séparés du nom par un ou plusieurs mots. Le déterminant marque donc le début du groupe nominal.

<u>*mon*</u> *ami –* <u>*mon*</u> *cher ami –* <u>*mon*</u> *très cher ami*

REMARQUE Pour souligner le fait qu'il précède toujours le nom, certains préfèrent employer le terme *prédéterminant* plutôt que *déterminant*.

63 Accord des déterminants

Les déterminants portent la marque du genre et du nombre que le nom noyau leur impose.

<u>le</u>	<u>fauteuil</u>	–	<u>les</u>	<u>fauteuils</u>
masc. sing.	masc. sing.		masc. pl.	masc. pl.

Dans le cas où le nom a la même forme au masculin et au féminin, ou au singulier et au pluriel, la présence du déterminant permet ainsi de distinguer le genre et le nombre.

MASCULIN	FÉMININ	SINGULIER	PLURIEL
<u>un</u> artiste	<u>une</u> artiste	<u>le</u> gaz	<u>les</u> gaz
<u>mon</u> libraire	<u>ma</u> libraire	<u>le</u> bois	<u>les</u> bois

64 Genre des déterminants

Au pluriel, certains déterminants ne permettent pas de préciser le genre.

> <u>nos</u> élèves (masculin ou féminin ?)
>
> <u>des</u> journalistes (masculin ou féminin ?)

La distinction du genre est particulièrement utile lorsque le changement de genre entraîne un changement de sens.

> <u>le</u> voile de la mariée – <u>la</u> voile du bateau

65 Mot grammatical

Les déterminants sont des mots grammaticaux. Ils sont en nombre limité. On dit qu'ils forment un ensemble *fini* à l'inverse d'autres constituants du groupe nominal tels que les adjectifs qualificatifs, les compléments du nom, etc. On peut toujours remplacer un déterminant par un autre déterminant.

> <u>Un</u> chat se promène.
>
> <u>Le</u> chat se promène.
>
> <u>Ce</u> chat se promène.
>
> <u>Mon</u> chat se promène.
>
> <u>Quel</u> chat se promène ? Etc.

C'est parce qu'ils ont un comportement syntaxique identique qu'on a réuni tous ces mots dans un même ensemble : l'ensemble des déterminants.

ARTICLES

66 L'article est obligatoire

L'article partage les caractéristiques de tous les déterminants.
Il fait partie du groupe nominal, on ne peut le supprimer.

> Il plonge dans <u>la</u> piscine.
>
> ⦿ Il plonge dans ~~la~~ piscine.

REMARQUE Dans le cas de certains groupes nominaux, l'article peut disparaître.

> *Femmes et enfants couraient sur le port.*
>
> *Ils étaient en costume régional.*
>
> *Le train entre en gare.*

L'absence de l'article renvoie alors à quelque chose de général, de non déterminé.

67 Place de l'article

L'article est toujours placé à gauche du noyau nominal, mais il peut en être séparé par un ou plusieurs mots.

>*Les chevaux galopaient dans la prairie.*

>*Les trois superbes chevaux galopaient dans l'immense prairie.*

68 Accord de l'article

L'article, comme tout déterminant, s'accorde en genre et en nombre avec le nom qu'il accompagne.

>*un cheval → des chevaux*

Sa présence permet de distinguer le genre du nom, particulièrement dans les cas où, à l'oral comme à l'écrit, le nom n'indique pas à lui seul son genre :

>*C'est un / une élève.*

>*C'est un / une artiste.*

ou change de sens en changeant de genre :

>*le manche du couteau – la manche de la veste*

REMARQUE L'article fait partie d'un ensemble limité, comme tous les déterminants.
→ **Mots grammaticaux et mots lexicaux, 539 à 550**

69 Différents types d'article

Il existe différents types d'article : définis *(le, la, les)*, indéfinis *(un, une, des)*, partitifs *(du, de la, des)*. Chacun donne au nom qu'il accompagne une valeur particulière.
Les articles voient leur forme varier selon le mot qu'ils déterminent.

70 Articles indéfinis *(un, une, des)*

Ils accompagnent les noms qui représentent des êtres ou des choses qui ne sont pas considérés comme connus par celui à qui l'on s'adresse ou qui n'ont pas été déjà présentés dans le discours oral ou dans le texte écrit.

>*Il a acheté une table pour son salon.*

>*Il aperçut un homme de petite taille.*

>*Il entendait des oiseaux dans le lointain.*

71 Rôle de l'article indéfini

Lorsqu'on utilise l'article indéfini *un*, *une* ou *des* devant un nom, on indique à celui à qui l'on parle qu'il n'a pas à se demander qui est la personne, quel est l'animal ou l'objet dont on parle.

>*J'ai rencontré hier un jeune garçon.* (Peu importe de qui il s'agit.)

72 Articles définis *(le, l', la, les)*

Ils accompagnent les noms qui représentent des êtres ou des choses consi-dérés comme connus ou qui ont déjà été présentés dans le discours oral ou dans le texte écrit.

> *Il a acheté la table du salon chez un antiquaire.*
>
> *Il aperçut l'homme qu'il avait déjà rencontré la veille.*
>
> *Il entendait les oiseaux de son voisin.*

REMARQUE L'article défini peut exprimer la généralité.

> *L'homme et la femme participent maintenant ensemble aux tâches ménagères.*

Il s'agit là de la femme et de l'homme en général, et non d'une femme et d'un homme parti-culiers, véritablement définis.

73 Rôle de l'article défini

Lorsqu'on utilise l'article défini *le*, *la* ou *les* devant un nom, on indique à celui à qui l'on parle qu'il doit se demander qui est la personne, quel est l'animal ou l'objet dont il est question.

> *J'ai rencontré le jeune garçon que nous avions pris en stop.*
> qui est-ce ?   moyen de découvrir son identité

74 Articles définis dits contractés

Les articles définis *le* et *les* se combinent avec les deux prépositions les plus fréquentes, *à* et *de*, pour donner une forme contractée.

		COMBINÉ AVEC À	COMBINÉ AVEC DE
masculin singulier	le	au (= à le)	du (= de le)
masculin et féminin pluriel	les	aux (= à les)	des (= de les)

75 Emploi des articles définis contractés

> *Il va au marché tous les matins.*

Il faut considérer le groupe nominal *au marché* comme un groupe nominal prépositionnel.

On rencontre les articles définis contractés dans des groupes nominaux ayant différentes constructions. Il peut s'agir :

- **d'un complément du nom ;**

> *C'est le fils du général.*
>
> *Il mange une glace au cassis.*

- **d'un complément d'objet indirect ;**

>   *Elle parle <u>aux oiseaux</u>.*
>
>   *Il parle <u>de la pluie et du beau temps</u>.*

- **d'un complément circonstanciel.**

>   *Il s'en va <u>aux Antilles</u>.*
>
>   *Il revient <u>du Maroc</u>.*

76 Articles partitifs

La série *du*, *de la* (préposition *de* + article défini) est utilisée lorsque l'on veut signifier que l'on a affaire à une certaine quantité d'un produit (poudre, liquide, pâte...) qui ne constitue pas un ensemble d'objets isolables ou dénombrables.

>   *Elle mange <u>du pain</u>.*
>
>   *Il achète <u>de la farine</u>.*

On peut aussi utiliser l'article défini, mais alors la phrase change de sens.

>   *Il a mangé <u>du</u> sucre.* (une certaine quantité)
>
>   *Il a mangé <u>le</u> sucre.* (tout le sucre)
>
>   *Il a commandé <u>du</u> pain.* (une certaine quantité)
>
>   *Il a commandé <u>le</u> pain.* (celui dont on a déjà parlé)

Devant les noms désignant un ensemble constitué d'objets isolables ou dénombrables, on ne peut utiliser l'article partitif. En revanche, l'usage de l'article indéfini ou du déterminant numéral devient possible.

>   ● *Il a acheté de la bille.*
>
>   *Il a acheté <u>une</u> bille.*
>
>   > *<u>trois</u> billes.*
>
>   ● *Il lave du couteau.*
>
>   *Il lave <u>des</u> couteaux.*
>
>   > *<u>trois</u> couteaux.*

77 Articles contractés et articles partitifs

Bien qu'ils apparaissent sous la même forme, *du* et *de la* jouent un rôle différent selon qu'ils sont articles partitifs ou articles contractés.
Les articles contractés sont employés dans une construction indirecte.

>   *Nous avons parlé <u>de la</u> pluie et <u>du</u> beau temps.*
>
>   (Construction indirecte : on parle *de* quelque chose.)

Les articles partitifs sont employés dans une construction directe.

> *Il a acheté du tissu et de la laine.*
> (Construction directe : on achète quelque chose.)

78 Articles élidés

Le, la deviennent *l'* devant les mots commençant par une voyelle ou par un *h* muet.

> *un abricot* → *l'abricot*
> *un hôtel* → *l'hôtel*
> *un étroit couloir* → *l'étroit couloir*
> *une horrible chose* → *l'horrible chose*

Du, de la et *des* deviennent *de* ou *d'* en présence d'une forme négative.

> *Je prends du sucre.* → *Je ne prends pas de sucre.*
> ⊖ *Je ne prends pas du sucre.*
>
> *Je mange de la confiture.* → *Je ne mange pas de confiture.*
> ⊖ *Je ne mange pas de la confiture.*
>
> *Il a des amis.* → *Il n'a pas d'amis.*
> ⊖ *Il n'a pas des amis.*

REMARQUE Lorsqu'on veut insister sur la quantité, on utilisera *des* (qui s'oppose à *un*).
Il ne possède pas des maisons, il n'en a qu'une.

Du, de la, des deviennent *de* après des adverbes tels qu'*assez, trop, beaucoup.*

> *Elle boit du thé. Elle boit trop de thé.*

Des devient *de* ou *d'* lorsqu'il est séparé du nom par un adjectif qualificatif (précédé ou non d'un adverbe).

> *Il ramasse des champignons.* → *Il ramasse de gros champignons.*
> ⊖ *Il ramasse des gros champignons.*
>
> *Il mange des tartines.* → *Il mange d'énormes tartines.*
> ⊖ *Il mange des énormes tartines.*

79 Combinaisons possibles avec d'autres déterminants

Les articles ne peuvent se combiner qu'avec les déterminants numéraux et les déterminants indéfinis.

> *Avec **les quelques** sous qui me restent, j'irai t'acheter **les vingt** roses que je t'ai promises.*

DÉTERMINANTS POSSESSIFS

80 Définition et formes des déterminants possessifs

Le déterminant possessif apporte des informations de genre, de nombre et de personne (information concernant le possesseur).

> *ma veste – mon manteau – mes chemises*
> fém. masc.   pl.
>
> *Votre travail mérite tous nos compliments.*
> 2ᵉ pers. pl.   1ʳᵉ pers. pl.

Il s'établit ainsi une relation entre ce qui est possédé et :

- **celui (ceux) qui parle(nt) ;**
  > *mon chien – notre chien*

- **celui (ceux) à qui l'on parle ;**
  > *ton chien – votre chien*

- **celui (ceux) dont on parle.**
  > *son chien – leur chien*

POSSESSEUR	POSSÉDÉ		
	SINGULIER MASCULIN	SINGULIER FÉMININ	PLURIEL MASCULIN ET FÉMININ
SINGULIER	*mon*	*ma*	*mes*
	ton	*ta*	*tes*
	son	*sa*	*ses*
	MASCULIN ET FÉMININ		MASCULIN ET FÉMININ
PLURIEL	*notre*		*nos*
	votre		*vos*
	leur		*leurs*

REMARQUE La distinction de genre ne peut se faire que si possesseur et possédé sont au singulier.

Devant un mot féminin commençant par une voyelle ou par un *h* muet, on utilise *mon, ton, son* au féminin.

> *sa belle histoire – son histoire*

81 Emploi des déterminants possessifs

Le déterminant possessif indique très souvent un lien social (parenté, rapport professionnel, utilisation, etc.).

> *mon père – mes voisins – ma secrétaire*

Les ouvriers occupent <u>leur</u> usine.

J'ai perdu <u>mon</u> chemin.

Il peut s'utiliser également, dans certains cas, à la première personne, lorsque l'on s'adresse à un supérieur.

<u>Mon</u> général

Cet usage du possessif comme marque de respect persiste à l'intérieur de certains mots.

Monsieur – Madame – Mademoiselle – Monseigneur

Dans le cas où la possession (l'appartenance) est évidente, comme pour les parties du corps, l'usage veut que l'on n'utilise pas le déterminant possessif si la personne est déjà clairement exprimée.

J'ai mal au ventre.

🚫 *J'ai mal à mon ventre.*

82 *Leur* déterminant possessif ou pronom personnel

Il faut distinguer *leur* pronom personnel (pluriel de *lui*) et *leur(s)* déterminant possessif (pluriel de *son*, *sa*, *ses*). *Leur* pronom personnel est invariable. *Leur* déterminant possessif s'accorde avec le nom désignant l'objet possédé.

S'ils se tiennent bien, on <u>leur</u> donnera une récompense.
pron. pers. invariable

Les arbres ont perdu toutes <u>leurs</u> feuilles en une nuit.
dét. poss.

Lorsque l'on a affaire à *leur(s)* déterminant possessif, trois cas peuvent se présenter.

● **Il n'y a qu'un objet possédé pour l'ensemble des possesseurs :** on utilise le singulier *leur*.

Les Durand ont marié <u>leur</u> fille unique.

● **Il y a plusieurs objets possédés par possesseur :** on utilise le pluriel *leurs*.

Ils ont mis <u>leurs</u> bottes.

● **Il y a un objet possédé pour chaque possesseur :** on utilise plutôt le singulier.

Ils sont venus avec <u>leur</u> femme.

Ils ont mis <u>leur</u> chapeau.

Dans de tels cas, on peut cependant trouver *leur* au pluriel.

Ils sont venus avec <u>leurs</u> femmes.

DÉTERMINANTS DÉMONSTRATIFS

83 Définition et forme des déterminants démonstratifs

Selon le cas, le déterminant démonstratif désigne un élément présent dans la situation d'énonciation ou identifie un élément déjà évoqué.

> *Prends cette chaise.*
>
> *Les voisins ont adopté un chien. Cet animal se montre très affectueux.*

	MASCULIN	FÉMININ
singulier	ce (cet)	cette
pluriel	ces	ces

REMARQUE Au pluriel, le féminin ne se distingue pas du masculin.

> *ces fauteuils* (masc.) – *ces chaises* (fém.)

Au masculin singulier, devant un mot commençant par une voyelle ou par un *h* muet, *ce* est remplacé par *cet*.

> *ce chien* ⟶ *cet énorme chien*

84 Formes renforcées des déterminants démonstratifs

Il existe des formes renforcées du déterminant démonstratif.

> *ce livre-ci – ce livre-là*
>
> *cette chemise-ci – cette chemise-là*

En ajoutant *-ci* ou *-là*, on peut, surtout en situation, souligner la proximité ou l'éloignement de ce dont on parle.

> *Il dort dans cette maison-ci, mais il prend ses repas dans cette maison-là.* (ici et là-bas)

Mais ces formes renforcées sont utilisées le plus souvent pour donner une symétrie à la phrase.

> *Je prendrai ce gâteau-ci et cette tarte-là.*

85 *Cet* et *cette*

Ces deux formes de déterminant démonstratif sont homophones. Elles se prononcent de la même façon. *Cet* est masculin ; *cette* est féminin. Pour bien les orthographier, il faut connaître le genre du nom noyau.

> *cette table* (féminin) – *cet homme* (masculin)

Il est parfois pratique d'intercaler un adjectif qualificatif commençant par une consonne, tel que *petit/petite*, de manière à redonner au démonstratif une forme nettement différenciée à l'oreille et à repérer le masculin et le féminin.

> <u>cet</u> individu → <u>ce</u> petit individu (cet = ce)
>
> <u>cette</u> hirondelle → <u>cette</u> petite hirondelle (cette = cette)

86 Ces et ses

Ces, déterminant démonstratif pluriel, et *ses*, déterminant possessif pluriel, se prononcent de manière identique : ils sont homophones. Pour les écrire correctement, il est pratique de mettre la phrase au singulier.

> Chaque année, il revend <u>ses</u> livres. → son livre.
>
> Où peut-on acheter <u>ces</u> livres ? → ce livre ?

DÉTERMINANTS INDÉFINIS

87 Déterminants indéfinis

Les déterminants indéfinis se différencient des autres déterminants non qualificatifs par leur nombre, plus élevé, et par la difficulté que l'on rencontre à en dresser une liste complète. Ils forment un ensemble peu organisé dans lequel plusieurs classements sont possibles. Cet ensemble comprend :

- **des mots ;**

  > certain, quelque, aucun, nul, chaque, différents, plusieurs, tout, tel...

- **des locutions.**

  > n'importe quel, beaucoup de, bien des...

88 Accord en genre des déterminants indéfinis

Les déterminants indéfinis s'accordent en genre avec le nom noyau.

> <u>Tel</u> père, <u>tel</u> fils. – <u>Telle</u> mère, <u>telle</u> fille.
>
> L'enquête n'a donné <u>aucun</u> résultat.

Cependant, certains d'entre eux : *chaque*, *plusieurs*, *quelque*, *même*, *autre*, ont la même forme au masculin et au féminin.

> Ils ont rapporté <u>plusieurs</u> brochets et <u>plusieurs</u> truites.

89 **Accord en nombre des déterminants indéfinis**

En ce qui concerne l'accord en nombre, on peut distinguer :

● **les déterminants indéfinis qui s'accordent en nombre avec le nom noyau :** *certain, n'importe quel, tout, tel, même, quelque, autre* ;

> *Tous les hommes sont mortels.*
>
> *Dans certaines circonstances, de telles accusations pourraient avoir de graves conséquences.*
>
> *Il avait les mêmes chaussures et la même montre que son voisin.*

● **les déterminants indéfinis qui n'ont qu'une forme, le singulier :** *aucun, nul, chaque, pas un, plus d'un* ;

> *Le maître corrigeait le cahier de chaque élève.*

REMARQUE *Aucun, pas un* et *nul* s'accompagnent toujours de la négation *ne*.

> *Il n'y avait aucune voile à l'horizon.*

● **les déterminants indéfinis qui n'ont qu'une forme, le pluriel :** *différents, divers, plusieurs.*

> *Il avait rencontré différentes personnes, sans succès.*
>
> *Il a goûté plusieurs gâteaux avant de se décider.*

REMARQUE Les adverbes de quantité suivis de la préposition *de (beaucoup de...)* forment des déterminants indéfinis invariables.

> *Il avait beaucoup de chevaux.*

90 *Quelque* et *quel que*

Il ne faut pas confondre *quelque*, déterminant indéfini, qui ne varie pas en genre, et *quel(le)... que*, déterminant interrogatif, qui précède un verbe au subjonctif.

● **Déterminant indéfini**

> *Quelque décision que tu prennes, je partirai.*
>   nom
>
> *Quelque choix que tu fasses, je partirai.*
>   nom

● **Déterminant interrogatif**

> *Quelle que soit ta décision, je partirai.*
>   V   fém. sing.
>
> *Quel que soit ton choix, je partirai.*
>   V masc. sing.

DÉTERMINANTS NUMÉRAUX

91 Déterminants numéraux ordinaux

Les déterminants numéraux ordinaux (*premier, deuxième*, etc.) se combinent obligatoirement avec un autre déterminant.

> *Elle a eu <u>un troisième</u> enfant.*
>
> ➊ *Elle a eu ~~un~~ troisième enfant.*

Ils s'accordent en genre et en nombre avec le nom qu'ils accompagnent.

92 Déterminants numéraux cardinaux

Les déterminants numéraux cardinaux ont un comportement plus semblable aux autres déterminants.

Ce sont des mots grammaticaux. Ils forment un ensemble illimité, mais ils sont tous construits à partir d'une liste limitée *(un, deux, trois... vingt, trente... soixante, cent, mille)*. Les formes simples des déterminants numéraux peuvent se combiner et donner des formes composées par :

- **juxtaposition (addition) ;**

  quarante-sept, cent six

- **juxtaposition (multiplication) ;**

  quatre-vingts, trois cents

- **coordination.**

  quarante et un

Plusieurs de ces procédés peuvent être utilisés pour former un même déterminant numéral cardinal.

> *quatre-vingt-douze – deux cent soixante et un*

REMARQUE Le trait d'union n'est utilisé qu'entre les éléments qui représentent les dizaines et les unités.

> *mille neuf cent quatre-vingt-trois*

93 Emploi des déterminants numéraux cardinaux

En dehors de leur emploi le plus courant, celui de déterminants du nom, les déterminants numéraux cardinaux peuvent se comporter comme des noms.

> *Tous les <u>trois</u> sont arrivés.*
>
> *Il a eu un <u>quinze</u> en histoire.*

Ils peuvent se comporter comme des ordinaux lorsqu'ils indiquent un rang dans une série.

> page _quatorze_ – chapitre _cinq_
>
> Louis _quatorze_ (= Louis le quatorzième)
>
> l'an _mille huit cent dix_

REMARQUE Contrairement à la règle générale (le déterminant se place avant le nom), le déterminant numéral cardinal se trouve ici placé après le nom.

94 Accord du déterminant numéral cardinal en genre

Le déterminant numéral cardinal ne s'accorde pas en genre, sauf dans le cas de **un/une**.

> vingt et _un_ garçons – vingt et _une_ filles
>
> les mille et _une_ nuits

95 Accord du déterminant numéral cardinal en nombre

Le déterminant numéral ne s'accorde pas en nombre. Seuls **vingt** et **cent** prennent un _-s_ lorsqu'ils sont multipliés et non suivis par un autre nombre.

> quatre-_vingts_ – quatre-vingt-trois
>
> six cent_s_ – six cent trois

Dans les dates, **vingt** et **cent** ne prennent pas les marques du pluriel.

> mille neuf cent – mille neuf cent vingt

Mille est invariable et peut s'écrire **mil** dans les dates.

> l'an deux mille
>
> l'an mil neuf cent quatre-vingt

DÉTERMINANTS EXCLAMATIFS ET INTERROGATIFS

96 _Quel, quelle, quels, quelles_

Les déterminants exclamatifs et interrogatifs _quel, **quelle**, **quels**, **quelles**_ s'accordent en genre et en nombre avec le nom noyau. À l'oral, suivant l'intonation utilisée, la même série (_quel, **quelle**_, etc.) peut servir soit à interroger, soit à manifester la surprise, l'admiration, l'indignation. À l'écrit, la présence en fin de phrase d'un point d'interrogation ou d'exclamation est parfois nécessaire pour distinguer les déterminants interrogatifs des déterminants exclamatifs.

> _Quel_ voleur ! _Quel_ voleur ?
>
> _Quelle_ journée ! _Quelle_ journée ?

Dans certains cas, une inversion du sujet ou une tournure indirecte peuvent marquer l'interrogation et permettre ainsi de reconnaître le déterminant interrogatif.

Quelle heure est-il ?

Par quelle rue est-il passé ?

Je ne sais pas quelle vie il a menée là-bas.

ASSOCIATION DE PLUSIEURS DÉTERMINANTS

97 **Les deux ensembles de déterminants**

On distingue deux ensembles de déterminants :

* **les articles, les déterminants possessifs et démonstratifs (1) ;**

* **les déterminants indéfinis, numéraux cardinaux, interrogatifs et exclamatifs (2).**

Les déterminants d'une même série ne peuvent être combinés ensemble. On peut dire :

un tapis – mon tapis

Mais on ne peut pas dire :

⦸ *un mon tapis*
    1   1

On peut dire :

certains livres – trois livres

Mais on ne peut pas dire :

⦸ *certains trois livres*
     2   2

En revanche, les déterminants de chacune des deux catégories peuvent se combiner entre eux.

les quelques fruits de mon jardin
1   2

mes deux amis
1   2

ce même jour
1   2

REMARQUE Dans ce type de combinaison, on peut parfois rencontrer plusieurs déterminants de la catégorie 2, mais jamais plus d'un seul de la catégorie 1. On remarque que ce dernier est toujours en première position, sauf avec <u>tous</u>.

<u>les trois mêmes</u> garçons   <u>tous les cinq</u> jours
   1   2   2   2 1 2

Il faut considérer à part le cas du déterminant indéfini *autre*, qui ne s'utilise pas seul (sauf dans des expressions telles qu'*autre chose, autre part*...) et peut se combiner largement avec les autres déterminants de sa catégorie.

<u>plusieurs</u> <u>autres</u> enfants – <u>aucun</u> <u>autre</u> enfant

CLASSEMENT DES DÉTERMINANTS

98 Deux catégories de déterminants

En se fondant sur l'opposition de sens entre ce qui est connu et ce qui n'est pas connu (ou moins connu), on peut classer les déterminants en deux catégories.

99 Déterminants désignant des êtres ou des choses connus

Les déterminants que l'on utilise pour accompagner un nom désignant ce qui est bien connu ou ce dont on a déjà parlé sont :

• **les articles définis *le, la, les,*** qui sont utilisés lorsque l'identité de ce qui est désigné par le nom est sans ambiguïté ;

<u>Le</u> *papier coûte cher.*
<u>Le</u> *soleil brille toute l'année là-bas.*
<u>Les</u> *vacances sont proches.*
<u>La</u> *récolte a été bonne cette année.*

• **les déterminants démonstratifs *ce, cette, ces,*** qui sont utilisés souvent en situation, lorsque l'on montre l'objet en question ou lorsque l'on cite à nouveau ce dont on a déjà parlé ;

Ne prends pas <u>ce</u> *chemin, prends l'autre, tu arriveras beaucoup plus vite.* (on montre le chemin)

Il y avait une voiture arrêtée dans la rue, et <u>cette</u> *voiture n'était pas éclairée.* (on a déjà parlé de la voiture)

- **les déterminants possessifs** *mon, ton, son,* etc., qui indiquent, outre un rapport de possession, quelque chose de précis, de défini ;

> <u>Mon</u> vélo a dix vitesses, <u>ton</u> vélo n'en a que trois.
>
> <u>Sa</u> sœur a réussi <u>son</u> examen.

- **les déterminants exclamatifs** *quel, quelle,* etc., qui peuvent également se rattacher à cette catégorie.

Dans :

> <u>Quelle</u> aventure ! – <u>Quel</u> grand acteur !

on fait en effet référence à une aventure connue ou à une personne dont on a déjà parlé.

100 Déterminants désignant des êtres ou des choses inconnus

Les déterminants que l'on utilise pour accompagner un nom désignant ce dont on ne précise pas l'identité ou ce dont on parle pour la première fois sont :

- **les articles indéfinis** *un, une, des* ;

> Je veux <u>une</u> bouteille.

- **les déterminants indéfinis** *tout, chaque, aucun,* etc. ;

> Je veux <u>quelques</u> bouteilles.
>
> Je ne veux <u>aucune</u> bouteille.

- **les articles partitifs** *du, de la,* qui désignent une quantité indéfinie ;

> Il a mangé <u>du</u> fromage.

- **les déterminants numéraux, qui précisent la quantité mais pas l'identité de ce dont on parle.**

> Le directeur a convoqué <u>trois</u> élèves.

REMARQUE Si on veut préciser l'identité de ce dont on parle, il faut combiner le déterminant numéral à un déterminant défini.

> Le directeur a convoqué <u>ces trois</u> élèves.
>
> Le directeur a convoqué <u>les trois</u> élèves qui...

Verbe et groupe verbal

Les verbes constituent une classe grammaticale (comme les noms, les adjectifs qualificatifs, etc.).

Les verbes expriment souvent une action *(chanter, courir)*. Ils peuvent aussi exprimer un état *(être, sembler)*.

La caractéristique fondamentale du verbe est qu'il est le seul mot à pouvoir jouer le rôle de noyau d'une phrase, c'est-à-dire être le mot central autour duquel s'organisent les autres éléments de la phrase qui marquent leur fonction par rapport à ce noyau (sujet, COD, COI, COS, différents CC).

> *Chaque matin, les jardiniers <u>ramassent</u> les feuilles mortes sur la pelouse.*

Le verbe est toujours accompagné d'un sujet avec lequel il s'accorde.

→ **Sujet, 216 à 245**

Lorsque l'on découpe une phrase en deux parties : groupe *sujet* (ce dont on parle) et *prédicat* (ce que l'on en dit), ou encore *thème* et *propos*, le verbe appartient au prédicat ou au propos.

> *Le jardinier du château **soignait ses roses avec amour.**
>
> sujet   prédicat
> thème   propos*

Les verbes reçoivent des marques qui leur sont particulières et que l'on appelle *terminaisons*, ou encore *désinences*. Ces marques servent à indiquer le temps, l'aspect et le mode. L'ensemble de ces combinaisons constitue les *conjugaisons*.

> *Je lui promi<u>s</u> qu'on se reverra<u>it</u> bientôt.*

Ces conjugaisons organisent les verbes en trois groupes.

IDENTIFICATION DU VERBE

101 Définition du verbe

Le verbe apparaît comme l'élément autour duquel s'organise la phrase ; il constitue le *noyau* de la phrase. On peut donc l'identifier en cherchant, dans la phrase, à quel élément se rapportent les groupes nominaux, c'est-à-dire par rapport à quel mot ils marquent leur fonction.

En portant les marques de temps et de mode, il permet à celui qui parle ou écrit de situer dans le temps, par rapport au moment où il s'exprime, les événements qu'il évoque.

102 Critères d'identification

Il est important de savoir identifier le verbe dans une phrase. Quatre types de critère permettent de le reconnaître :

- **le critère de sens :** il évoque souvent une action ;

- **le critère de fonction :** il est le noyau de la phrase, point de rattachement des compléments ;

- **les critères formels :** il se conjugue ;

- **le critère de combinaison :** il n'est pas précédé de déterminants mais souvent de pronoms personnels.

103 Verbe et action

La plupart des verbes expriment des actions *(courir, manger, dormir, danser...)*.

> *Au premier coup de fusil, les canards s'envolèrent.*
> *Au beau milieu de l'histoire, l'enfant s'endormit.*

D'autres, moins nombreux, décrivent une attitude, un état.

> *Les paysans appréhendent le retour de la sécheresse.*

On ne peut pas dire que les paysans font l'action d'appréhender, mais plutôt qu'ils ont une attitude d'appréhension.

REMARQUE Le verbe n'est pas le seul élément capable de décrire une action en cours.

> *Je me rappelle l'entrée des comédiens sur scène.*

Entrée, qui est un nom, évoque une action dont *comédiens* est l'agent.

104 **Procédure de réduction avec un verbe d'action**

Le verbe est le seul élément que l'on ne peut enlever sans faire disparaître le groupe verbal tout entier. En d'autres termes, si le *thème* est ce dont on parle et le *propos* ce que l'on dit du sujet, le verbe est l'élément indispensable à l'existence du propos.

Si l'on supprime le verbe, on ne peut plus rien dire du sujet.

> *Les enfants **mangeaient** des fraises avec leurs amis.*
> thème   propos

On peut supprimer les compléments.

> *Les enfants **mangeaient**.*
> thème   propos

Mais on ne peut supprimer le verbe.

> ➲ *Les enfants ~~mangeaient~~ des fraises avec leurs amis.*

105 **Procédure de réduction avec un verbe d'état**

> *Marie était jolie avec sa robe jaune et bleu.*

On peut supprimer le complément prépositionnel.

> *Marie était jolie.*

Mais on ne peut supprimer *était*.

> ➲ *Marie ~~était~~ jolie avec sa robe jaune et bleu.*

Et on ne peut supprimer *jolie*.

> ➲ *Marie était ~~jolie~~ avec sa robe jaune et bleu.*

Le *noyau* du groupe verbal est ici le groupe *était jolie* ; celui-ci est constitué d'une *copule* (c'est-à-dire d'un verbe qui relie le sujet à l'attribut), *était*, qui porte les marques de temps, de personne et de mode, et de l'adjectif attribut *jolie*. Ce groupe est indissociable, non réductible. Il joue le même rôle que le verbe. Cette construction est commune aux verbes dits d'état *(être, sembler, devenir, avoir l'air...)*.

> *À cette époque, le jardin me paraissait immense.*

106 **Formes conjuguées du verbe**

Le verbe est le seul élément de la phrase qui se conjugue ; c'est le seul élément à pouvoir porter les marques de temps et de mode. C'est aussi le seul, avec les pronoms personnels, les pronoms possessifs et les déterminants possessifs, à changer de forme en fonction de la personne.

> *Vous mangerez le gâteau ce soir.*
>
> *Nous mangeons.*

107 **Verbe et négation**

Le verbe est le seul élément de la phrase qui puisse être encadré par la négation *ne... pas, ne... point, ne... plus, ne... guère, ne... jamais.* → 388 à 390

> *Les enfants ne disaient pas un mot.*
> verbe

> *Cet homme ne parle guère.*
> verbe

> *Il ne nous ennuiera plus.*
> verbe

Lorsque le noyau est constitué d'une copule et d'un attribut, la négation encadre la copule.

> *Elle n'est vraiment pas confortable.*
> copule   attribut

On pourra donc reconnaître le verbe en mettant la phrase à la forme négative et en constatant quel est l'élément qui porte la négation.

REMARQUE Dans la langue orale relâchée, la négation *ne... pas* est souvent réduite à *pas.*
J'aime pas les petits pois.

RÔLE DU VERBE

108 **Le noyau de la phrase**

On appelle *verbes* l'ensemble des mots qui peuvent constituer le noyau d'une phrase.

Les autres mots qui constituent une phrase sont tous en relation directe ou indirecte avec le verbe. C'est donc autour du verbe et à partir de lui que se constitue la phrase.

> *Hier, le frère de Pierre a gagné un superbe vélo bleu au concours de pétanque.*

GROUPES DE MOTS ANALYSÉS	VERBE	QUESTION POSÉE	FONCTION
Hier	*a gagné*	Quand le frère de Pierre a-t-il gagné un vélo ?	Complément circonstanciel de temps
le frère de Pierre	*a gagné*	Qui... ?	Sujet
un superbe vélo bleu	*a gagné*	Quoi ?	Complément d'objet direct
au concours de pétanque	*a gagné*	Où... ? Quand... ? De quelle manière ?	Complément circonstanciel de lieu ; de temps ; de manière

Les quatre groupes de mots marquent chacun leur fonction par rapport au verbe de la phrase *(a gagné)*. Chacun des termes soulignés est en relation directe avec le verbe. Les autres éléments des groupes ne sont qu'indirectement en rapport avec le verbe.

109 Classe grammaticale des verbes

Les verbes constituent une *classe* (ou catégorie) ***grammaticale***.

> *Le maire   a acheté   cette maison blanche.*
>
>   *a rénové*
>
>   *a fait bâtir*

Tous les éléments qui peuvent se substituer à ***a acheté*** appartiennent à une seule et même classe : celle des verbes.

Le français est une langue dans laquelle l'ensemble des mots qui constituent la ***classe des verbes*** est spécialisé dans la fonction de ***noyau*** : ils ne peuvent servir qu'à cela et sont les seuls à pouvoir assurer par eux-mêmes cette fonction. Ils s'opposent, en cela, à tous les autres mots de la langue et notamment aux noms, qui assurent d'autres fonctions (sujet, complément). Cette opposition est appelée ***verbo-nominale***.

110 Terminaisons des verbes

Les verbes reçoivent des marques qui leur sont particulières et que l'on appelle ***désinences***, ***terminaisons*** ou parfois ***modalités***. Les marques servent à indiquer la personne, le temps, l'aspect et le mode. L'ensemble de ces combinaisons constitue les ***conjugaisons***.

> *Nous __jouerons__ dans la même équipe l'année prochaine.*
>
> *Nous __jouions__ aux dés quand il est arrivé.*
>
> *S'il __était__ disponible, vous __pourriez__ aller au cinéma.*

EXEMPLES	MODE	TEMPS/ASPECT	PERSONNE
jouerons	Indicatif	Futur	1re pluriel
jouions	Indicatif	Imparfait	1re pluriel
était	Indicatif	Imparfait	3e singulier
pourriez	Conditionnel	Présent	2e pluriel

REMARQUE Les notions de temps peuvent être exprimées par d'autres mots que les verbes : adverbes *(hier, demain)*, groupes nominaux *(la nuit, la semaine passée)*.

111 Verbe et propos

Lorsqu'on découpe une phrase en deux parties, ***thème*** (ce dont on parle) et ***propos*** (ce que l'on en dit), le verbe appartient au propos. → **Sujet, 218**

> *Le jardinier du château soignait ses roses avec amour.*
> thème   propos

Voici l'analyse de deux phrases de constructions différentes.

> *Le Quinze de France a remporté une éclatante victoire*
> *sur Madagascar en novembre 2005.*

La phrase se décompose de la façon suivante :
– thème : *Le Quinze de France* (ce dont on parle) ;
– propos : *a remporté une éclatante victoire sur Madagascar en novembre 2005*
(ce que l'on en dit).
Le verbe *a remporté* fait partie du groupe propos, et non pas du groupe
thème.

> *De son chapeau l'homme fit sortir un lapin.*
> propos   thème   propos

Dans cette phrase, le propos encadre le groupe thème ; le verbe *fit sortir*
fait partie du propos.

Visualisation du *thème* et du *propos* dans une phrase

Le Quinze de France	*a remporté* V	*une éclatante victoire* *sur Madagascar en* *novembre 2005.*

groupe thème   groupe propos

LE VERBE ET SES COMPLÉMENTS

112 **Compléments du verbe et compléments de verbe**

Le verbe est en général accompagné d'un ou de plusieurs compléments.

> *J'ai vu le même film pour la troisième fois.*
> verbe   compléments du verbe

Les compléments du verbe, qui apportent un complément d'information
appelé par le sens du verbe et qui lui sont donc étroitement liés, forment
avec lui le groupe verbal : c'est le cas du COD *le même film* dans l'exemple
précédent.
Certains grammairiens appellent ces compléments du verbe *compléments
de verbe*, par opposition aux *compléments de phrase*, qui sont, eux, caracté-
risés par leur mobilité.

→ Complément de verbe/ complément de phrase, 251 à 254

113 **Verbes intransitifs**

Un verbe qui s'emploie sans complément de verbe est dit **intransitif**. Ainsi, les verbes comme **courir**, **dormir**, etc. ne peuvent, en général, recevoir que des compléments circonstanciels ; ce sont des verbes intransitifs.

<u>Tous les jours</u>, il court <u>avec ses amis</u> <u>dans la forêt</u>.
CC temps   CC accomp.   CC lieu

Lorsque le noyau est constitué d'une **copule** et d'un **attribut** (construction attributive), on ne peut ajouter, de même, que des compléments circonstanciels.

→ Attribut du sujet, 339 à 346

Elle était malade   depuis longtemps. (= CC temps)

à cause de lui. (= CC cause)

de peur. (= CC cause)

114 **Verbes transitifs**

Un verbe qui s'emploie avec un ou plusieurs compléments de verbe est dit **transitif**. Cependant, tous les verbes n'ont pas la possibilité d'avoir les mêmes compléments de verbe. Les verbes comme **rencontrer**, **attraper** sont des verbes transitifs qui exigent un complément d'objet direct ; on les définit comme transitifs directs.

→ Complément d'objet direct, 255 à 283

Le loup rencontra <u>l'agneau</u> au bord de l'eau.
COD

On peut supprimer le complément circonstanciel.

Le loup rencontra l'agneau.

On ne peut pas supprimer le complément d'objet direct.

➌ Le loup rencontra ~~l'agneau~~ au bord de l'eau.

Certains autres verbes comme **parler**, **obéir** exigent un complément d'objet indirect ; on les définit comme transitifs indirects.

→ Complément d'objet indirect, 284 à 302

Nous bénéficions <u>d'une réduction</u>.
COI

Les verbes comme **donner**, **remettre**, **dire**, etc. (→ Complément d'objet second, 310) peuvent recevoir deux compléments d'objet ; le premier se construit en général directement (COD), le second (COS) est toujours introduit par une préposition.

→ Complément d'objet second, 303 à 322

Il a remis <u>sa récompense</u> <u>à Pierre</u> au pied de la tribune.
COD   COS

REMARQUE Certains verbes transitifs directs peuvent aussi être employés sans COD.

Il chante <u>des airs d'opéra</u> toutes les semaines.
        COD

Il chante <u>toutes les semaines</u> dans une chorale.
        CC temps

115 Représentation en arbre du groupe verbal

La représentation en arbre permet aussi de situer le verbe à l'intérieur du groupe verbal.

Le	facteur	a apporté	une	lettre	à	ma	mère.
dét.	N	V	dét.	N	prép.	dét.	N

phrase

CONJUGAISON DU VERBE

116 Définition

L'ensemble des formes que peut prendre un verbe s'appelle sa ***conjugaison***. Les conjugaisons des verbes français se classent en ***trois groupes*** qui se caractérisent chacun par la forme de leur infinitif et de leurs désinences, ou terminaisons (voir ***Bescherelle Conjugaison***).

117 Tableau des trois groupes de verbes

	1er GROUPE *Aimer*	2e GROUPE *Finir*	3e GROUPE *Sortir, croire, descendre*
INFINITIF	*-er*	*-ir*	
INDICATIF PRÉSENT	3e pers. sing. : *-e* *Il aime*	3e pers. sing. : *-it* *Il finit*	
FUTUR	3e pers. sing. : *-era* *Il aimera*	3e pers. sing. : *-ra* *Il finira*	
PASSÉ SIMPLE	3e pers. sing. : *-a* *Il aima*	3e pers. sing. : *-it* *Il finit*	Variations irrégulières du radical et des désinences
SUBJONCTIF PRÉSENT	3e pers. sing. comme à l'indic. présent *Il faut qu'il aime*	3e pers. sing. : *-isse* *Il faut qu'il finisse*	
PARTICIPE PASSÉ	en *-é* *Il a aimé*	en *-i* *il a fini*	

Lorsqu'on veut fabriquer un nouveau verbe pour rendre compte d'une notion nouvelle, on utilisera généralement le modèle du premier groupe (type *aimer*) : *lifter, magnétoscoper, téléviser, shooter.*

Parfois, de façon beaucoup plus rare, on emploiera le modèle du deuxième groupe : *alunir.*

En aucun cas, les verbes nouveaux ne se forment sur le modèle du troisième groupe ; ce groupe est dit conjugaison morte.

118 Radical et terminaison

Le verbe se compose de deux parties : un *radical* et une *terminaison* ou *désinence*. Le radical porte le sens du verbe. La terminaison ou désinence indique la personne (1re, 2e ou 3e du singulier ou du pluriel), le temps, l'aspect et le mode.

> *Nous chantions.*

Le radical est *chant* : il s'agit de l'action de chanter, et non pas de celle de jouer ou de courir.

La terminaison est *ions* : -*ons* indique que le verbe est à la 1re personne du pluriel (-*ons* est lié au pronom personnel *nous*) ; *i* indique que le verbe est à l'imparfait de l'indicatif.

> *Il   a   chant   é.*
> désinence   radical   désinence

chant est le radical ; la désinence *a... é* se trouve de part et d'autre du radical : elle indique la personne (3e singulier) et le temps (passé composé).

Le radical des verbes du premier groupe est fixe. Il reste identique pour toutes les formes de la conjugaison : *aimer.*

Le radical des verbes du deuxième groupe se termine tantôt par -*i*-, tantôt par -*iss*- : *je finis* ; *nous finissons*. Ce n'est pas parce qu'un verbe a son infinitif en -*ir* qu'il est du 2e groupe (*mourir : ils meurent*, 3e groupe).

Le radical des verbes du troisième groupe connaît des variations irrégulières : *je vais, j'irai, nous allons, il faut que j'aille.*

119 Temps des verbes : définition

Les marques du temps situent l'événement dont on parle par rapport au moment où l'on parle.

120 Temps du passé

> *Il y a dix ans on allait en vacances chez ma grand-mère.*

La marque -*ait* indique que l'événement évoqué (aller chez la grand-mère) se situe *avant* le moment où la phrase est prononcée (il y a dix ans). Dans cet exemple, la marque du passé **-ait** est renforcée par l'expression **il y a dix ans**.

> On <u>allait</u> toujours en vacances chez ma grand-mère.

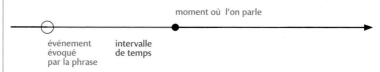

Ici, seul le verbe porte la marque du passé **-ait**.

121 Temps du présent

> Repassez tout à l'heure, pour l'instant il <u>dort</u>.

La forme du verbe **dort** indique que l'action de dormir est effectuée au moment où la phrase est prononcée.
On pourrait souligner cela en utilisant l'expression **en train de**.

> Il <u>est en train de</u> dormir.

REMARQUE Notons que la «forme présent» du verbe peut être utilisée pour raconter un événement passé ou pour annoncer un événement à venir.

> Hier, j'<u>arrive</u>, je le <u>trouve</u> allongé par terre.
> Demain, je <u>prends</u> l'avion à 12 h 30.

122 Temps du futur

> Je t'<u>achèterai</u> un beau vélo neuf pour ton anniversaire.

La marque **-erai** indique que l'événement évoqué (acheter un vélo) se situe après le moment où la phrase est prononcée.

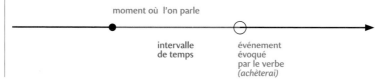

123 Aspect : définition

Les marques d'aspect sont, en français, presque toujours les mêmes que les marques de temps. Elles indiquent que l'événement que l'on évoque est étroitement lié au moment où l'on parle ; on ne peut véritablement comprendre la phrase que dans la situation où elle est prononcée.

124 Aspect accompli

> *Tiens, je t'ai fait un beau dessin !*

Celui à qui l'on s'adresse écoute la phrase prononcée et en même temps voit le dessin qui a été réalisé. La présence de **Tiens** l'indique. Il ne serait pas possible, dans une telle phrase, d'utiliser le passé simple (même si c'est un temps qui marque le passé au même titre que peut le faire le passé composé employé dans l'exemple) :

> ● *Tiens, je te fis un dessin.*

La marque du passé composé est ici une marque d'*aspect accompli* ; elle indique que l'événement est achevé, mais qu'il ne faut pas le séparer du moment où l'on parle.

125 Aspect prospectif

> *Salut ! Je vais acheter le pain.*

Dans cette phrase, l'action d'*acheter le pain* n'est pas située dans le temps futur, à distance de la situation où l'on se trouve, mais au contraire liée au moment où l'on parle *(Salut!)*. Dans une phrase de ce type, il est impossible d'utiliser une marque de futur, seul le futur périphrastique est utilisable.

> ● *Salut ! J'irai acheter le pain.* (impossible)

La marque *vais... er* est ici une marque d'aspect prospectif : elle indique un projet, une décision que l'on présente à l'intérieur de la situation où l'on se trouve.

126 Modes personnels et impersonnels

Les modes sont au nombre de sept. L'indicatif, le subjonctif, l'impératif et le conditionnel se conjuguent : ce sont des *modes personnels*. L'infinitif, le participe et le gérondif sont des *modes impersonnels* : à ces modes, les verbes ne varient pas en personne.

127 Emploi des modes indicatif et subjonctif

L'indicatif est un mode personnel qui présente l'action comme certaine, réelle. Au contraire, le subjonctif est un mode qui exprime l'éventualité, le souhait.

Le subjonctif s'emploie surtout dans les **subordonnées**.

Dans les **subordonnées complétives**, c'est le verbe de la principale qui détermine l'utilisation de l'indicatif ou du subjonctif.

> Je _veux_ que tu _viennes_.   J'_apprends_ que vous _venez_.
> subjonctif   indicatif

Certaines **subordonnées circonstancielles** exigent le **subjonctif** (but, concession, etc.). → **Propositions subordonnées, 447 à 457**

> J'ai insisté _pour qu'il aille chez le médecin_.
> subjonctif (but)

> Elle pleure _parce qu'elle est partie_.
> indicatif (cause)

Dans certains cas, notamment dans les **propositions relatives**, selon le sens que l'on veut donner à la phrase, on choisira l'indicatif ou le subjonctif.

> Je cherche un cheval qui _ait_ une queue blanche.
> subjonctif
> (Je ne sais pas si ce cheval existe, mais c'est un cheval comme ça que je veux.)

> Je cherche un cheval qui _a_ une queue blanche.
> indicatif
> (Je sais qu'il existe, je veux le retrouver.)

Enfin, on utilise parfois le subjonctif dans des propositions indépendantes ou principales pour exprimer le souhait, l'ordre, l'indignation, l'hypothèse.

> Qu'elle ne _vienne_ pas se plaindre ensuite.
> subjonctif

128 Emploi du conditionnel

C'est le mode utilisé lorsque celui qui parle envisage l'action comme liée à une condition. Il est souvent précédé d'une subordonnée circonstancielle de condition. → **456 à 458**. C'est pourquoi on l'appelle **mode conditionnel**.

> _Si j'avais de l'argent_, j'_achèterais_ une maison.
> subord. circ. de condition   conditionnel

REMARQUE On ne dit jamais :

> ⊝ _Si j'aurais de l'argent, j'achèterais une maison._

Le verbe de la subordonnée circonstancielle de condition, introduite par si, ne peut jamais se mettre au conditionnel.

Le mode conditionnel peut aussi apparaître seul pour exprimer un événement possible ou un souhait poli.

> *Le prix de l'essence <u>baisserait</u> prochainement.* (Il paraît, j'ai entendu dire...)
> *J'<u>aimerais</u> parler à Monsieur le directeur.* (... si c'était possible)

129 Emploi de l'impératif

C'est le mode qui exprime l'ordre ou la défense.

> *<u>Montez</u> à bord ! Ne <u>descendez</u> pas !*

Il ne se conjugue qu'à trois personnes : 2e personne du singulier, 1re et 2e personnes du pluriel.

Il se caractérise par l'absence de pronom personnel sujet.

> *Pars ! Partons ! Partez !*

130 Emploi de l'infinitif

L'infinitif est une forme particulière du verbe qui lui permet d'avoir d'autres fonctions que celle de noyau de la phrase. Un verbe à l'infinitif peut ainsi être :

- **sujet ;**

> *<u>Marcher</u> me fatigue.*

- **COD ;**

> *Je déteste <u>manger</u>.*

- **attribut ;**

> *Reprendre, c'est <u>voler</u>.*

- **complément du nom.**

> *La fureur de <u>vivre</u>.*

Dans tous les exemples suivants, l'infinitif a des compléments :

- **infinitif + COD ;**

> *Je déteste <u>manger</u> <u>des haricots</u>.*
>   infinitif   COD

- **infinitif + CC lieu ;**

> *<u>Marcher</u> <u>sur le sable</u> me fatigue.*
>   infinitif   CC

- **infinitif + CC manière.**

> *Elle connaissait enfin le bonheur de <u>vivre</u> <u>intensément</u>.*
>   infinitif   CC manière

En conclusion, on peut dire que le mode infinitif permet au verbe d'assurer l'ensemble des fonctions du nom, tout en conservant la possibilité de recevoir des compléments de verbe. → 251 à 254

REMARQUE Le verbe à l'infinitif, au contraire du verbe conjugué à un mode personnel, n'a généralement pas de sujet. Pour la transformation infinitive des subordonnées complétives et circonstancielles, → **Propositions subordonnées, 465, 466**

131 Emploi du participe

Le mode participe permet au verbe d'assurer les fonctions de l'adjectif, tout en conservant la possibilité de recevoir des compléments de verbe. → 251 à 254

On distingue le *participe présent* et le *participe passé*.

● **Le participe présent** se termine par *-ant* quel que soit le groupe du verbe. Il est l'équivalent d'une proposition relative. → 430 à 436

> Les personnes <u>ayant</u> un billet peuvent entrer.
> (= Les personnes qui ont...)

● **Le participe passé** est une forme verbale dont la terminaison varie suivant le groupe du verbe *(mangé, fini, rendu, fait...)*. → Accord 139 à 141
Il est fréquemment utilisé dans la construction des temps composés (passé composé, futur antérieur, etc.) :

> La cigale avait <u>chanté</u> tout l'été.

et de la voix passive :

> Cette photo a été <u>prise</u> par Jacques.

Employé seul, il peut être l'équivalent :
– d'une proposition relative :

> Le feu, <u>attisé</u> par le vent, gagna la maison.
> (= Le feu qui était attisé...)

– d'un adjectif épithète :

> C'est une enfant bien <u>élevée</u>.

En raison de sa valeur accomplie, le participe passé peut entrer dans un groupe nominal qui équivaut alors à une subordonnée circonstancielle de temps.

> Le repas <u>servi</u>, on passa à table.
> (= Quand le repas fut servi...)

Il existe également une forme composée du participe passé (participe présent d'*avoir* + participe passé). Dans ce cas, il conserve sa valeur accomplie.

> La cigale <u>ayant chanté</u> tout l'été.

132 **Emploi du gérondif**

Il est formé par le participe présent précédé de la préposition *en* ; il a la valeur d'un complément circonstanciel.

> *En rentrant, il trouva sa porte enfoncée.*
> (= À son retour...)
> *Il partit en chantant joyeusement.*

133 **Tableau récapitulatif des temps et des modes**

MODES	TEMPS SIMPLES	TEMPS COMPOSÉS
INDICATIF	Présent	Passé composé
	je chante	*j'ai chanté*
	Passé simple	Passé antérieur
	je chantai	*j'eus chanté*
	Imparfait	Plus-que-parfait
	je chantais	*j'avais chanté*
	Futur simple	Futur antérieur
	je chanterai	*j'aurai chanté*
CONDITIONNEL	Présent	Passé 1
	je chanterais	*j'aurais chanté*
		Passé 2
		j'eusse chanté
SUBJONCTIF	Présent	Passé
	que je chante	*que j'aie chanté*
	Imparfait	Plus-que-parfait
	que je chantasse	*que j'eusse chanté*
IMPÉRATIF	Présent	Passé
	chante !	*aie chanté !*
INFINITIF	Présent	Passé
	chanter	*avoir chanté*
PARTICIPE	Présent	Passé
	chantant	*chanté*
GÉRONDIF	Présent	Passé
	en chantant	*en ayant chanté*

REMARQUE À chaque temps simple correspond un temps composé : *je chante* → *j'ai chanté*.

ACCORD DU VERBE

134 Principes généraux d'accord

Le verbe s'accorde en nombre avec son sujet aux temps simples comme aux temps composés : à la 3e personne du pluriel, la terminaison est toujours en **-nt**.

Aux temps composés avec l'auxiliaire **être**, le participe passé s'accorde en genre et en nombre.

Aux temps composés avec l'auxiliaire **avoir**, le participe passé ne s'accorde en genre et en nombre que si le COD est situé avant le verbe.

135 Accord du verbe avec le sujet

Le verbe s'accorde en personne et en nombre avec son sujet.

> <u>L'éléphant</u>   <u>s'enfuit</u>   *à travers la savane.*
> nom   verbe
> sujet sing.   3e pers. sing.

> <u>Les femmes</u>   <u>sortiront</u>   *d'abord.*
> nom   verbe
> sujet pl.   3e pers. pl.

> <u>Vous</u>   <u>n'aurez</u>   *aucune difficulté à le reconnaître.*
> pronom   verbe
> sujet   2e pers. pl.
> 2e pers. pl.

136 Accord du verbe avec plusieurs sujets

Lorsque la phrase comporte plusieurs sujets coordonnés, le verbe se met au pluriel.

> <u>L'âne</u> et <u>le chien</u>   <u>marchaient</u>   *ensemble.*
> sujet   sujet   verbe 3e pers. pl.

137 Accord du verbe avec des sujets de personnes différentes

Lorsque les sujets sont des personnes différentes, l'accord du verbe se fait de la façon suivante :

● **2e personne + 3e personne :**
le verbe se met à la 2e personne du pluriel.

> *C'est <u>toi</u> et <u>Marie</u> qui <u>marcherez</u> derrière.*
> sujet   sujet   verbe
> 2e pers.   3e pers.   2e pers. pl.

- **1ʳᵉ personne + 2ᵉ ou 3ᵉ personne :**
le verbe se met à la 1ʳᵉ personne du pluriel.

> <u>Leurs amis</u> et <u>moi</u> <u>souhaitions</u> vous offrir ce cadeau.
> sujet   sujet   verbe
> 3ᵉ pers.   1ʳᵉ pers.   1ʳᵉ pers. pl.

138 Accord du verbe avec un sujet collectif (une foule de…)

Lorsque le groupe nominal sujet commence par **une foule de, une troupe de, une assemblée de, une bande de**, etc., le verbe peut se mettre au singulier ou au pluriel.

On utilisera le singulier pour indiquer que l'ensemble des personnes ou des objets est considéré comme un tout.

> Une troupe de jeunes pass<u>ait</u> dans la rue.

On utilisera le pluriel si ce sont les différents objets ou personnes qui sont concernés.

> Une multitude d'oiseaux se mir<u>ent</u> à chanter.

Si le groupe nominal sujet est introduit par **beaucoup de, la plupart de, bon nombre de, peu de**, etc., le verbe se met, en général, au pluriel.

> Peu de gens sav<u>ent</u> la vérité.
> La plupart des gens sav<u>ent</u> lire et écrire.

139 Accord du participe passé employé avec être

Pour les verbes qui forment leurs temps composés avec **être**, le participe passé s'accorde en genre et en nombre avec le sujet **(aller, tomber…)**.

> <u>La petite fille</u> est <u>tombée</u> de l'arbre.
> sujet nom fém. sing.   part. passé fém. sing.

140 Accord du participe passé employé avec avoir

Pour les verbes qui forment leurs temps composés avec **avoir**, le participe passé ne s'accorde pas avec le sujet.

> <u>Les gens</u> ont <u>cueilli</u> des champignons.
> sujet   part. passé

Le participe passé s'accorde en genre et en nombre avec le COD si celui-ci est placé **avant** le verbe.

> Cette <u>assiette</u>, je <u>l'</u>ai <u>posée</u> sur la table.
> fém. sing.   COD   fém. sing.
> Ce sont les <u>cartes</u> <u>que</u> j'ai <u>prises</u>.
> fém. pl.   COD   fém. pl.

REMARQUE Si le COD est le pronom *en*, le participe passé reste invariable.

> *J'en ai vu, des violettes.*
>   COD

Le participe passé suivi d'un infinitif reste invariable si le pronom personnel qui le précède est COD de cet infinitif.

> *Cette enfant, je l'ai vu punir.*

En revanche, le participe passé s'accorde avec le pronom personnel antéposé s'il est sujet de l'infinitif.

> *Cette enfant, je l'ai vue arriver en pleurs.*

141 Accord du participe passé des verbes pronominaux

Les verbes pronominaux forment tous leurs temps composés avec *être*.

> *Je me suis coupé.*
>
> ⊖ *Je m'ai coupé.*

Lorsque le pronom *(me, te, se)* est le complément d'objet direct du verbe *(se rencontrer, se baigner, se vendre, se sauver...)*, le participe passé s'accorde en genre et en nombre avec ce pronom COD qui renvoie au sujet.

> *Florence et Anne se sont baignées dans la rivière.*
>   suj. fém. pl.   COD   fém. pl.
>
> *Nos amis   se sont rencontrés aux courses.*
> suj. masc. pl. COD   masc. pl.
>
> *Paul et Jacques se sont coupés.*
>   suj. masc. pl.   COD   masc. pl.

Lorsque le pronom est le complément d'objet indirect du verbe *(s'acheter, se faire mal, se dire...)*, le participe passé ne s'accorde pas avec ce pronom.

> *Elle s'est dit des choses terribles.*
> suj. COI   COD après le verbe

Mais il peut s'accorder avec un groupe nominal COD placé avant le verbe.

> *Tu peux imaginer les choses   que   je me suis dites.*
>   fém. pl.   COD   fém. pl.
>   avant le verbe   accord avec le COD
>
> *Ils se sont coupé la main.*
> suj. COI   COD après le verbe

Pronoms

Le pronom remplace le plus souvent un nom ou un groupe nominal.
On distingue plusieurs catégories de pronoms :

- **les pronoms personnels ;**
    je, tu, il, nous, le, lui, etc.
- **les pronoms possessifs ;**
    le mien, le tien, le leur, etc.
- **les pronoms réfléchis ;**
    me, te, se, etc.
- **les pronoms démonstratifs ;**
    ce, ceci, cela, etc.
- **les pronoms interrogatifs ;**
    qui, que, lequel, etc.
- **les pronoms indéfinis ;**
    quelqu'un, certains, plusieurs, tous, etc.
- **les pronoms relatifs.**
    qui, que, quoi, dont, où, lequel, etc.

La forme des pronoms varie suivant :

- **le genre et le nombre**, sauf pour les interrogatifs et les relatifs simples ;
- **la personne,** pour les pronoms personnels et possessifs ;
- **la fonction** qu'ils occupent, pour les pronoms personnels, interrogatifs, relatifs.

Seuls les pronoms *en* et *y* et certains indéfinis ne connaissent aucune variation de forme.

Lorsque l'on utilise un pronom, il faut faire très attention à ce que celui à qui l'on s'adresse puisse savoir sans difficulté ce que ce pronom signifie, c'est-à-dire à quelle personne, chose ou idée il fait référence.

RÔLE DES PRONOMS

142 Pronom ou substitut

Le pronom remplace le plus souvent un nom ou un groupe nominal, mais il peut aussi se substituer à un adjectif ou à une proposition tout entière. Le fait qu'il puisse remplacer autre chose qu'un nom explique que l'on utilise parfois le terme de *substitut* au lieu du terme *pronom*.

PRONOMS PERSONNELS

143 Définition et rôle

Les pronoms personnels sujets *je*, *tu*, *il*, *elle*, *nous*, *vous*, *ils*, *elles* ont en commun de permettre de distinguer les six personnes de la conjugaison.

Cependant, au-delà de cette caractéristique commune, les pronoms personnels relèvent, selon leur personne, de deux catégories très différentes :

- **ceux des 1re et 2e personnes** font référence aux acteurs – locuteur(s) et interlocuteur(s) – de la situation d'énonciation (valeur déictique) ;
→ Énoncé et énonciation **490**

- **ceux de la 3e personne** ont, eux, le plus souvent une valeur anaphorique ; ils remplacent un nom ou un groupe nominal précédemment cités.
→ Énoncé et énonciation **490**

144 Tableau des pronoms personnels

La forme des pronoms personnels varie selon la ou les personnes qu'ils évoquent, la ou les choses auxquelles ils font référence ; elle change aussi selon la fonction qu'ils occupent dans la phrase.

	SUJET	COD	COI	CC DE LIEU
SINGULIER				
1re pers.	je	me	me	.
2e pers.	tu	te	te	.
3e pers.	il, elle, on	le, la, en	lui, en, y	en, y
PLURIEL				
1re pers.	nous	nous	nous	.
2e pers.	vous	vous	vous	.
3e pers.	ils, elles	les	leur, en, y	en, y

Je vois descendre Tiphaine.   →   _Je la vois descendre._
sujet   COD   COD

Il dit à Marie : «Salut, ça va ?»   →   _Il lui dit : «Salut, ça va ?»_
sujet   COI   COI

Pour parler de ses vacances, il   _en_   _parle !_
             COI   sujet   COI

Je viens du château.   →   _J'en viens._
sujet   CC   CC

Il n'est pas dans sa chambre.   →   _Il n'y est pas._
sujet   CC   CC

Je pense sans arrêt à ton départ.   →   _J'y pense sans arrêt._
sujet   COI   COI

145   Formes pleines des pronoms personnels

Ce sont les formes des pronoms personnels qui s'emploient lorsqu'on veut insister sur la personne ou, beaucoup plus rarement, la chose dont on parle. On les appelle aussi _formes accentuées_.

> _Moi, on ne m'aura pas comme cela._
>
> _J'étais au courant ; lui, on ne lui en avait rien dit._

Ces formes sont aussi utilisées après les prépositions.

> _Tu viens avec moi ? Fais cela pour elle !_

146   Tableau des formes pleines

Le tableau ci-dessous présente l'ensemble des formes pleines des pronoms personnels.

	INSISTANCE ET APRÈS PRÉPOSITIONS
SINGULIER	
1re pers.	_moi_
2e pers.	_toi_
3e pers.	_lui, elle_
PLURIEL	
1re pers.	_nous_
2e pers.	_vous_
3e pers.	_eux, elles_

Elle,   on   *la* laissera passer.
3e pers.   3e pers.

Eux,   *ils* ne t'en ont jamais voulu.
3e pers.   3e pers.
pluriel   pluriel

Toi,   *tu* ne changeras jamais.
2e pers.   2e pers.

Je sentais la colère monter en   *moi*.
                     prép.   1re pers.

147   **Formes élidées**

Devant un mot commençant par une voyelle, *je*, *me*, *te* et *le* s'écrivent *j'*, *m'*, *t'*, *l'* ; ils perdent par élision leur voyelle *e*.

      Dès que je t'ai vue, je t'ai reconnue.

Lorsqu'on parle, on a tendance à supprimer la voyelle *e* des pronoms personnels *je*, *me*, *te*, *le*.

      Je me le demande   *J'me l'demande.*

                                J'm'le demande.

                                Je m'le demande.

Lorsqu'on parle, on peut aussi utiliser *tu* et *il* sous une forme réduite.

      il → i, tu → t'.   *Il me dit. → I'm'dit.*   *Tu es bête. → T'es bête.*

148   **Emploi des pronoms personnels des 1re et 2e personnes**

Ils désignent la ou les personnes qui parlent ou écrivent, la ou les personnes à qui l'on parle ou à qui l'on écrit.

●   *Je* **désigne celui qui parle** (le locuteur) ou encore **celui qui écrit** (le scripteur).

●   *Tu* **désigne celui à qui l'on parle** (l'interlocuteur) ou **celui à qui l'on écrit** (le lecteur).

●   *Nous* **peut désigner des groupes de personnes différents.**

      Nous avons gagné. (toi et moi)

      Mon cher, nous avons tout essayé. (lui et moi)

      Tu penses, nous le lui avons dit. (eux et moi)

Celui qui parle fait toujours partie du groupe.

- *Vous* peut également désigner des groupes dont la composition varie.

> *Vous avez tout cassé.* (toi et toi)
>
> *Vous avez donc finalement réussi.* (toi et lui)
>
> *Êtes-vous arrivés hier ?* (toi et eux)

Remarquons que *vous* peut désigner la personne à qui l'on s'adresse lorsqu'on ne la connaît pas très bien ou lorsque l'on veut marquer de la politesse ou du respect. Comparons ces deux phrases.

> *Tu me fais rire, tiens !*   *Vous me surprenez, cher ami.*

149 Emploi des pronoms personnels de 3ᵉ personne

Ils désignent en général des personnes ou des choses dont on a déjà parlé ou que l'on a déjà nommées par écrit.

> *Hier, j'ai apporté des gâteaux à Jacques ; il ne les a pas mangés.*

Ils peuvent aussi évoquer une personne ou une chose dont on n'a pas parlé effectivement mais dont l'identité se déduit de la situation d'énonciation → 487 à 489. Si je viens de rendre visite à Vincent et que celui qui me parle le sait, il me dira :

> *Comment va-t-il ?* (il = Vincent)

Le pronom personnel *le (l')* peut remplacer non seulement un nom ou un GN, mais aussi un adjectif attribut ou une proposition.

> *Il t'aime ; j'espère que tu l'as compris.*
>
> *Si tu es heureuse, je le suis aussi.*

Dans ces exemples, le pronom *le* est souvent appelé *pronom neutre*.

150 Emploi du pronom *en*

- **Le pronom *en* s'emploie comme complément d'objet direct**, pour remplacer un nom précédé de l'article *des*, *un* ou *du*.

J'ai vu des tziganes.	→	*J'en ai vu.*
COD		COD
J'ai mangé du riz.	→	*J'en ai mangé.*
J'ai rencontré un musicien.	→	*J'en ai rencontré un.*
J'ai vu plusieurs musiciens.	→	*J'en ai vu plusieurs.*

Lorsque le COD est accompagné par un adjectif indiquant une quantité, cet adjectif est repris à la fin de la phrase.

• **Il s'emploie aussi comme complément d'objet indirect** avec des verbes se construisant avec la préposition *de*, tels *parler de, dire de, savoir de, se douter de.*

Il parle toujours <u>de son pays</u>.   →   Il <u>en</u> parle toujours.
               COI   COI

Je me doutais <u>qu'il partirait</u>.   →   Je m'<u>en</u> doutais.
               COI   COI

REMARQUE Dans un registre de langue soutenu, on ne doit pas utiliser *en* pour remplacer un animé ; cependant, à l'oral notamment, on a tendance à utiliser *en* pour remplacer les animés et les inanimés.

Il dit du mal <u>de ses amis</u>.   →   Il <u>en</u> dit du mal.

• **On le trouve enfin en fonction de complément circonstanciel de lieu** quand celui-ci indique la provenance (*venir de, sortir de,* etc.).

Je sors <u>de chez le coiffeur</u>.   →   J'<u>en</u> sors.
           CC   CC

151 **Emploi du pronom *y***

• **Le pronom *y* s'emploie comme complément d'objet indirect** avec des verbes se construisant avec la préposition *à*, tels *penser à, tenir à, participer à.*

Il tient énormément <u>à sa voiture</u>.   →   Il <u>y</u> tient.
                  COI   COI

Il a participé <u>au match</u>.   →   Il <u>y</u> a participé.
             COI   COI

REMARQUE Le pronom *y* ne peut en principe remplacer qu'un inanimé ; on dira :

Il pense à ses amis.   →   Il pense à eux.   et non : Il y pense.

• **Le pronom *y* s'emploie aussi comme complément circonstanciel de lieu** avec des verbes indiquant la direction *(aller à, partir pour, se rendre à).*

Je me rends <u>à Londres</u>. Je m'<u>y</u> rends.
             CC   CC

REMARQUE *En* et *y* peuvent aussi être des adverbes. On peut parler, dans ce cas, de pronoms adverbiaux.

Il s'<u>en</u> va. J'<u>en</u> sors juste.

Il s'<u>y</u> prend très mal. Il <u>y</u> voit mal.

En peut aussi être une préposition.

une table <u>en</u> bois

152 Emploi du pronom *on*

Le pronom *on*, selon les grammaires, est présenté comme un pronom personnel ou un pronom indéfini. → **Pronoms indéfinis, 173.** Il ne s'emploie que pour désigner des êtres humains.

Il est toujours en fonction sujet. Il peut avoir plusieurs significations :

- **tout le monde, n'importe qui ;**
    On oublie vite !

- **quelqu'un ;**
    On a frappé.

- **nous ;**
    Ça va, on a compris.

- **tu, vous.**
    Alors, on est contente, on a réussi. (= tu es contente, tu as réussi)

153 Place des pronoms personnels

Le pronom personnel complément d'objet direct du verbe se place devant le verbe.

$$\underset{\text{COD}}{\text{J'ai rencontré } \underline{le\ boucher}}. \rightarrow \underset{\text{COD}}{Je\ \underline{l'}ai\ rencontré}.$$

Lorsque le verbe est complété par deux pronoms, l'un complément d'objet direct, l'autre complément d'objet second, ils se placent dans l'ordre suivant :

- **COD-COS** si les deux pronoms sont à la troisième personne ;
    $$Pierre\ \underset{\text{COD}}{\underline{le}}\quad \underset{\text{COS}}{\underline{lui}}\ a\ donné.$$

- **COS-COD** si un pronom seulement est à la troisième personne.
    $$Pierre\ \underset{\text{COS}}{\underline{me}}\quad \underset{\text{COD}}{\underline{l'}}a\ donné.$$

Les pronoms personnels précédés d'une préposition ont une mobilité comparable à celle des groupes nominaux compléments circonstanciels.
→ **328 et 329**

> *Elle a travaillé <u>pour eux</u> toute sa vie.*
> *<u>Pour eux</u>, elle a travaillé toute sa vie.*
> *Elle a travaillé toute sa vie <u>pour eux</u>.*

Lorsque le verbe est à l'impératif, la position des pronoms personnels change selon que l'on utilise la forme affirmative ou négative.

> Dis-*le* !   →   Ne *le* dis pas !
>
> Dis-*le*-*lui* !   →   Ne *le* *lui* dis pas !
>
> Dis-*le*-*moi* !   →   Ne *me* *le* dis pas !

Pour plus de détails, → **Complément d'objet second, 315 à 319**.

154 Accord de l'attribut avec un pronom personnel sujet

L'attribut s'accorde en genre avec le pronom personnel sujet selon le nom que celui-ci remplace.

> *Marie, êtes-vous heureuse ?*

Lorsqu'*on* signifie ***nous***, l'attribut se met au pluriel et s'accorde en genre.

> *On est toujours fâchées, Vanessa et moi.*

155 Accord du participe passé avec un pronom personnel

Lorsque le verbe est à un temps composé, le participe passé s'accorde en genre et en nombre avec le pronom personnel complément d'objet direct dans la mesure où celui-ci est toujours placé avant le verbe.

> *Alors, ces chaussures, les avez-vous achetées ?*
>   COD

PRONOMS POSSESSIFS

156 Rôle des pronoms possessifs

Le pronom possessif remplace un nom accompagné d'un déterminant possessif.

> *ma voiture – la mienne*

Dans la plupart des cas, l'utilisation d'un pronom possessif permet de distinguer un être ou un objet en précisant à qui il appartient.

157 Forme des pronoms possessifs

Comme celle des pronoms personnels, la forme des pronoms possessifs varie selon la personne, le genre et le nombre. Le choix de la personne dépend de celui qui possède l'être ou l'objet dont on parle.

> *Ce livre, c'est le mien.* (C'est un livre qui appartient à celui qui parle.)
>   1re pers.
>
> *Ce livre, c'est le tien.* (C'est un livre qui appartient à celui à qui l'on s'adresse.)
>   2e pers.

Le genre et le nombre des pronoms possessifs dépendent de l'être ou de la chose désignés par le pronom.

> Donne-moi *ta raquette*, j'ai prêté *la mienne*.
> fém. sing.
>
> On a volé *mes bijoux*, mais on n'a pas touché *aux tiens*.
> masc. pl.

158 Tableau des pronoms possessifs

CELUI QUI POSSÈDE	CE QUI EST POSSÉDÉ			
	SINGULIER MASCULIN	SINGULIER FÉMININ	PLURIEL MASCULIN	PLURIEL FÉMININ
SINGULIER				
1re pers.	*le mien*	*la mienne*	*les miens*	*les miennes*
2e pers.	*le tien*	*la tienne*	*les tiens*	*les tiennes*
3e pers.	*le sien*	*la sienne*	*les siens*	*les siennes*
PLURIEL				
1re pers.	*le nôtre*	*la nôtre*	*les nôtres*	*les nôtres*
2e pers.	*le vôtre*	*la vôtre*	*les vôtres*	*les vôtres*
3e pers.	*le leur*	*la leur*	*les leurs*	*les leurs*

159 *Notre, votre* et *le nôtre, le vôtre*

Les pronoms possessifs des 1re et 2e personnes du pluriel se distinguent des déterminants (adjectifs) possessifs non seulement par la présence de l'article *(le, la, les)*, mais aussi par l'accent circonflexe sur le *o* : *le nôtre, le vôtre*.

160 *Leur* et *le leur*

Il faut bien distinguer le pronom possessif *le leur* du déterminant possessif *leur*.

> Ils tenaient *leur* fils par la main.
> dét. possessif
>
> Notre chat est magnifique. *Le leur* est moins beau.
> pron. possessif

REMARQUE Il faut, d'autre part, prendre garde à ne pas confondre le ·pronom ou le déterminant possessif *leur(s)* (pluriel de *son*) avec le pronom personnel *leur* (pluriel de *lui*). Leur, pronom personnel, est invariable.

> Nos habits étaient déchirés, *les leurs* étaient tout neufs.
> pron. poss.
>
> Il ne faut pas *leur* parler durement, ils sont encore bien jeunes.
> pron. pers. invariable

En cas de doute, on peut toujours mettre la phrase au singulier.

Nos habits étaient déchirés, <u>les siens</u> étaient tout neufs.
pron. poss.

Il ne faut pas <u>lui</u> parler durement, il est encore bien jeune.
pron. pers.

PRONOMS RÉFLÉCHIS

161 Emploi des pronoms réfléchis

Dans les phrases construites à la voix pronominale, le verbe est accompagné d'un pronom réfléchi de même personne que le sujet. Ce pronom est intercalé entre le sujet et le verbe. Les pronoms réfléchis sont les mêmes que les pronoms personnels compléments sauf à la troisième personne, *se*, où ils présentent une forme particulière.

	PRONOMS PERSONNELS COMPLÉMENTS		PRONOMS RÉFLÉCHIS	
	SINGULIER	PLURIEL	SINGULIER	PLURIEL
1ʳᵉ pers.	*il <u>me</u> dit*	*il <u>nous</u> dit*	*je <u>me</u> dis*	*nous <u>nous</u> disons*
2ᵉ pers.	*il <u>te</u> dit*	*il <u>vous</u> dit*	*tu <u>te</u> dis*	*vous <u>vous</u> dites*
3ᵉ pers.	*il <u>lui</u> dit*	*il <u>leur</u> dit*	*il <u>se</u> dit*	*ils <u>se</u> disent*

PRONOMS DÉMONSTRATIFS

162 Rôle des pronoms démonstratifs

Les pronoms démonstratifs servent à distinguer, à l'intérieur d'un ensemble d'êtres ou d'objets, celui ou ceux que l'on veut désigner à l'attention de son auditeur. Ils permettent aussi de rappeler sans les répéter des mots ou des groupes de mots déjà énoncés ou écrits.

163 Tableau des pronoms démonstratifs

La forme des pronoms démonstratifs varie selon le genre et le nombre des êtres ou des choses qu'ils représentent. La fonction qu'ils occupent dans la phrase n'entraîne aucune variation de leur forme.
Le tableau suivant présente l'ensemble des pronoms démonstratifs.

	FORMES SIMPLES	FORMES COMPOSÉES	
SINGULIER			
masculin	*celui*	*celui-ci*	*celui-là*
féminin	*celle*	*celle-ci*	*celle-là*
NEUTRE	*ce (c')*	*ceci*	*cela (ça)*
PLURIEL			
masculin	*ceux*	*ceux-ci*	*ceux-là*
féminin	*celles*	*celles-ci*	*celles-là*

<u>Ce</u> que vous me dites là m'inquiète. (ce = la chose)

Le <u>train</u> de 10 heures est déjà passé : prenez <u>celui</u> de midi !

Les <u>melons</u> sont tous très beaux, mais je ne vous conseille pas <u>celui-ci</u>, il n'est pas assez mûr.

<u>Il s'est passé beaucoup de choses</u>, mais <u>cela</u> ne change rien à mes projets.

164 Emploi du pronom *ce (c')*

Le pronom *ce* peut remplacer un groupe nominal ou une phrase tout entière.

<u>C'</u>est triste, <u>une nuit sans étoiles</u>.

          GN

<u>Nous avons perdu beaucoup d'argent</u> ; <u>c'</u>est ennuyeux.

Le pronom *ce* peut signifier la chose, l'événement, etc. Dans ce cas, il est toujours suivi d'une proposition relative qui précise sa signification.

<u>Ce</u> que j'ai vu m'a suffi. (ce = le spectacle...)

REMARQUE *Ce* associé à *être* sert à mettre en évidence un élément de la phrase.
→ **Mise en relief, 417 à 424**
C'est est aussi un présentatif. → **Phrases à présentatif, 373**

165 Emploi des pronoms *celui, ceux, celle, celles*

Ces pronoms sont suivis d'une proposition subordonnée relative ou d'un GN complément du nom.

Parmi tous <u>les costumes</u> de Pierre, je n'aime pas tellement <u>celui qu'il a acheté en Italie</u>.

Comme je n'avais pas de <u>perceuse</u>, j'ai emprunté <u>celle de mon voisin</u>.

REMARQUE Les pronoms *celui* et *celle* peuvent représenter un non-animé, comme dans les exemples précédents, ou un animé, comme dans l'exemple suivant.
Cette <u>enfant</u> n'est pas <u>celle</u> que j'ai vue hier.
Celui et *celle* suivis d'une relative peuvent signifier *toute personne qui*.
<u>Celui</u> qui n'a jamais eu <u>faim</u> ne peut pas comprendre.

166 Emploi des pronoms *ceci, cela, ça*

Ils peuvent représenter :

- **un nom (souvent un non-animé) ;**

  L'hypocrisie, je déteste ça.

- **un infinitif ;**

  Dormir, j'adore ça.

- **une proposition entière.**

  Marie est en retard, cela m'inquiète.

REMARQUE *Ceci* est très peu utilisé dans la langue courante, on lui préfère *cela* et encore plus souvent *ça*. Il faut noter que *ça* est parfois employé dans un registre familier pour désigner des personnes. Dans ce cas, le plus souvent, il a un sens péjoratif.

Les jeunes, ça ne fait attention à rien.

167 Emploi des pronoms *celui-ci, celui-là, celle-ci, celle-là*

Ils remplacent des groupes nominaux dont le nom désigne un animé ou un non-animé.

De tous ces tableaux, c'est celui-ci que je préfère.

Si vous cherchez un chien d'appartement, prenez celui-ci.

REMARQUE Normalement, *celui-ci* désigne un être ou un objet proche, que l'on peut voir ou dont on vient de parler ; *celui-là* évoque un être ou un objet plus éloigné, qui n'est pas présent ou dont on a parlé il y a plus longtemps.

En fait, cette distinction a tendance à disparaître ; *celui-là* est le plus utilisé, parfois sous la forme « *çuila* ».

Ah ! çuila, quel menteur !

PRONOMS INTERROGATIFS

168 Rôle des pronoms interrogatifs

Les pronoms interrogatifs permettent de questionner celui à qui l'on parle sur l'identité ou l'action d'un être ou d'un objet.

De qui parle-t-on ?

De quoi s'agit-il ?

169 **Pronoms interrogatifs simples**

La forme des pronoms interrogatifs varie, d'une part, selon que la question porte sur un humain ou un non-humain (chose ou animal). Elle dépend, d'autre part, de la fonction qu'occupe le pronom interrogatif dans la phrase.

	HUMAINS	NON-HUMAINS
SUJET	qui	
COD	qui	que
COI	à, de qui	à, de quoi
CC	préposition + qui	préposition + quoi

Qui a donc cassé ce vase ? – Paul.
sujet   (personne)

Qui avez-vous vu ? – La directrice.
COD   (personne)

Qu'avez-vous vu ? – Un accident.
COD   (chose)

À qui avez-vous parlé ? – Au boulanger.
  COI   (personne)

De quoi avez-vous parlé ? – De son travail.
   COI   (chose)

Avec qui as-tu dansé ? – Avec Marion.
   CC   (personne)

Avec quoi as-tu cassé les noix ? – Avec une pierre.
    CC   (chose)

Le pronom interrogatif *qui* s'emploie pour poser une question à propos d'un être humain (parfois d'un animal), quelle que soit la fonction qu'il occupe ; il se combine avec toutes les prépositions (*à*, *de*, *pour*, etc.).

Que et *quoi* s'emploient lorsque la question porte sur des objets (parfois sur un animal). *Que* s'emploie sans préposition et *quoi* s'emploie après une préposition.

Que ne peut s'employer en fonction sujet ; dans ce cas, c'est la forme complexe *qu'est-ce qui* qui sera utilisée.

170 **Pronoms interrogatifs complexes**

	HUMAINS	NON-HUMAINS
SUJET	qui est-ce qui	qu'est-ce qui
COD	qui est-ce que	qu'est-ce que
COI	à, de qui est-ce que	à, de quoi est-ce que
CC	préposition + qui est-ce que	préposition + quoi est-ce que

1. *Qui est-ce qui est passé ? – <u>Le plombier</u>.*
   sujet   (personne)

2. *<u>Qu'est-ce qui</u> ne va pas ? – <u>Un fil débranché</u>.*
   sujet   (chose)

3. *<u>Qui est-ce que</u> tu viens de saluer ? – <u>Le maire</u>.*
   COD   (personne)

4. *<u>Qu'est-ce que</u> tu nous racontes ? – <u>Rien de neuf</u>.*
   COD   (chose)

5. *<u>À qui est-ce que</u> tu penses ? – <u>À mon père</u>.*
   COI   (personne)

6. *<u>À quoi est-ce que</u> tu penses ? – <u>À mes vacances</u>.*
   COI   (chose)

7. *<u>Avec qui est-ce que</u> tu sors ? – <u>Avec mon frère</u>.*
   CC   (personne)

8. *<u>En quoi est-ce que</u> tu te déguises ? – <u>En arlequin</u>.*
   CC   (chose)

171 **Emploi de *qui est-ce... ?* et de *qu'est-ce...?***

Lorsque la question porte sur des personnes, c'est toujours la forme *qui est-ce...* qui est utilisée.

Cette forme est suivie de *qui* en fonction sujet (exemple 1, → **170**), de *que* dans les autres fonctions (exemple 3).

En revanche, lorsque la question porte sur des objets, on trouve toujours la forme *qu'est-ce...* (exemples 2 et 4) ou *quoi est-ce* (après préposition) (exemples 6 et 8).

En fonction sujet, on ajoute *qui* ; en fonction complément, on utilise *que*.

172 **Emploi des pronoms interrogatifs dans l'interrogation indirecte**

Dans l'interrogation indirecte, on ne doit pas utiliser les formes complexes des pronoms interrogatifs : à la place de *qui est-ce qui*, on doit employer *ce qui* ; à la place de *qu'est-ce que*, on doit employer *ce que*.

> *Dis-moi <u>ce qui</u> s'est passé.*
>
> ⊖ *Dis-moi qu'est-ce qui s'est passé.*
>
> *Dis-moi <u>qui</u> est venu.*
>
> ⊖ *Dis-moi qui est-ce qui est venu.*

Je ne sais pas ce que vous voulez.

🕳 *Je ne sais pas qu'est-ce que vous voulez.*

Je ne me rappelle plus qui j'ai vu.

🕳 *Je ne me rappelle plus qui est-ce que j'ai vu.*

PRONOMS INDÉFINIS

173 Classement des pronoms indéfinis

Les pronoms indéfinis ne sont pas classables par rapport à leur forme. En revanche, on peut les classer par rapport à leurs sens, à leurs valeurs sémantiques.

Le tableau suivant présente les pronoms indéfinis suivant la quantité qu'ils expriment.

QUANTITÉ	PRONOMS INDÉFINIS
NULLE	*nul, personne, aucun, rien*
UNIQUE	*un* *quelqu'un, n'importe qui, qui que ce soit, quiconque (pour les personnes)* *quelque chose, n'importe quoi, quoi que ce soit (pour les objets)*
PLURIELLE	*plusieurs, beaucoup, certains, la plupart*
TOTALE	*tous, tout le monde (personne)* *tout*

D'autres pronoms indéfinis comme *l'(les) autre(s)*, *le (la, les) même(s)*, *tel (telle)* ne se réfèrent pas à une quantité mais font allusion à une entité plus ou moins précise.

> *Comme il a pris celui-ci, je prendrai l'autre.*
>
> *Tel est pris qui croyait prendre.*

REMARQUE Le pronom personnel *on* est parfois classé comme pronom indéfini. → 152

PRONOMS RELATIFS

174 Rôle du pronom relatif

Le pronom relatif sert à reprendre un mot que l'on vient d'utiliser pour lui donner avec un autre verbe une fonction nouvelle. Le mot qui est remplacé s'appelle l'antécédent du pronom relatif.

175 Fonctions des pronoms relatifs simples

- *Qui* **est sujet.**

    *Je lui ai acheté <u>une poupée</u> **qui** <u>pleure</u>.*
                          sujet   V

- *Que* **est complément d'objet direct.**

    *Je t'ai acheté <u>la poupée</u> **que** <u>tu désirais</u> depuis longtemps.*
                        COD   V

- *Où* **est complément circonstanciel de lieu (parfois de temps).**

    *Je l'ai déposé <u>à l'endroit</u> **où** <u>il voulait</u> aller.*
                    CCL   V

    *C'était <u>l'hiver</u> **où** <u>il est mort</u>.*
             CCT   V

REMARQUE *Où* peut aussi être un adverbe de lieu.
                     Où irons-nous ?

- *Dont* **peut remplir plusieurs fonctions :**
– complément du nom ;

    *Elle monta <u>sur le bateau</u> **dont** <u>les voiles</u> étaient déjà hissées.*
                         (= du bateau)

– complément d'un adjectif ;

    *Il m'a montré <u>le livre</u> **dont** il était <u>fier</u>.*
                    (= du livre)

– complément d'objet indirect ;

    *Il en vint <u>au film</u> **dont** il voulait me <u>parler</u>.*
                  (= du film)

– complément d'agent.

    *Elle regardait <u>les victuailles</u> **dont** l'armoire était <u>remplie</u>.*
                 (= de victuailles)

Lorsque la fonction du pronom relatif est difficile à trouver, on devra chercher les deux phrases qui ont permis de procéder à l'enchâssement.

    Jacques acheta une voiture <u>dont</u> le prix lui avait semblé raisonnable.

Cette phrase se décompose en :

    Jacques acheta une voiture.

    Le prix <u>de la voiture</u> lui avait semblé raisonnable.
                compl. du nom

Dont, substitut de *voiture*, est, dans la proposition relative, complément du nom *prix*.

Emploi des pronoms relatifs composés

GENRE ET NOMBRE	PRONOMS RELATIFS COMPOSÉS	+ À	+ DE	+ AVEC
MASC. SING.	*lequel*	*auquel*	*duquel*	*avec lequel*
FÉM. SING.	*laquelle*	*à laquelle*	*de laquelle*	*avec laquelle*
MASC. PL.	*lesquels*	*auxquels*	*desquels*	*avec lesquels*
FÉM. PL.	*lesquelles*	*auxquelles*	*desquelles*	*avec lesquelles*

> *C'est bien l'homme auquel je pense.* (à + lequel)
>
> *La femme de laquelle on dit tant de bien habite cette maison.*
>
> *C'est la voiture avec laquelle il a gagné.*

On ne peut remplacer *lequel* par *qui* que dans les deux premiers exemples.

> *L'homme à qui je pense.*
>
> *La femme de qui on dit tant de bien.*

Cela tient au fait que *qui* ne peut remplacer *lequel* après une préposition que si l'antécédent est une personne.

> ⊖ *C'est la voiture avec qui il a gagné.*

Adverbes

L'ESSENTIEL

Les adverbes constituent un ensemble de mots (ou classe grammaticale) qui présente une grande diversité de formes, de rôles et de comportements.

● **Diversité des formes**

On trouve :
– des mots simples : *ici, heureusement, hier, assez...*
– des locutions adverbiales : *à peu près, au moins, tout à coup, jusque-là...*

● **Diversité des rôles**

Ils peuvent modifier (compléter, préciser) le sens :
– d'un verbe ;

> Il dort <u>mal</u>.

– d'un adjectif ;

> une <u>très</u> <u>belle</u> journée

– d'un autre adverbe ;

> Il vient <u>très</u> <u>souvent</u>.

– d'une proposition entière.

> <u>Heureusement</u>, il n'a pas plu depuis une semaine.

● **Diversité des comportements**

Ils peuvent en général se combiner entre eux.

> *assez souvent, beaucoup trop, beaucoup moins*

Mais il y a des combinaisons impossibles.

> ● *assez beaucoup*

Il est difficile de dire si les adverbes sont des mots grammaticaux ou des mots lexicaux. → **539 à 550**

En effet, ils sont moins nombreux que les noms, les verbes et les adjectifs mais, en fonction des besoins de la communication, on peut créer de nouveaux adverbes, notamment grâce au suffixe *-ment* qui permet de fabriquer un adverbe à partir d'un adjectif. La langue populaire en offre de nombreux exemples.

> *mignon* → *mignonnement*   *sacré* → *sacrément*

RÔLE DE L'ADVERBE

177 Emploi de l'adverbe

L'adverbe est un mot invariable qui permet de modifier :

- **le sens d'un verbe ;**
  Elle marche <u>doucement</u>.
- **le sens d'un adjectif ;**
  Elle va <u>très</u> vite.
- **le sens d'un autre adverbe ;**
  Je le vois <u>assez peu</u> souvent.
- **le sens d'une proposition.**
  <u>Malheureusement</u>, il a réussi.

Il exprime alors l'opinion de celui qui parle.

178 Adverbe modifiant un verbe

Lorsqu'il modifie le sens d'un verbe, l'adverbe assure la fonction de complément circonstanciel exprimant le temps, le lieu, la manière, etc. Contrairement à d'autres compléments circonstanciels, il n'est pas introduit par une préposition. → 335 à 337

Elle mange <u>goulûment</u>. Il habite <u>ici</u>.
            CC manière   CC lieu

Nous viendrons <u>demain</u>.
            CC temps

179 Place de l'adverbe modifiant un verbe

Comme tout complément circonstanciel, l'adverbe modifiant le verbe est déplaçable. On le trouve généralement après le verbe.

Elle se <u>promène</u> <u>lentement</u> autour du lac.
       verbe   adverbe

Si l'on veut attirer l'attention sur la lenteur de la promenade, on le placera en tête ou à la fin de la phrase.

<u>Lentement</u>, il se promène autour du lac.

Il se promène autour du lac, <u>lentement</u>.

Dans certains cas, le renvoi de l'adverbe en tête de phrase le détache nettement du verbe, surtout si l'adverbe est suivi d'une pause (à l'oral) ou d'une virgule (à l'écrit). L'adverbe peut alors modifier non seulement le verbe, mais l'ensemble de la phrase.

La porte grinça <u>curieusement</u>.
(C'est le grincement qui est curieux.)
<u>Curieusement</u>, la porte grinça.
(C'est l'opinion de celui qui parle qui est évoquée par l'adverbe. C'est le fait que la porte grince qui est considéré comme curieux.)

Dans le cas où le verbe est conjugué à un temps composé, l'adverbe se place entre l'auxiliaire et le participe passé.

Il a <u>trop</u> mangé.   ⬤ *Il a mangé trop.*
Il a <u>bien</u> dormi.   ⬤ *Il a dormi bien.*

180 Adverbe modifiant un adjectif qualificatif

Les adverbes qui modifient le sens d'un adjectif qualificatif sont surtout des adverbes exprimant la quantité ou l'intensité.

→ Classement des adverbes, 185

Il était assis sur une petite chaise.
Il était assis sur une <u>très</u> petite chaise.

En ajoutant *très*, on précise, on détermine le sens de l'adjectif qualificatif **petite**. L'adverbe peut modifier soit un adjectif épithète, soit un adjectif attribut.

Il avait bu une <u>trop grande</u> quantité d'eau.
épithète

De loin, elle paraissait <u>assez jolie</u>.
attribut

181 Place de l'adverbe modifiant un adjectif qualificatif

Lorsque l'adverbe modifie l'adjectif qualificatif, il est presque toujours placé avant l'adjectif.

Un <u>très gros</u> chien.
Un chien <u>très gros</u>.

Il suit l'adjectif dans ses déplacements (en restant, le plus souvent, avant l'adjectif) et ne peut en être séparé.

Il était <u>très beau</u>.
<u>Très beau</u>, il l'était.
⬤ *Très il était beau.*

REMARQUE Le renvoi (rare) de l'adverbe après l'adjectif peut être utilisé pour le mettre en valeur : cela entraîne généralement une virgule avant l'adverbe.
Elle est <u>délicieusement parfumée</u>.
Elle est <u>parfumée, délicieusement</u>.

182 Adverbe modifiant un autre adverbe

Un adverbe peut modifier ou préciser le sens d'un autre adverbe.

> *Ce café est <u>trop</u> chaud.*   *Ce café est <u>beaucoup trop</u> chaud.*
>
> *Tu bois <u>trop</u>.*   *Tu bois <u>beaucoup trop</u>.*

Dans le premier exemple, l'adverbe **beaucoup** modifie l'adverbe **trop**, qui lui-même modifie un adjectif : **chaud**.

Dans le deuxième exemple, l'adverbe **beaucoup** modifie l'adverbe **trop**, qui lui-même modifie un verbe : **boire**.

183 Place de l'adverbe modifiant un autre adverbe

L'adverbe qui modifie un autre adverbe se place devant ce dernier. Il le suit dans ses déplacements (en restant devant) et ne peut en être séparé.

> *Le camion, <u>très lentement</u>, montait la côte.*
>
> *<u>Très lentement</u>, le camion montait la côte.*

184 Autres fonctions de l'adverbe

Certains adverbes (notamment de temps) peuvent être utilisés dans toutes les fonctions que le nom remplit : sujet, objet, COD, COI, etc.

> *<u>Demain</u> sera un autre jour.*
>   sujet
>
> *La journée <u>d'hier</u> a été radieuse.*
>   compl. du nom
>
> *Elle rêvait <u>d'un ailleurs</u> qui les accueillerait.*
>   COI

CLASSEMENT DES ADVERBES D'APRÈS LEUR SENS

185 Classement sémantique

Du point de vue du sens, on peut classer les adverbes en sept catégories.

ADVERBES DE MANIÈRE	EXEMPLES
bien, mieux, vite, mal, plutôt, aussi...	*Elle était <u>mal</u> habillée.*
Adverbes en -ment : lentement, heureusement...	*Le vieil homme se dirigeait <u>lentement</u> vers une maison qu'il distinguait au loin.*

ADVERBES DE TEMPS	EXEMPLES
hier, aujourd'hui... *alors, déjà, après, quand, depuis, toujours, enfin, jamais, soudain...*	*Parfois, il se mettait à penser à ses années d'enfance.*
+ locutions : tout à l'heure, de temps en temps...	*Ce garçon peut de temps en temps sortir le soir avec ses amis.*

ADVERBES DE LIEU	EXEMPLES
ici, là, ailleurs, autour, dedans, derrière, dessus, devant, où...	*Allez donc voir ailleurs si j'y suis.*
+ locutions : au-dedans... quelque part, là-bas...	*Où chercher ? Il peut être n'importe où !*

ADVERBES DE QUANTITÉ (D'INTENSITÉ)	EXEMPLES
assez, aussi, autant, beaucoup, moins, peu, très, fort, si, tant...	*On mange trop, on boit trop et on ne court pas assez.*
Adverbes en -ment : *excessivement...*	*C'est terriblement cher pour un si petit tableau, dit-elle en examinant le Picasso.*

ADVERBES D'AFFIRMATION	EXEMPLES
oui, certainement, vraiment, volontiers, précisément, si...	*– Voulez-vous un chocolat ?* *– Oui ! Volontiers !*
+ locutions : en vérité, sans doute...	*Il est sans doute très occupé.*

ADVERBES DE NÉGATION	EXEMPLES
non, ne, guère, jamais, rien, pas, point...	*Il ne dort guère.* *Vous n'êtes jamais content !*

ADVERBES DE DOUTE	EXEMPLES
peut-être, probablement, sans doute...	*– Viendras-tu ?* *– Probablement.* *Nous irons peut-être vous chercher.*

REMARQUE *Pas* est le seul adverbe de négation pouvant déterminer un adjectif épithète (surtout dans la langue familière).

Pas facile de se lever tôt !

Beaucoup d'adverbes peuvent avoir des sens différents et appartenir à plusieurs de ces sept catégories. C'est le cas par exemple des adverbes *là* et *jamais*.

• **Là**

Ton sac est là.
adv. de lieu

À quelques jours de <u>là</u>, il partit pour la montagne.

adv. de temps

- **Jamais**

    Il ne dort <u>jamais</u>.

    adv. de temps ou de négation.

186 Emploi des adverbes de temps et de lieu

Le fait qu'un adverbe appartienne à telle ou telle catégorie correspond souvent à des utilisations particulières.

Les adverbes de temps et de lieu sont le plus fréquemment utilisés pour modifier les verbes.

Viens <u>ici</u> <u>tout de suite</u> !

187 Emploi des adverbes de quantité

Les adverbes de quantité (intensité) se trouvent souvent associés à des adjectifs qualificatifs.

Mon fils est <u>presque</u> <u>trop</u> sage.

188 Emploi des adverbes d'affirmation

Les adverbes d'affirmation, de négation et de doute sont fréquemment utilisés comme reprise au cours d'un dialogue.

– Viendrez-vous ?

– <u>Probablement</u> <u>pas</u>.

189 Adverbes « interrogatifs »

Les adverbes utilisés pour l'interrogation : *où ? quand ? comment ? pourquoi ? combien ?* sont, dans certains cas, classés à part, mais on peut les considérer comme des adverbes de quantité, de lieu, de temps, de manière... utilisés dans des phrases de type interrogatif.

→ **Phrase interrogative, 377 à 382**

ORTHOGRAPHE ET ACCORD

190 Orthographe des adverbes en *-ment*

Les adverbes qui se terminent par le suffixe *-ment (lentement, énormément...)* sont formés à partir d'adjectifs qualificatifs. On les forme à partir du féminin de l'adjectif.

bas – basse	bassement	léger – légère	légèrement
doux – douce	doucement	vif – vive	vivement

Lorsque l'adjectif se termine par une voyelle *(ai, i, u)*, l'adverbe ne conserve pas le *-e* du féminin.

vrai – vraie   vraiment

poli – polie   poliment

résolu – résolue   résolument

REMARQUE 1. Dans certains cas, l'adverbe dont le *-e* est tombé prend un accent circonflexe.

assidu – assidue   assidûment

goulu – goulue   goulûment

2. On peut rapprocher de ces adverbes le cas de *gentiment*, formé à partir de l'adjectif *gentil* : dans l'adverbe, le *-lle* tombe.

gentil – gentille   gentiment

191 Orthographe des adverbes en *-amment / -emment*

Il existe un certain nombre d'adverbes, tels que *violemment* et *méchamment*, qui se terminent soit par *-emment*, soit par *-amment* mais qui se prononcent de manière identique (« aman »). Pour savoir s'ils s'écrivent avec un *e* ou avec un *a*, il faut retrouver l'adjectif dont ils sont issus.

Les adverbes en *-amment* correspondent aux adjectifs qualificatifs en *-ant*.

Les adverbes en *-emment* correspondent aux adjectifs qualificatifs en *-ent*.

On peut ajouter à cette liste certains adverbes dont les adjectifs d'origine ont disparu dans la langue.

notamment, sciemment, précipitamment, etc.

-ANT	→ -AMMENT	-ENT	→ -EMMENT
bruyant	→ bruyamment	apparent	→ apparemment
méchant	→ méchamment	évident	→ évidemment
puissant	→ puissamment	prudent	→ prudemment
vaillant	→ vaillamment	violent	→ violemment

REMARQUE Tous les mots se terminant par *-ment* ne sont pas des adverbes.

Il fut pris soudain d'un violent <u>tremblement</u>.

nom

192 Accord de l'adverbe *tout*

Tout est le seul adverbe qui pose des problèmes d'accord. Comme n'importe quel adverbe, *tout*, dans le sens de *entièrement*, *tout à fait*, est invariable.

> *Il était <u>tout</u> étonné.*
>
> *Elle était <u>tout</u> étonnée.*
>
> *Ils étaient <u>tout</u> étonnés.*
>
> *Elles étaient <u>tout</u> étonnées.*

Cependant, lorsqu'il est suivi d'un adjectif *féminin* commençant par une consonne ou un *h* aspiré, *tout* s'accorde en genre et en nombre avec cet adjectif.

> *Elle est venue <u>toute</u> seule.*
>
> *Elles sont venues <u>toutes</u> seules.*
>
> *Il a les mains <u>toutes</u> grasses.*
>
> *Elle était <u>toute</u> honteuse.*

Mais :

> *Il a les mains <u>tout</u> abîmées.*
>
> *Elle était <u>tout</u> attendrie.*

193 Faut-il écrire *plutôt* ou *plus tôt* ?

L'adverbe *plutôt*, écrit en un seul mot, prend la signification de *de préférence*.

> *Je prendrai <u>plutôt</u> de la tarte.*
> (= Je prendrai de préférence de la tarte.)

On écrit *plus tôt* lorsque l'on veut signifier le contraire de *plus tard*.

> *Il faudra partir <u>plus tôt</u> pour arriver avant la cérémonie.*
>
> *Il faudra partir <u>plus tard</u> pour arriver après la cérémonie.*

Prépositions

L'ESSENTIEL

Les prépositions sont des mots grammaticaux (→ 539 à 544). Leur rôle consiste à *mettre en relation* les mots d'une phrase, à indiquer les fonctions qu'ils assurent.

Les enfants <u>de</u> ma classe veulent jouer <u>avec</u> moi <u>à</u> la récréation.

Les prépositions ne représentent pas le seul moyen de marquer la fonction des mots constituant une phrase. La position des éléments et le sens des mots peuvent aussi indiquer la fonction qu'ils occupent.

Les prépositions doivent être soigneusement distinguées des déterminants qui n'ont, eux, aucun rôle d'indicateur de fonction.

RÔLE DES PRÉPOSITIONS

194 Indication de la fonction des mots

Les prépositions servent à marquer la fonction des mots dans la phrase.

<u>Vers</u> cinq heures, son père venait la chercher <u>en</u> voiture <u>devant</u> le lycée.

On découvre trois prépositions qui marquent chacune la fonction d'un mot ou d'un groupe de mots :
– *vers* indique la fonction de *cinq heures* : complément circonstanciel de temps ;
– *en* indique la fonction de *voiture* : complément circonstanciel de moyen ;
– *devant* indique la fonction de *lycée* : complément circonstanciel de lieu.
Les trois prépositions sont donc des *indicateurs de fonction*. Toutes les trois relient le mot dont elles indiquent la fonction au verbe de la phrase *venait chercher*.

	quand ?	*vers cinq heures.*
venait chercher	comment ?	*en voiture.*
	où ?	*devant le lycée.*

Mise en relation des mots à l'intérieur d'une phrase

Les prépositions relient un mot ou un groupe de mots soit directement au verbe, soit à un autre mot de la phrase.

> *Pendant le dîner, le chien de Marie se prélassait avec délices devant le feu de bois.*

On découvre cinq prépositions. Parmi elles, certaines marquent des relations avec le verbe *se prélassait* ; d'autres indiquent des relations avec un élément autre que le verbe.

● **Relations directes avec le verbe**
– *pendant* marque la relation de *dîner* avec le verbe *se prélassait* : complément circonstanciel de temps.
– *avec* marque la relation de *délices* avec le verbe *se prélassait* : complément circonstanciel de manière.
– *devant* marque la relation de *feu de bois* avec le verbe *se prélassait* : complément circonstanciel de lieu.

● **Relations avec un élément autre que le verbe**
– *de* marque la relation de *Marie* avec *chien* : *Marie* est le complément du nom *chien*.
– *de* marque la relation de *bois* avec *feu* : *bois* est le complément du nom *feu*.

Certaines prépositions marquent presque toujours des relations avec le verbe : ce sont celles qui introduisent un complément circonstanciel : *pour*, *avec*, *dès*, *à cause de*, *par*...
D'autres sont plutôt utilisées pour marquer la relation entre un groupe nominal et un autre groupe nominal : *de*, *à*.

On trouvera cependant de nombreux exemples contradictoires.

> *une robe avec des fils d'or*
> (*Avec* marque la relation entre deux groupes nominaux.)

> *un cousin par alliance*
> (*Par* marque la relation entre deux groupes nominaux.)

Les prépositions ne sont pas le seul moyen de marquer la fonction des mots dans une phrase.

> *Le lendemain, dès son réveil, l'homme demanda le journal du jour.*

– *l'homme* : sa fonction de sujet du verbe *demanda* est marquée par sa position devant le verbe.

– *le journal* : sa fonction de complément d'objet du verbe *demanda* est indiquée par sa position après le verbe.

– *son réveil* : sa fonction de complément circonstanciel de temps est indiquée par la préposition *dès*.

– *jour* : sa fonction de complément du nom *journal* est marquée par la préposition *de* (du = de + le).

– *le lendemain* : sa fonction de complément circonstanciel de temps n'est marquée ni par sa position (puisque l'on peut le déplacer sans changer sa fonction) ni par une préposition.

Il existe donc trois moyens de marquer la fonction des mots ou des groupes de mots constituant la phrase.

• **Les prépositions :** ce sont des mots spécialisés dans la mise en relation des éléments d'une phrase.

• **La position des mots :** elle permet essentiellement de distinguer le sujet (placé avant le verbe) du complément d'objet direct (placé après le verbe).

• **Le sens :** certains mots ou groupes de mots marquent leur fonction par leur sens, sans avoir besoin d'une préposition ou d'une place particulière dans la phrase. Ce sont, notamment, les adverbes.

SENS ET FORME DES PRÉPOSITIONS

196 Sens des prépositions

Le nombre des prépositions est relativement limité. Le nombre des relations que l'on peut vouloir évoquer est quasiment infini. On comprend bien pourquoi chaque préposition peut avoir des sens variés selon le contexte dans lequel elle est utilisée. Certaines prépositions sont utilisées de façon très fréquente pour marquer un type de fonction particulière.

197 Prépositions aux sens multiples

Une même préposition peut indiquer des fonctions très différentes selon les mots qu'elle met en relation :

> *Il marche avec difficulté.* (manière)
>
> *un bâton.* (moyen)
>
> *son père.* (accompagnement)

Selon que la préposition **avec** marque la fonction d'un mot abstrait comme **difficulté**, d'un objet concret comme **bâton** ou, enfin, d'un être animé comme **son père**, la fonction qu'elle exprime varie très fortement.

De même, la préposition **à** introduit des groupes de mots occupant des fonctions différentes :

<u>À la récréation</u>, il parlait <u>à voix basse</u> <u>à son ami.</u>

– **à la récréation** : complément circonstanciel de temps du verbe **parlait** ;
– **à voix basse** : CC de manière du verbe **parlait** ;
– **à son ami** : complément d'objet indirect du verbe **parlait**.

198 Prépositions de sens limité

PRÉPOSITIONS	SENS
Avant, après, dès, depuis, en attendant, jusqu'à, pendant, etc.	le temps
À cause de, en raison de, vu, attendu, par suite de, étant donné, sous prétexte de, etc.	la cause
De façon à, de manière à, etc.	la conséquence
Pour, en vue de, dans l'intention de, afin de, etc.	le but
À condition de, dans le cas de, à moins de, etc.	la condition
À la manière de, selon, etc.	la comparaison
Dans, à l'intérieur de, sur, entre, etc.	le lieu

199 Forme des prépositions

Les prépositions se présentent sous deux formes :

● **des mots simples et le plus souvent très courts** : *à, de, par, pour, dans, vers,* etc. ;
→ Mots grammaticaux et mots lexicaux, **539 à 544** ;

● **des groupes de mots appelés locutions prépositionnelles** : *à travers, à cause de, par crainte de, à moins de, à la façon de, en vue de,* etc.

Conjonctions

L'ESSENTIEL

Les conjonctions, de même que les prépositions, sont des mots grammaticaux invariables. Il faut bien distinguer deux catégories de conjonctions :

- **les conjonctions de coordination,** que l'on peut appeler *coordonnants* ;
  et, ou, ni, etc.

- **les conjonctions de subordination,** que l'on peut appeler *subordonnants*.
  que, quand, si, depuis que, etc.

Les conjonctions de coordination réunissent deux mots ou groupes de mots de nature et de fonction identiques ou encore deux propositions de même statut.

> Il fait <u>beau</u> **et** <u>chaud</u>.

Elles peuvent aussi réunir deux propositions de même type.

> La pluie <u>qui tombe</u> **et** <u>qui détruit les récoltes</u> désespère les paysans.

Les conjonctions de subordination introduisent une proposition subordonnée conjonctive complétive ou circonstancielle.

> Je vois **que** <u>tu es prêt à partir</u>.
> complétive

> Tu iras au cinéma **quand** <u>ton frère sera rentré</u>.
> circonstancielle

Ces deux catégories de conjonctions correspondent à deux procédés différents de mise en relation de mots ou de propositions.

CONJONCTIONS DE COORDINATION

200 | Identification des conjonctions de coordination

Elles sont sept et leur liste peut être retenue selon un ordre qui aide la mémoire : **mais, ou, et, donc, or, ni, car**. (Mais ou est donc Ornicar ?)
Les possibilités de position de ces conjonctions varient suivant celle que l'on utilise.

- **Car** ne peut apparaître qu'entre deux éléments.

   Il prend son chapeau <u>car</u> il pleut.

- **Or** ne peut apparaître qu'en tête de phrase.

   <u>Or</u>, ce matin-là, il pleuvait.

- **Ou, ni** peuvent apparaître entre deux éléments et peuvent être répétés.

   Il ne mange <u>ni</u> viande <u>ni</u> poisson <u>ni</u> fruits.

- **Et, mais** apparaissent entre deux éléments, peuvent être répétés et peuvent être placés en tête de phrase.

   <u>Mais</u> tu ne me dis rien de tes vacances !
   <u>Et</u> Jean, comment va-t-il ?

- **Et, ou** peuvent tout coordonner, même des articles.

   *Donne-moi <u>le</u> **ou** <u>les</u> livres qui sont sur la table.*

- **Et, ou, ni** permettent de ne pas répéter le verbe.

   Jacques portait la valise <u>et</u>, moi, je portais le sac à dos.
   Jacques portait la valise <u>et</u> moi le sac à dos.

201 | Coordination : définition

La coordination relie des mots, groupes de mots ou phrases qui ont le même statut syntaxique (mêmes fonctions). L'existence de l'un des éléments mis en relation ne dépend pas de l'existence de l'autre.

   Pierre et Jacques jouent au tennis.

202 | Rôle de la coordination

La coordination permet d'utiliser dans la même fonction plusieurs éléments.

   *<u>Jacques</u> **et** <u>Alice</u> ont rencontré <u>des hommes</u> **et** <u>des femmes</u> très pauvres.*
   GN sujet   GN sujet   GN COD   GN COD

*La rue était bordée de <u>petites</u> **mais** <u>belles</u> demeures.*
adjectif épithète   adjectif épithète

*Elle vivait avec <u>son père</u> **et** <u>sa jeune sœur</u>.*
GN CC   GN CC

On ne peut coordonner que des éléments qui ont strictement la même fonction dans la phrase ; il est impossible, sauf si l'on veut créer un effet comique, de dire ou d'écrire :

➥ *Il joue avec son père et sa nouvelle raquette.*

Cette phrase est difficilement acceptable, bien que **son père** et **sa nouvelle raquette** soient tous les deux des groupes nominaux dont la fonction de complément circonstanciel est marquée par **avec**.

En effet, **son père** marque l'accompagnement, alors que **sa nouvelle raquette** indique l'instrument qui est utilisé pour jouer. On devra dire :

*Il joue avec <u>son père</u>, (pause) **et** avec <u>sa nouvelle raquette</u>.*
CC accompagnement   CC instrument

CONJONCTIONS DE SUBORDINATION

203 **Identification des conjonctions de subordination**

Elles réunissent des termes inégaux : proposition principale et proposition subordonnée conjonctive. Comme son nom l'indique, cette dernière proposition est dépendante de la première.

La conjonction de subordination est placée en tête de la subordonnée mais cette subordonnée peut être située avant ou après la principale.

*Je prends ma voiture **quand** je suis en retard.*
proposition principale   proposition subordonnée

***Quand** je suis en retard, je prends ma voiture.*
proposition subordonnée   proposition principale

On distingue :

• **les conjonctions simples** : *que, si, quand, comme* ;

• **les locutions conjonctives** : elles sont formées, la plupart du temps, de *que* précédé :
– d'une préposition : *avant que, depuis que* ;
– d'un adverbe : *alors que* ;
– d'un groupe prépositionnel : *à condition que* ;
– d'un verbe : *soit que, attendu que*, etc.

Certaines de ces locutions sont figées partiellement *(parce que)* ou complètement *(puisque)*.

Elles expriment :

- **le temps :** *avant que, depuis que,* etc.

- **la cause :** *comme, puisque, parce que,* etc.

- **le but :** *pour que, afin que,* etc.

- **la concession :** *alors que, même si, quoique,* etc.

- **la condition :** *pourvu que, selon que,* etc.
  → Propositions subordonnées conjonctives, 437 à 461

204 Subordination : définition

La subordination est une relation qui s'établit entre des mots, groupes de mots ou phrases qui ont des statuts syntaxiques inégaux et des fonctions différentes. L'existence de l'un des éléments mis en relation dépend de l'existence de l'autre.

La mère <u>de</u> son amie s'est chargée du gâteau.

205 La subordination dans un groupe nominal

La subordination est la relation qui existe entre des mots ou groupes de mots dont l'un constitue le noyau et l'autre l'élément qui complète ce noyau. On peut donc aussi parler de subordination à propos du groupe nominal.

marque de
subordination

*J'ai enfin vu <u>la fille</u> **du** <u>notaire.</u>*

noyau   complément

rapport de subordination

L'élément subordonné n'existe que parce qu'il complète l'élément noyau. Il est donc évident que l'on ne peut supprimer l'élément noyau sans supprimer du même coup l'élément subordonné. Dans la phrase suivante :

Il a racheté <u>la voiture</u> <u>de Jacques</u>.

on peut supprimer l'élément subordonné :

Il a racheté la voiture.

mais on ne peut supprimer le noyau :

⬤ *Il a racheté de Jacques.*

206 **Emploi de mots outils dans la subordination**

Dans le groupe nominal, le rapport de subordination entre des mots ou groupes de mots peut être marqué ou non marqué par une préposition.

prép.

Elle portait une <u>*robe*</u> *à* <u>*fleurs*</u>.
nom noyau   nom subordonné

Elle portait une <u>*robe*</u> <u>*rouge*</u>.
nom noyau   adj. subordonné

REMARQUE Les *prépositions* sont utilisées pour marquer un rapport de subordination entre des éléments de même nature (nom subordonné à un nom), alors que la subordination entre des éléments de nature différente (adjectif subordonné à un nom...) n'appelle pas l'utilisation d'une préposition.

Dans une phrase complexe, le rapport de subordination entre deux propositions peut être marqué ou non marqué par une conjonction de subordination.

conj.

J'ai vu *qu'elle était sortie à cinq heures.*
prop. principale   prop. subordonnée

Je l'ai vue *sortir à cinq heures.*
prop. principale   prop. subordonnée

COORDINATION ET SUBORDINATION ENTRE DES PROPOSITIONS

207 **Coordination**

Il avait vu Pierre <u>*mais*</u> *il ne l'avait pas salué.*

La phrase est constituée de deux propositions coordonnées :
– *Il avait vu Pierre ;*
– *il ne l'avait pas salué.*
Le rapport de coordination est marqué par la conjonction de coordination *mais.*

REMARQUE Parmi les conjonctions de coordination, seules *et, ou* et *ni* peuvent coordonner à la fois des mots et des propositions ; les autres coordonnent, dans la plupart des cas, des propositions entre elles.

208 Subordination

> *Il a dit que Pierre l'avait injurié.*

Cette phrase est constituée de deux propositions :
– *Il a dit* : principale ;
– *que Pierre l'avait injurié* : subordonnée.
Le rapport de subordination est marqué par la conjonction de subordination *que*.

209 Juxtaposition

Dans tous les cas où il y a mise en relation sans utilisation de mots de liaison, on parlera de juxtaposition.

210 Comparaison entre propositions subordonnées, coordonnées et juxtaposées

On peut obtenir des phrases ayant un sens proche :

- **avec une conjonction de coordination ;**

> *Il n'est pas venu, car il était malade.*

Les deux propositions sont reliées par *car*, conjonction de coordination ; la deuxième proposition présente la cause (la maladie) ; la première proposition présente l'effet (l'absence).

- **avec une conjonction de subordination ;**

> *Il n'est pas venu, parce qu'il était malade.*

Les deux propositions reliées par *parce que*, conjonction de subordination, entretiennent une relation du même type que dans l'exemple précédent : cause-effet.

- **par simple juxtaposition.**

> *Il n'est pas venu, il était malade.*

Il n'y a pas de mot de liaison, une pause sépare les deux propositions.
La voix ne chute pas entre les propositions, ce qui signale qu'il faut établir un rapport entre elles. Le sens obtenu est très proche de celui des deux exemples précédents.

Interjections

L'ESSENTIEL

Les interjections sont des mots invariables qui ont une valeur expressive.

Aïe ! Chut ! etc.

Elles ne modifient aucun élément et ne sont modifiées par aucun.

211 ## Formes

Les interjections, comme les prépositions et les conjonctions, sont des mots invariables. Elles sont souvent suivies d'un point d'exclamation.

Ah ! Bof ! Chut !

Ce sont des formes figées qui ont des origines diverses. Certains de ces mots proviennent :

- **d'onomatopées :** *aïe ! ouf !*

D'autres proviennent :

- **de noms :** *Attention !*
- **d'adjectifs :** *Bon !*
- **d'adverbes :** *Bien !*
- **de pronoms :** *Quoi !*
- **de verbes :** *Allons ! Tu parles !*

212 ## Rapports syntaxiques

Les interjections sont des termes indépendants. Elles ne modifient aucun élément et ne sont modifiées par aucun autre. Ce sont des éléments du discours, grammaticalement autonomes.

213 Valeurs sémantiques

Les interjections ont une valeur expressive.

Certaines ont un sens qui ne varie pas.
Par exemple, elles peuvent exprimer :

- **le dégoût :** *Beurk !*

- **la douleur :** *Aïe !*

- **une demande de silence :** *Chut !*

D'autres, au contraire, ont un sens qui varie suivant le contexte.
Par exemple :

- **affirmation ou étonnement :** *Ah !*

- **étonnement ou argumentation :** *Eh bien !*

Les interjections peuvent renforcer l'exclamation.

> <u>Hélas</u> ! on ne pourra même pas partir en vacances !

Elles peuvent se combiner entre elles.

> *Ah, flûte !*

Mots polyfonctionnels et monofonctionnels

214 ## Mots polyfonctionnels

Certains mots peuvent assumer plusieurs fonctions. C'est le cas :

● **des noms,** qui peuvent entrer dans un grand nombre de fonctions : sujet, complément d'objet direct, complément du nom, etc. ;

● **de l'adjectif qualificatif,** qui peut recevoir la fonction d'épithète, d'attribut du sujet, etc.

On dit que ces mots sont *polyfonctionnels*.

215 ## Mots monofonctionnels

D'autres mots ne peuvent assumer qu'une seule fonction. C'est le cas :

● **des verbes ;**

● **des déterminants ;**

● **de certains pronoms.**

On parle alors de mots *monofonctionnels*.

Le verbe ne peut être que noyau de la phrase. Beaucoup de grammaires ne mentionnent pas cette « fonction » du verbe, puisqu'il ne peut être que cela.

Les déterminants ne peuvent que déterminer un nom. C'est pourquoi on peut dire que leur fonction est « déterminant ». Cela met en évidence l'ambiguïté du mot *déterminant* qui désigne à la fois une nature et une fonction.

En ce qui concerne les pronoms personnels ou les pronoms relatifs, certains sont monofonctionnels, d'autres polyfonctionnels. Ainsi, *je*, *tu*, *il(s)* sont forcément sujet. Mais *nous* et *vous* peuvent être selon le cas sujet, COD, COI, COS...

> *Nous le regardons.*   *Il nous regarde.*
> sujet   COD
> *Ils nous adressent tous leurs vœux.*
>   COS

De même, le pronom relatif *qui* est toujours sujet, le pronom relatif *que* est toujours COD, alors que *dont* peut être COI, COS, complément du nom, etc.

Sujet

L'ESSENTIEL

Le groupe sujet est un *constituant obligatoire* de la phrase. Il forme avec le groupe verbal ce que l'on appelle la phrase minimale.

Le merle chante.

sujet

Le groupe sujet indique de qui ou de quoi l'on parle. Le groupe verbal indique ce que l'on dit à propos du sujet.

Le sujet se place généralement avant le verbe. Cette place permet de le distinguer du complément d'objet direct (COD) qui, lui, se situe après le verbe.

Jean a pêché des écrevisses.

sujet   COD

Le sujet commande l'accord du verbe. Le verbe s'accorde en genre et en nombre avec son sujet.

Les soldats marchaient au pas.

QU'EST-CE QUE LE SUJET ?

216 **Définitions**

Certaines définitions du sujet insistent sur ses caractères grammaticaux :
- le sujet est l'un des deux constituants obligatoires d'une phrase ;
- il régit l'accord du verbe.

D'autres définitions en soulignent le sens. Dans la grammaire traditionnelle, le sujet désigne l'être ou la chose qui fait ou qui subit l'action ou qui est dans l'état exprimé par le verbe. Dans une optique plus récente, le sujet est ce dont parle le reste de la phrase.

Aucune de ces définitions, prise isolément, ne peut à elle seule rendre compte du complexe statut du sujet. C'est pourquoi il est intéressant de les prendre toutes sans en exclure aucune.

Ce qui est constant, c'est la présentation du sujet comme un élément pris dans une relation de couple sujet/verbe. Il y a là un point d'accord qu'il faut souligner.

217 Le sujet : ce dont on parle

Le groupe sujet informe celui à qui l'on parle (ou à qui l'on écrit) de ce dont on parle. Le groupe verbal indique ce que l'on dit du sujet.

218 Thème et propos

Le sujet, c'est ce dont on parle, ou bien encore de qui on parle. La phrase peut alors se découper en deux : le thème et le propos. Le propos est ce qu'on dit du sujet.

Les animaux affolés fuient devant les flammes.
     thème   propos

Pierre est parti.
thème   propos

Le ciel paraît menaçant.
 thème   propos

À ses pieds d'énormes vagues viennent se briser.
  propos   thème   propos

Avec ce dernier exemple, la phrase se découpe en deux parties, mais le thème s'intercale à l'intérieur du propos. Dans ce type de présentation, le propos regroupe le verbe et ses différents compléments.
→ **Verbe, 111**

REMARQUE Le terme *thème* est employé dans le même sens que lorsqu'on dit :
    Quel était le thème de ta dissertation ?
C'est-à-dire : *De quoi as-tu parlé ?*

En revanche, dans : *C'est l'hiver. Voici Aurélien. C'est mon crayon. Il y a du vent.*
on parle bien de quelque chose ou de quelqu'un : *l'hiver, Aurélien, mon crayon, du vent,* mais on n'en dit rien de particulier. On se borne à en marquer l'existence.

219 Le sujet : celui qui fait l'action

Dans des phrases comme :
    Le chien aboie dans le jardin.
    Pierre court dans le jardin.
    Dans un silence de mort, le président annonça sa démission.
    On m'a offert un cadeau pour mon anniversaire.

on peut présenter le sujet comme celui qui fait l'action. Le terme qui a la fonction sujet est un être animé qui effectue réellement une action évoquée par le verbe. Cependant, cette définition a des limites ; c'est ce que montrent les exemples qui suivent.

220 Sens du sujet et sens des verbes : sujets inanimés

> *Pierre* reçoit un coup de pied.
>
> *La pomme* tombe par terre.

Dans ces exemples, *la pomme*, sujet inanimé, n'effectue pas d'action ; *Pierre* subit plus qu'il n'agit, même si la construction du verbe est à la forme active.

221 Sujet de verbes abstraits

De même, il est difficile de parler d'action pour des phrases comme :

> Ma mère <u>pense</u> à tout.
>
> Les villageois <u>craignaient</u> l'arrivée de nouveaux estivants.

Les verbes *craindre, penser, détester*, etc., n'évoquent pas véritablement une action dont on se représente concrètement le déroulement.

222 Sujet des verbes d'état

> Il <u>paraît</u> plus grand que son frère.
>
> Antoine <u>est</u> un chic type.
>
> Catherine <u>devenait</u> chaque jour plus belle.

Dans ces exemples, les verbes utilisés n'évoquent pas une action, même si le sujet est animé ; ils sont appelés verbes d'état *(être, sembler, devenir...)*.

223 Sujet de verbes impersonnels : sujet grammatical et sujet réel

> Hier <u>il</u> pleuvait, aujourd'hui <u>il</u> neige.

Ici encore, il est difficile de dire que le sujet fait l'action. Le sujet *il* ne renvoie à aucun agent dans la réalité. On peut parler dans ce cas de *verbes impersonnels* (qui ne se conjuguent qu'à la troisième personne).

→ Phrase impersonnelle, 425, 426

Un grand nombre de *verbes intransitifs* (→ 113) et de *verbes pronominaux* (→ 408 à 410) peuvent être construits impersonnellement.

> Apparemment, <u>il</u> manquerait <u>de l'argent</u> dans la caisse.
>   sujet grammatical   sujet logique
>
> De nos jours, <u>il</u> se vend <u>des quantités de fruits frais</u>.
>   sujet grammatical   sujet logique

Dans ces exemples, *il* est le *sujet grammatical* (ou *apparent*) ; *de l'argent* et *des quantités de fruits frais* sont des *sujets logiques* (ou *réels*).

224 Le sujet : un élément obligatoire

Le sujet est un constituant obligatoire de la phrase. Il forme avec le groupe verbal ce que l'on appelle une phrase verbale minimum.

> *Le bateau s'éloigne.*

Dans les exemples suivants, on peut, autour du verbe, supprimer tous les groupes de mots sauf le sujet, tout en conservant une phrase « possible », même si la nouvelle phrase n'a plus exactement le même sens :

> *Le chien a mangé [sa soupe].*
> *Louis se promène [dans la forêt, son fusil à l'épaule].*

Dans la plupart des cas, la suppression du sujet suffit à rendre la phrase non seulement sans signification, mais de plus impossible.

> ⊖ *a mangé sa soupe.*
> ⊖ *se promène dans la forêt, son fusil à l'épaule.*

225 Sujet d'un verbe à l'impératif

À l'impératif, le sujet n'est pas exprimé, il est contenu dans le verbe.

> *Philippe lance la balle.* → *Lance la balle !*
> *Nous marchons rapidement.* → *Marchons rapidement !*

REMARQUE En fait, c'est parce que l'on interprète *lance* non plus comme un indicatif mais comme un impératif que la phrase réduite est possible. Il se trouve que beaucoup de verbes, ayant la même prononciation et la même orthographe à l'indicatif présent et à l'impératif, entretiennent l'illusion d'une suppression possible du sujet. Il suffit, pour s'en convaincre, d'utiliser un autre temps que le présent de l'indicatif.

> *Pierre lancera la balle.* ⊖ *Lancera la balle.*
>
> *Nous avons marché rapidement.* ⊖ *Avons marché rapidement.*

226 Sujet des propositions infinitives

Dans les propositions infinitives (→ **Propositions subordonnées**, 464 à 466), on peut se poser la question de savoir s'il existe ou non un sujet.

> *Je regardais, par la fenêtre, les enfants jouer au ballon.*
>
>   sujet   infinitif
>   └──────────────────────┘
>   COD

Dans cette phrase, *les enfants* est bien le complément d'objet direct du verbe *regardais* ; mais ce sont aussi *les enfants* qui font l'action de jouer. Doit-on dire alors que *les enfants* est à la fois complément d'objet du verbe *regardais* et sujet de l'infinitif *jouer* ? Du point de vue du sens de la phrase, c'est une analyse tout à fait possible.

PLACE DU SUJET

227 **Place du sujet dans une phrase déclarative**

Le sujet est le mot (ou le groupe de mots) qui se trouve « à gauche » du verbe, avant le verbe.

> *Jean voit <u>Paul</u>.*
>
> *<u>Paul</u> voit Jean.*
>
> *Cécile prit tendrement l'<u>enfant</u> par la main.*
>
> *L'<u>enfant</u> prit tendrement <u>Cécile</u> par la main.*

Si l'on déplace **Paul** « à gauche » du verbe, c'est **Paul** qui devient sujet. Dans certains cas, on arrive à un non-sens.

> *<u>Les enfants</u> ont ramassé <u>les champignons</u>.*
>
> ⊖ *<u>Les champignons</u> ont ramassé <u>les enfants</u>.*

Même si la phrase évoque une réalité peu vraisemblable, le sujet est le mot (ou le groupe de mots) qui se trouve « à gauche » du verbe ; ici, **les champignons**.

Le sujet peut être séparé du verbe.

> *<u>Dominique</u>, de ses propres mains, <u>a fabriqué</u> un avion.*

Bien que situé juste avant le verbe, *de ses propres mains* n'est bien sûr pas le sujet. On peut déplacer ce groupe de mots sans modifier le sens de la phrase.

> *<u>Dominique</u> <u>a fabriqué</u> un avion, de ses propres mains.*

La phrase devient impossible si l'on déplace le sujet **Dominique** à droite du verbe.

> ⊖ *De ses propres mains a fabriqué Dominique un avion.*

Dominique est bien le seul élément qu'il faille absolument placer « à gauche » du verbe.

228 **Inversion du sujet dans une phrase interrogative**

Bien que le sujet soit le plus fréquemment situé « à gauche » du verbe, cette définition n'est cependant pas applicable dans tous les cas.
Il y a de nombreux cas d'inversion du sujet. Le sujet se trouve alors « à droite » du verbe, sans pour autant perdre sa fonction de sujet. L'inversion du sujet est utilisée pour exprimer l'interrogation.

> *<u>Nous</u> irons à la plage.* → *Irons-<u>nous</u> à la plage ?*
>
> *<u>Tu</u> as compris.* → *As-<u>tu</u> compris ?*

Si le sujet est un nom, celui-ci reste à sa place, et il est repris « à droite » du verbe par un pronom personnel de même personne.

> *Pierre mange sa soupe.*
>
> *Pierre mange-t-il sa soupe ?*
>
> ● *Mange Pierre sa soupe ?*

229 Inversion du sujet et insistance sur le sujet

L'inversion du sujet permet un effet de style. Elle est facultative et ne change pas le sens général de la phrase.

Le renvoi du sujet « à droite » du verbe étant moins fréquent que l'ordre traditionnel (sujet-verbe-objet), l'inversion du sujet attire l'attention de l'auditeur ou du lecteur sur la façon de dire autant que sur ce que l'on a à dire. Ce type de construction se rencontre plutôt dans un registre soutenu et est plus fréquent à l'écrit qu'à l'oral.

> *Les sommes que ces travaux ont coûté sont considérables.*
>
> *Les sommes qu'ont coûté ces travaux sont considérables.*
>
> *Quand les cigognes passeront, il fera froid.*
>
> *Quand passeront les cigognes, il fera froid.*
>
> *Sous le pont Mirabeau la Seine coule.*
>
> *Sous le pont Mirabeau coule la Seine.*

230 Cas d'inversion obligatoire

L'inversion du sujet et du verbe s'impose lorsqu'on utilise des verbes tels que *dire*, *penser*, *remarquer*, *s'exclamer*, etc., dans des propositions incises. Ce procédé renvoie à des situations de dialogue ; il permet de spécifier celui qui vient de parler. Ne pas le pratiquer ne change pas le sens de la phrase, mais rend celle-ci « bizarre ».

> *Tu es encore en retard, lui dis-je.*
>
> ● *Tu es encore en retard, je lui dis.*

REMARQUE On rencontre à l'oral, dans un registre familier, la construction sans inversion, surtout lorsque le sujet est un pronom personnel.

> *T'es encore en retard, j'y dis.*
>
> *Sors de là, y me dit.*

La présence du subjonctif marquant un *souhait* rend l'inversion du sujet obligatoire.

> *Fasse le ciel !*
>
> *Puissiez-vous réussir !*

Si l'on n'inversait pas, il faudrait compléter la phrase.

> *Le ciel fasse que vous ayez raison !*
>
> *J'aimerais que vous puissiez réussir !*

L'inversion est obligatoire avec certains adverbes.

> *Il voulait parler à son père seul à seul. Aussi me dit-il de sortir.*
>
> *Il avait raté son train. Ainsi arriva-t-il le dernier à l'école.*

Elle est aussi obligatoire dans les énoncés administratifs.

> *Sont définitivement admis les candidats dont les noms suivent...*
>
> *Doivent se présenter à 9 heures, à la porte E, les voyageurs munis d'une carte verte.*

231 Limites de l'inversion du sujet

Quel que soit l'usage que l'on fait de l'inversion, elle n'est possible qu'à condition que l'*identification* du sujet soit sans ambiguïté.

Trois cas permettent de conserver l'identité du sujet, quelle que soit sa place.

● **Il n'y a pas concurrence entre plusieurs mots** qui pourraient, par leur nature et par leur sens, jouer le rôle de sujet.

> *Sous le pont Mirabeau coule la Seine.*
>
> *Sous le pont Mirabeau mange un homme.*

Dans ces deux exemples, que le verbe soit *intransitif (coule)* ou *transitif (mange)* (→ 113, 114), il est utilisé sans complément d'objet. Dans ce cas, le seul nom qui accompagne le verbe peut être sujet.

En revanche, il n'est pas possible d'inverser le sujet dans la phrase suivante :

> *Sur la route de Nantes, les trois enfants rencontrèrent les gendarmes.*

car *enfants* et *gendarmes* peuvent être tous les deux sujets du verbe *rencontrer*.

> ● *Sur la route de Nantes, rencontrèrent les trois enfants les gendarmes.*

● **Le sujet est marqué en tant que tel.**

Le sujet est un pronom sujet, qui a une forme spécifique en fonction de sujet et ne peut être que sujet.

Si l'on peut dire :

> *Il mange. Mange-t-il ?*

on ne peut pas dire :

> *Pierre mange.* ● *Mange Pierre ?*

En effet, les pronoms personnels *je, tu, il*, etc., ne peuvent être que sujet. Un nom, lui, peut assurer la fonction sujet aussi bien qu'une autre fonction.

- **Le COD est marqué en tant que tel.**

Lorsque le COD est un pronom COD, il a une forme spécifique et il ne peut être que COD.

> *La montre que m'a donnée <u>Alain</u> est cassée.*

Le pronom relatif *que* ne peut être que complément d'objet. *Alain* ne peut alors être que sujet, même s'il est à droite du verbe *a donnée*.

NATURE DU SUJET

232 Nom sujet

Le sujet peut être un nom seul. C'est le cas des noms propres. Mais il s'agit le plus souvent d'un groupe nominal. → 14 à 22

> <u>Pierre</u> *court dans la forêt.*
>
> <u>Les enfants de l'école</u> *jouent dans la cour.*

Lorsqu'un verbe évoque une action *(marcher, voler, dormir...)*, son sujet est le plus souvent un groupe nominal qui réfère à un être animé.

> <u>Le lapin</u> *détale.* <u>L'oiseau</u> *vole.* <u>L'enfant</u> *court.*

Mais les groupes nominaux renvoyant à des objets ou à des notions abstraites peuvent aussi occuper la fonction sujet.

> <u>La pierre</u> *roula au bas de la pente.*
>
> <u>La tristesse</u> *envahit son regard.*

Dans la langue familière, la fonction sujet est souvent assurée par un groupe nominal doublé d'un pronom personnel ou par deux pronoms personnels.

> *Mon papa <u>il</u> a un vélo.*
>
> *Ma mère <u>elle</u> est venue.*
>
> <u>Moi</u> *je m'en vais.*

233 Pronom sujet

Un pronom peut être sujet.

- **Pronom personnel**

> <u>Il</u> *court.* <u>Nous</u> *avons mangé.*

- **Pronom démonstratif**

   Celui-ci n'est pas cher.

- **Pronom possessif**

   Le mien est cassé.

- **Pronom indéfini**

   Certains pleuraient, d'autres riaient.

- **Pronom relatif**

   Les singes qui grimpent aux arbres font rire les enfants.

234 Infinitif sujet

Un verbe à l'infinitif peut être sujet.

   Travailler fatigue. (= Le travail fatigue.)

REMARQUE Il faut remarquer que l'infinitif est la forme du verbe qui peut se comporter comme un nom.

235 Proposition sujet

Une proposition peut être sujet.

   Qu'il arrive en retard serait déplaisant. (= Son retard serait déplaisant.)

   Qu'il fasse beau ou non nous importe peu. (= Le climat nous importe peu.)

IDENTIFICATION DU SUJET

236 Identification par réduction

Si l'on enlève le plus de mots possibles sans porter atteinte à la construction de la phrase, il ne reste finalement que le couple groupe sujet/groupe verbal (phrase minimum).

Il faut distinguer la suppression de groupes de mots en bloc et la suppression de mots à l'intérieur d'un groupe.

   Le chat de la voisine dort sur les coussins du salon.

Dans cet exemple, le groupe *sur les coussins du salon* peut être supprimé en entier. C'est un groupe nominal prépositionnel, complément circonstanciel de lieu.

En revanche, le groupe sujet *le chat de la voisine* ne peut être que réduit, il ne peut être supprimé en bloc.

   Le chat de la voisine dort. → *Le chat dort.*

237 Identification par permutation

→ Manipulations, 563 à 565

Si, dans une construction de type sujet-verbe-objet, on inverse la place des mots ou groupes de mots qui sont « à droite » et « à gauche » du verbe, on permute les fonctions sujet et complément d'objet.

Le capitaine réussit à jeter _le voleur_ à terre.

Le voleur réussit à jeter _le capitaine_ à terre.

Parfois, en raison du sens particulier du verbe utilisé, le sens de la phrase peut ne pas changer beaucoup.

Vanessa aperçut _le chien_ au détour du chemin.

Le chien aperçut _Vanessa_ au détour du chemin.

On peut aboutir à un non-sens.

Pierre a mangé _le chocolat_.

● _Le chocolat_ a mangé _Pierre_.

On peut encore entraîner un changement de sens de certains mots.

La voiture brûle _le feu_.

Le feu brûle _la voiture_.

Il est intéressant de noter que, le plus souvent, le sujet est accompagné d'un article défini ou d'un déterminant démonstratif alors que l'objet est accompagné d'un article indéfini. Cette distribution des articles rend parfois difficile la permutation sujet-objet.

Le cavalier vit _un_ homme s'enfuir à toute vitesse.

_Un_ homme vit _le cavalier_ s'enfuir à toute vitesse.

Le second type de phrase est moins fréquent.

238 Identification par *c'est... qui*

On peut identifier le sujet en l'encadrant par *c'est... qui*. Ainsi, dans la phrase :

<u>Le maire du village</u> a inauguré le centre sportif.
     sujet

on mettra en évidence le groupe nominal sujet :

C'est <u>le maire du village</u> qui a inauguré le centre sportif.
      sujet

REMARQUE Si l'on avait voulu identifier le GN complément d'objet direct, on aurait utilisé *c'est... que.*

C'est <u>le centre sportif</u> que <u>le maire</u> a inauguré.
sujet   COD

ACCORD DU SUJET AVEC LE VERBE

239 Accord du verbe avec le sujet

C'est le sujet qui commande l'accord du verbe, c'est lui qui permet d'orthographier correctement le verbe. Il faut penser en particulier à écrire *-s* à la fin du verbe si le sujet est *tu* (2ᵉ personne du singulier) et *-nt* si le sujet est au pluriel (3ᵉ personne du pluriel).

<u>Tu</u> met<u>s</u> ton manteau.

<u>Pierre</u> met son manteau.

<u>Les enfants</u> mette<u>nt</u> leur manteau.

Les terminaisons de la troisième personne du pluriel ne se distinguent pas toujours à l'oral.

<u>Le chien</u> aboi<u>e</u> tous les matins.

<u>Les chiens</u> aboie<u>nt</u> tous les matins.

Il était fatigué : <u>le bébé</u> avai<u>t</u> pleuré toute la nuit.

Il était fatigué : <u>les jumeaux</u> avaie<u>nt</u> pleuré toute la nuit.

240 Accord du verbe avec un sujet éloigné ou inversé

Le verbe s'accorde avec le sujet quelle que soit sa place. Quand celui-ci est éloigné ou inversé, on peut utiliser l'un des procédés d'identification évoqués ci-dessus pour le repérer. → **Identification du sujet, 236 à 238**

<u>Les amis</u> dont je t'avais parlé la semaine dernière, au moment où tu pensais partir en voyage avec ta tante, n'habite<u>nt</u> plus à Paris.

Je voudrais savoir quand passe<u>nt</u> <u>les coureurs</u>.

Attention au cas où un pronom personnel complément pourrait être pris pour un article.

> *Ils achèt<u>ent</u> du pain et le mang<u>ent</u>.*

241 Accord du verbe avec plusieurs sujets singuliers

Quand le groupe sujet comprend plusieurs noms (ou pronoms) coordonnés par *et*, le verbe s'accorde avec lui au pluriel.

> *Jacques et Jean chant<u>ent</u> ensemble.*

242 Accord de plusieurs verbes avec un seul sujet

Quand un sujet est commun à plusieurs verbes, chacun des verbes s'accorde avec lui.

> *Les invités arriv<u>ent</u>, s'install<u>ent</u> et commenc<u>ent</u> à manger.*

243 Accord avec le pronom *on*

Avec le sujet *on*, le verbe se met à la 3e personne du singulier.
Cependant, dans le cas où le verbe est suivi d'un adjectif attribut, celui-ci s'accorde au singulier ou au pluriel, selon que *on* signifie *nous* ou *tout le monde, n'importe qui*.

> *On était rav<u>is</u> qu'il soit reçu.*
>
> *On est toujours rav<u>i</u> d'avoir de l'argent.*

244 Accord du verbe avec un sujet collectif

Lorsque le groupe nominal sujet représente un ensemble de personnes ou d'objets, le verbe se met soit au singulier (si l'on veut souligner qu'il s'agit d'un seul et même ensemble), soit au pluriel (si l'on insiste sur tous les éléments qui constituent cet ensemble).

> *Un groupe d'enfants se mit (se mirent) à hurler.*
>
> *Une foule de visiteurs se précipitèrent (se précipita) dès l'ouverture des portes.*

245 Accord du participe passé avec le sujet

Quand la forme verbale est composée de l'auxiliaire *être* et du participe passé du verbe, celui-ci s'accorde en genre et en nombre avec le sujet.

> *Les enfants <u>sont montés</u> au grenier.*

Mais :

> *Les enfants <u>ont monté</u> leurs jouets au grenier.*

Compléments du verbe

Au sens large, on appelle compléments du verbe les compléments qui ont lien avec le verbe. Ces compléments s'analysent à l'échelle de la phrase, à la différence des compléments du nom qui s'analysent à l'échelle plus réduite du groupe nominal. Les compléments du verbe apparaissent une fois qu'on a séparé le groupe sujet du groupe verbal et qu'à l'intérieur du groupe verbal, on a isolé le verbe.

Pour les classer, les grammaires utilisent désormais deux couples de termes :

- **Complément essentiel / complément circonstanciel**

Les *compléments essentiels* ou *compléments d'objet* directs et indirects rassemblent les compléments qui précisent sur quoi porte le processus évoqué par le verbe ; ils ont un caractère indispensable.

Les *compléments circonstanciels* rassemblent des compléments évoquant les circonstances de l'action et que l'on peut de manière générale facilement supprimer et déplacer.

- **Complément de verbe / complément de phrase**

Cet autre couple de termes permet lui aussi de classer en deux catégories l'ensemble des compléments du verbe[1], mais ce nouveau classement, proposé plus récemment, ne coïncide pas exactement avec le précédent. Parmi les compléments circonstanciels, certains sont intimement liés au verbe.

> *Il va à Paris.*

Ils seront appelés *compléments de verbe*.

D'autres sont facultatifs.

> *Il rentre dans le château.*

On les appellera *compléments de phrase*.

---

1. *Complément du verbe* s'oppose à *complément du nom* et désigne tous les compléments qui se rattachent au verbe.

COMPLÉMENT ESSENTIEL /
COMPLÉMENT CIRCONSTANCIEL

246 **Différences entre complément essentiel
et complément circonstanciel**

Un complément essentiel précise le sens du verbe, un complément circonstanciel évoque une circonstance de l'action. Mais comment les distinguer plus sûrement ? La distinction entre complément essentiel et complément circonstanciel repose sur des manipulations qui révèlent des comportements différents. Ces critères (critères formels), qui essaient de ne pas faire appel au sens, sont principalement au nombre de deux :

- **critère d'effacement** → Procédure de réduction de la phrase, **555 à 558**

    Il dort <u>debout</u>. → *Il dort.*

- **critère de déplaçabilité :** il permet de distinguer groupes mobiles et groupes difficilement mobiles. → **559 à 562**

    <u>Patiemment</u>, il s'est mis au travail.

247 **Pour un premier classement**

On peut faire le tableau suivant.

	GROUPE EFFAÇABLE	GROUPE DÉPLAÇABLE
C. essentiel *Il caressait <u>son chien</u>.*	non : ⊖ *Il caressait.*	non : ⊖ *Son chien il caressait.*
C. circonstanciel *Vanessa lit le journal <u>tous les matins</u>.*	oui : *Vanessa lit le journal.*	oui : *<u>Tous les matins</u> Vanessa lit le journal.* *Vanessa lit <u>tous les matins</u> le journal.*

248 **Fonctions des compléments essentiels et circonstanciels**

Les termes correspondant aux fonctions traditionnelles peuvent donc se classer ainsi :

- **compléments essentiels :** COD, COI, COS ;

    Il avait enfermé <u>le jouet</u> dans un placard.
    COD

    Je m'aperçois <u>de mes erreurs</u>.
    COI

    On <u>lui</u> a retiré son autorisation.
    COS

- **compléments circonstanciels :** les CC traditionnels exprimant le lieu, le temps, la manière, la cause, etc.

> *Le matin, il part rapidement de la maison.*
>   CC temps   CC manière   CC lieu

249 Avantages de ce classement

Il permet de regrouper l'ensemble des compléments du verbe en deux grandes catégories. C'est une tendance des grammaires nouvelles de procéder à de grands regroupements ; on n'analyse plus les mots isolés, mais des groupes de mots.

On s'efforce de faire reposer ce classement sur des comportements identiques (critères formels) et non plus sur des éléments faisant appel au sens (critères sémantiques).

250 Limites de ce classement

> *Il va à Paris.*

À Paris n'est ni supprimable ni déplaçable : on doit donc théoriquement le ranger parmi les compléments essentiels. Cependant, *à Paris* exprime une circonstance de l'action (lieu). Peut-on alors dire que l'on a affaire à un complément qui serait à la fois essentiel (application des critères formels) et circonstanciel (application des critères sémantiques) ?

> *Il tape sur un tambour.*

La phrase réduite *il tape* exige un complément (essentiel ?), mais le renseignement apporté concerne une circonstance de l'action.

En revanche, dans l'exemple suivant :

> *Mon cousin est tombé malade à Paris.*

le groupe *à Paris*, supprimable et déplaçable, sera facile à ranger parmi les compléments circonstanciels. C'est en raison de ces limites (certains compléments sont *essentiels* par leur comportement et *circonstanciels* par leur sens) qu'un autre classement a été proposé. Le nouveau classement n'utilise plus le terme traditionnel de *complément circonstanciel*.

COMPLÉMENT DE VERBE / COMPLÉMENT DE PHRASE

251 **Fonction des compléments de verbe et des compléments de phrase**

Le classement proposé est le suivant :

● **compléments de verbe :** les compléments d'objet directs, compléments d'objet indirects, compléments d'objet seconds et certains « ex- » compléments circonstanciels ;

● **compléments de phrase :** la plupart des compléments circonstanciels, sauf ceux que l'on ne peut ni supprimer ni déplacer *(Il va à Paris)*. Le nouveau terme *complément de phrase* ne remplace pas exactement l'ancien terme *complément circonstanciel*. Les anciens compléments circonstanciels se trouvent, dans ce nouveau classement, tantôt compléments de verbe, tantôt compléments de phrase.

> Pierre va travailler <u>à New York</u>.
>   C. de phrase
>
> Pierre va <u>à Paris</u>.
>   C. de verbe
>
> Mon cousin s'est marié <u>à Genève</u>.
>   C. de phrase
>
> Mon cousin habite <u>à Genève</u>.
>   C. de verbe

Le nouveau terme *complément de verbe* permet de regrouper, avec les traditionnels COD, COI, etc., certains compléments circonstanciels qui donnent des renseignements sur les circonstances de l'action mais qui n'en sont pas moins étroitement liés au verbe, dans la mesure où ils sont difficilement supprimables et déplaçables.

252 **Les compléments de verbe à valeur circonstancielle**

On rencontre ce cas avec des verbes qui demandent des précisions quant :

● **au lieu** *(aller, venir, parvenir, partir…)* ;

> Je viens <u>de la ville</u>.

● **au temps** *(durer, continuer, se dérouler…)* ;

> Cette course durera <u>deux jours</u>.

- **à la manière** *(agir, se conduire, réagir...)* ;

  Il se conduit __avec courage__.

- **à la mesure** *(mesurer, peser, contenir, valoir...).*

  Il mesure __un mètre cinquante__.

253 **Pour un classement plus complet**

Si l'on ajoute au classement compléments de verbe / compléments de phrase le classement construction directe / construction indirecte, on obtient un tableau à double entrée.

	COMPLÉMENTS DE VERBE	COMPLÉMENTS DE PHRASE
CONSTRUCTION DIRECTE	*Cette armoire pèse __cent kilos__.* CC	*Il partira __lundi__.* CC
	Elle mange __sa soupe__. COD	
	Elle mange __de la confiture__. COD (avec partitif)	
	Cet homme est __un ennemi__. attribut du sujet	
CONSTRUCTION INDIRECTE	*Il pense __à ses vacances__.* COI	*Il court __à toute vitesse__.* CC
	Il donne du pain __aux pigeons__. COS	*La souris est mangée __par le chat__.* C. d'agent
	Il rentre __de la plage__. CC	

254 **Visualisation**

La représentation en arbre est alors la suivante.

Pierre	va	à la chasse	tous les matins.
GNS	V	GN complément de verbe	GN complément de phrase

GV

phrase

Complément d'objet direct

L'ESSENTIEL

Le complément d'objet direct est parfois nommé :

- **complément essentiel d'objet direct ;**
- **objet direct ;**
- **complément direct du verbe.**

Nous utiliserons ici l'abréviation COD.

> Je n'ai pas examiné <u>ton travail</u>.
> COD

Pour les grammaires qui utilisent le couple de termes *complément essentiel / complément circonstanciel*, le COD est un complément essentiel parmi d'autres.

Pour les grammaires qui utilisent le couple de termes *complément de verbe / complément de phrase*, le COD est un complément de verbe parmi d'autres.

IDENTIFICATION DU COD

255 Rôle du COD

Le complément d'objet direct entretient avec le sujet une relation qui passe par le verbe. Le sujet responsable de l'action l'exerce sur le COD qui la subit.

256 Définition du COD

Le COD représente l'être ou la chose sur lesquels porte l'action exprimée par le verbe.

> <u>L'enfant</u> <u>caresse</u> <u>le petit chat</u>.
> sujet   V   COD

> <u>Le vent</u> <u>secoue</u> <u>les arbres</u>.
> sujet   V   COD

Fonction COD et fonction sujet

Le COD se distingue du sujet. Chacune de ces fonctions évoque des éléments différents et distincts l'un de l'autre.

> *Pierre regarde Paul.*
> sujet   COD

Pierre et **Paul** sont deux personnages différents qui jouent chacun un rôle particulier. Pierre *regarde* et Paul *est regardé*.

Il en va de même dans :

> *Julie aperçoit un nageur.*
> sujet   COD

Julie et **nageur** désignent chacun un personnage différent.
Alors que dans :

> *Julie est une nageuse.*
> sujet   attribut du sujet

les deux mots **Julie** et **nageuse** désignent le même personnage.

criterion

258 **Critères d'identification du COD**

Pour identifier les différents groupes fonctionnels de la phrase, les grammaires récentes ont tendance à faire moins appel au sens. Elles proposent des manipulations qui permettent d'identifier le COD en observant son comportement dans la phrase. C'est ce que l'on nomme **critères formels**.

removeable

259 **Le COD n'est pas supprimable**

On ne peut pas supprimer le COD. Si l'on réduit une phrase contenant un COD, on peut facilement enlever les groupes compléments circonstanciels (→ 323 à 325). On obtient alors une phrase de base qui ne peut être réduite *any more* davantage sans devenir incompréhensible. On schématisera cette phrase ainsi.

> sujet ──→ verbe ──→ COD
>
> *Les touristes ont visité la cathédrale [rapidement].*
> COD
>
> *[Tous les matins] je croise le facteur.*
> COD
>
> *Il a rencontré des amis [sur la plage].*
> COD

On peut facilement supprimer : *rapidement*, *tous les matins*, *sur la plage*.

Il n'en va pas de même pour : *la cathédrale, le facteur, des amis.*
Les phrases qui en résulteraient :

- *Les touristes ont visité.*

- *Je croise.*

- *Il a rencontré.*

donnent nettement le sentiment d'être incomplètes.

Cependant, il n'en va pas de même pour tous les verbes. Certains verbes acceptent facilement qu'on supprime le COD, mais alors leur sens change.

> *Les paysans rentrent leur récolte.*
>
> *Les paysans rentrent.*
>
> *Il boit de l'eau.*
>
> *Il boit (= c'est un alcoolique).*

Dans les situations où une action est fréquemment effectuée, le verbe peut aisément perdre son COD ; cela est surtout vrai dans le langage parlé.

> *Il n'a pas encore chaussé.* (dans le milieu du ski)
>
> *Amène !* (dans le milieu de la navigation à voile)

Dans ces exemples, l'utilisation des verbes *chausser, amener* sans COD suffit à signifier :
– que l'on chausse ses skis ;
– que l'on amène la voile.
Cette construction sans COD de verbes qui habituellement en ont besoin s'appelle *construction absolue.*

REMARQUE Parfois, en changeant de COD, le verbe change de sens.

> *Elle monte ses bagages.*
>   COD
>
> *Il monte l'escalier.*
>   COD

260 Le COD n'est pas déplaçable

Le COD n'est pas déplaçable. Si on le permute avec le sujet, on modifie le sens de la phrase.

> *Le chasseur a tué le lion.*
>
> *Le lion a tué le chasseur.*

Ou on provoque un non-sens.

Ma voisine a acheté une voiture.

⊖ *Une voiture a acheté ma voisine.*

La place du COD est généralement après le verbe (à droite du verbe dans la phrase écrite), alors que celle du sujet est généralement avant le verbe (à gauche dans la phrase écrite). La fonction sujet et la fonction objet dépendent de la place des noms par rapport au verbe. En cas de permutation, les noms changent de fonction.

REMARQUE Dans la plupart des phrases, le COD ne change pas de position, même si la phrase est interrogative ou négative.

> *Gérard écoute la radio.*
> *Gérard écoute-t-il la radio ?*
> *Gérard n'écoute pas la radio.*

Dans le cas où le COD est un pronom personnel (→ 263), il se place avant le verbe, sauf dans le cas de l'impératif.

> *Il descend la poubelle.* → *Il la descend.*   *Descends-la !*
> *Il reprend du dessert.* → *Il en reprend.*   *Reprends-en !*

REMARQUE Il faut bien comprendre que lorsque le sujet et le COD de la phrase sont des noms, chaque nom peut être sujet ou COD. Aucun indicateur ne venant signaler que tel nom est sujet, que tel autre est objet, on voit bien que seule la position avant ou après le verbe est susceptible d'indiquer la fonction sujet ou objet. Dans le cas où ces fonctions sont remplies par des pronoms spécifiques (*la* pour COD, *il* pour sujet), le nom COD peut se placer en tête de la phrase.

> *Luc descend la poubelle.*   *Alors, la poubelle, est-ce qu'il l'a descendue, Luc ?*
> sujet   COD   COD   sujet COD   sujet

261 Mise en relief du COD

Comme tous les compléments, le COD peut être mis en relief. Si l'on veut attirer l'attention du lecteur ou de l'auditeur sur le nom remplissant la fonction de COD, plusieurs procédés sont utilisables.

> *Le mazout a tué ces poissons.*
>   COD
> *Ces poissons, le mazout les a tués.*

> *Il écoute ce disque souvent.*
>   COD
> *Ce disque, il l'écoute souvent.*

Le COD est placé en tête de la phrase et il est repris par un pronom personnel COD placé immédiatement avant le verbe.

> *Le chat préfère <u>la viande</u>.*
>
> <u>*C'est* la viande *que*</u> le chat préfère.
> COD

Ici, la fonction du COD n'est pas rappelée comme précédemment par un pronom spécialisé, mais par l'encadrement *C'est... que*.

REMARQUE Si l'on veut mettre en valeur le sujet, on utilise l'encadrement *c'est... qui, celui... qui, celle... qui.*

> *En France, les étrangers préfèrent <u>la cuisine</u>.*
>
> <u>*Ce que*</u> *les étrangers préfèrent en France, <u>c'est</u> la cuisine.*

Dans ce dernier cas, le COD apparaît à la fin de la phrase, et sa mise en valeur est assumée par *Ce que... c'est*.

REMARQUE Si l'on veut mettre en valeur le sujet, on utilise *Ce qui... c'est...* + sujet.

262 COD et voix passive

Lors de la transformation passive, le COD devient sujet sans que la phrase change de sens.

> *Les maçons ont construit <u>le mur</u>.*
> COD
>
> *<u>Le mur</u> a été construit par les maçons.*
> sujet

Alors que :

> *Les voleurs circulent la nuit.*

ne peut pas donner :

> ⊖ *La nuit est circulée par les voleurs.*

car *la nuit* n'est pas COD, mais complément circonstanciel (CC).

En revanche, *la nuit* conserve sa fonction de complément circonstanciel si on le place en tête de la phrase :

> *La nuit, les voleurs circulent.*

Ces deux manipulations montrent bien que *la nuit* n'a pas le comportement d'un COD dans cette phrase.

REMARQUE Dans certains cas, le COD, sujet d'un verbe à la voix passive, donne lieu à des phrases improbables. → **Voix passive,** 391 à 400

> *Pierre regarde <u>la télévision</u>.*
>
> <u>*La télévision*</u> *est regardée par Pierre.*
>
> *Les moineaux prennent <u>la fuite</u>.*
>
> <u>*La fuite*</u> *est prise par les moineaux.*

263 Emploi de pronoms COD

Le nom remplissant la fonction de COD peut être remplacé par un pronom personnel complément direct (*le*, *la*, *les* ou *l'* devant une voyelle). C'est un autre procédé d'identification.

Il ramasse une pierre.	→ *Il la ramasse.* (fém. sing.)
Elle ramasse un caillou.	→ *Elle le ramasse.* (masc. sing.)
Il ramasse les pierres.	→ *Il les ramasse.* (fém. plur.)
Il ramasse les cailloux.	→ *Il les ramasse.* (masc. plur.)
Il envoie un paquet.	→ *Il l'envoie.*
Elle envoie une lettre.	→ *Elle l'envoie.*

C'est le pronom *en* qui est utilisé si le COD est déterminé par un article partitif.

→ **Articles, 76, 77**

$$\text{Il mange } \underline{\text{la salade}}. \quad \rightarrow \quad \text{Il } \underline{\text{la}} \text{ mange.}$$
$$\qquad\qquad\text{COD} \qquad\qquad\qquad\qquad \text{COD}$$

Mais :

$$\text{Il mange } \underline{\text{de la salade}}. \quad \rightarrow \quad \text{Il } \underline{\text{en}} \text{ mange.}$$
$$\qquad\qquad\quad\text{COD} \qquad\qquad\qquad\qquad \text{COD}$$

CONSTRUCTION DU COD

264 Une construction directe

Le COD est un complément de construction directe. Il se construit sans préposition :

> *Il chante <u>un air d'opéra</u>.*

contrairement au complément d'objet indirect → 289

> *Il pense <u>à ses dernières vacances</u>.*
> COI

ou à certains compléments circonstanciels. → 336

> *Elle se promène <u>avec son chien</u>.*
> CC

265 COD, COI et article partitif *(du, de la...)*

Dans :

> *Il reprend <u>de la viande</u>.*
>   COD

il faut se garder d'interpréter *de* comme une préposition introduisant une construction indirecte. Pour bien différencier les cas où les articles contractés jouent le rôle d'articles partitifs des cas où il s'agit d'une préposition introduisant un complément de construction indirecte, il est intéressant de comparer les deux séries suivantes.

> *Il boit <u>de</u> l'eau.*
> *Il boit <u>du</u> lait.*
> *Il boit <u>des</u> jus de fruits.*
> *Il boit <u>des</u> liqueurs.*

> *Il s'empare <u>de la</u> citadelle.*
> *Il s'empare <u>du</u> château.*
> *Il s'empare <u>des</u> citadelles.*
> *Il s'empare <u>des</u> châteaux.*

Sous l'apparence identique des formes, on peut remarquer en fait que :
– dans la première série, deux constructions sont possibles. Soit *il boit de l'eau*, soit *il boit l'eau* ;
– dans la seconde série, seule une construction est possible.

> *Il s'empare du château.*
> ⊖ *Il s'empare le château.* (C'est une forme agrammaticale.)

Cela révèle les constructions différentes du verbe. On boit quelque chose (construction directe), on s'empare de quelque chose (construction indirecte). Par ailleurs, la transformation passive ne peut pas s'appliquer en cas de construction indirecte. On peut avoir, à partir de la première série :

> *Diane a renversé <u>l'eau</u>.*
> *<u>L'eau</u> a été renversée par Diane.*
> *Diane a renversé <u>de l'eau</u>.*
> *<u>De l'eau</u> a été renversée par Diane.*

À partir de la seconde série, on ne peut obtenir :

> *L'ennemi s'empare <u>du château</u>.*
> ⊖ *Du château a été emparé par l'ennemi.*

266 **Différence entre le COD et l'attribut**

Il n'y a jamais de COD après le verbe *être* ni après les verbes d'état (*paraître, sembler, devenir, avoir l'air*, etc.). Dans :

> *Cet homme est un champion. Cet homme a l'air d'un champion.*

le groupe nominal **un champion** est attribut du sujet et non COD (→ 343). Les deux mots **champion** et **homme** ne désignent pas deux personnages différents. *Un champion* peut être remplacé par un adjectif :

> *Cet homme est important.*

alors qu'un COD ne peut jamais l'être. Il est impossible de transformer ces phrases en phrases passives.

267 **Verbes transitifs et intransitifs**

Le verbe suivi d'un COD est appelé *verbe transitif*. On veut dire par là que c'est à travers le verbe que l'action se transmet du sujet au complément d'objet. On peut en fait classer les verbes en trois catégories :

- **ceux qui refusent tout COD** (*obéir, défiler, rire, accourir, mourir, partir*, etc.) ; ce sont des *verbes intransitifs* ;

> *Il éternue sans arrêt. Il était né la nuit de la Saint-Jean.*

- **ceux qui peuvent en accepter un, mais qui peuvent aussi s'en passer** (*manger, changer, sonner, écouter*, etc.) ; ce sont des *verbes transitifs* ;

> *J'ai lu un ouvrage très intéressant sur Gandhi.*
>   COD
> *Pour son travail, il lit énormément.*
> *Le menuisier travaille le bois.*
>   COD
> *Dans ces vieux meubles, le bois travaille toujours.*

- **ceux qui doivent obligatoirement se construire avec un COD** (*apercevoir, battre, rencontrer*, etc.) ; ce sont aussi des *verbes transitifs*.

> *Il n'a même pas jeté un coup d'œil sur notre travail.*
>   COD

On pourra savoir à quelle liste appartiennent les verbes en essayant d'ajouter « quelqu'un » ou « quelque chose ».

On rit.	● *On rit quelque chose.*
On lit.	*On lit quelque chose.*
● *On rencontre.*	*On rencontre quelqu'un.*

NATURE DU COD

268 Mots en fonction de COD

Le COD est une fonction liée au verbe. Des mots de différentes natures peuvent la remplir : noms, pronoms, infinitifs ou propositions. Le plus fréquemment, cependant, ce sont des noms ou des groupes nominaux qui assument la fonction de COD.

269 Nom COD

Le COD peut être un nom ou un groupe nominal.

> *La fumée de cigare dérange <u>Leyla</u>.*
>
> *Robert fume <u>un cigare</u>.*
>
> *Robert fume <u>de petits cigares du Brésil</u>.*

270 Infinitif COD

Le COD peut être un verbe à l'infinitif.

> *Vanessa aime <u>lire</u>.*   Équivalant à : *Vanessa aime <u>la lecture</u>.*

REMARQUE Il faut prendre garde à des constructions avec des verbes comme *vouloir*, *pouvoir*, où l'infinitif qui suit ne peut pas être remplacé par un nom.

> *Il peut lire.*   ⚫ *Il peut la lecture.*

Il vaut mieux considérer que *lire* est conjugué avec « l'auxiliaire » *pouvoir* plutôt que l'interpréter comme COD du verbe *pouvoir*.

271 Pronom personnel COD

Certains pronoms personnels ne peuvent avoir que la fonction COD : *le*, *la*, *les*, *l'*. Ces pronoms sont placés avant le verbe (antéposés). Ils varient en genre et en nombre.

> *Elle regarde <u>l'avion</u>.*   → *Elle <u>le</u> regarde.*
>
> *Elle mange <u>une tarte</u>.*   → *Elle <u>la</u> mange.*
>
> *Elle a rencontré <u>ses amis</u>.*   → *Elle <u>les</u> a rencontrés.*
>
> *Elle a acheté <u>des fleurs</u>.*   → *Elle <u>les</u> a achetées.*
>
> *Elle envoie <u>un paquet</u>.*   → *Elle <u>l'</u>envoie.*

Mais on rencontre aussi des pronoms personnels non spécifiques du COD :

● **le pronom *en*,** qui peut remplir plusieurs fonctions (COI, CC), est COD lorsque l'on a affaire à un article partitif.

> *Il prend <u>du pain</u>.*   → *Il <u>en</u> prend.*
>
> *Il prend <u>des cerises</u>.*   → *Il <u>en</u> prend.*

Il est placé avant le verbe (antéposé), mais il n'indique ni le genre ni le nombre ;

● **les pronoms de première et deuxième personnes, *me, te, nous, vous,*** peuvent être COD (mais aussi COI et, pour les deux derniers, également sujets). Ils sont placés avant le verbe (antéposés) et n'indiquent pas le genre ; en revanche, ils indiquent le nombre et la personne. Ils ne renvoient à aucun antécédent.

> *Ce chien essayait de <u>me</u> mordre.*

272 Pronoms démonstratif, possessif, indéfini COD

Un pronom démonstratif *(celui-ci...)*, un pronom possessif *(le mien...)*, un pronom indéfini *(tout, rien...)* peuvent occuper la fonction COD.

> *J'ai perdu mon crayon, donne-moi <u>le tien</u>.*

273 Pronom relatif COD

Le pronom relatif *que* remplace un COD dans une subordonnée relative.

> *Les feuilles <u>que</u> le vent a fait tomber voltigent dans l'air.*

Le pronom *que* est COD du verbe *a fait tomber* ; par ailleurs, il représente *feuilles*, qui est, lui, sujet du verbe *voltigent*. → **Pronoms, 174 à 176**

274 Proposition subordonnée COD

Certaines propositions subordonnées conjonctives peuvent être COD. Elles sont introduites par *que*.

> *Les hirondelles attendent <u>que l'automne arrive</u>.* (= l'arrivée de l'automne)
>
> *Les clients aiment <u>qu'on les serve vite</u>.*
>
> *Il pense <u>que son père viendra</u>.*

REMARQUE Les propositions subordonnées conjonctives se répartissent en deux catégories :
– les conjonctives qui sont COD, appelées *complétives* ;
> *Je pense <u>qu'il viendra</u>.*
– les conjonctives qui sont compléments circonstanciels, appelées *circonstancielles*.
> *Il n'est pas venu <u>parce qu'il était malade</u>.*

Les subordonnées complétives se rencontrent surtout après certains verbes du type *dire*, *penser*, etc.
Pour plus de détails, → **Propositions subordonnées, 438 à 443**
Les propositions subordonnées interrogatives indirectes sont toujours COD. → **462, 463**

> *Dites-moi <u>si cela vous gêne</u>.*

LA FONCTION COD ET LES AUTRES FONCTIONS

275 Différence entre COD et autres fonctions

Le COD est une fonction importante qu'il faut savoir distinguer des autres fonctions qui se rattachent au verbe. Sa position, sa construction directe, son remplacement par des pronoms personnels permettent de le différencier d'autres fonctions.

276 COD et CC

C'est surtout le fait de pouvoir supprimer et déplacer facilement le CC qui le distingue du COD.

> <u>Chaque matin</u> il boit <u>son café</u> avec plaisir.
> CC   COD

> Il boit <u>son café</u> avec plaisir <u>chaque matin</u>.
> COD   CC

Souvent le CC est un groupe prépositionnel, mais certains CC sont des noms sans préposition. Ceci peut être une source de confusion.

> Elle travaille la nuit.

> Il travaille l'anglais.

C'est le déplacement facile de *la nuit* qui permet de l'identifier comme un CC, alors que le déplacement de *l'anglais* oblige à utiliser un pronom personnel complément.

> La nuit, elle travaille.

> L'anglais, il <u>le</u> travaille.
> COD

REMARQUE On peut cependant observer une tendance à dire :
> Les voyages, j'aime. Le ski, j'adore.

277 COD et sujet

C'est par leur place par rapport au verbe que l'on peut reconnaître l'une et l'autre fonction.

> <u>Le chat</u> mange <u>la souris</u>.
> sujet   COD

> <u>La souris</u> mange <u>le chat</u>.
> sujet   COD

Sur la place du COD, → 260, 261

278 COD et COI

Le COD se construit sans préposition.

> *Elle promène <u>son chien</u>.*
> COD

> *Il pense <u>à son chien</u>.*
> COI

Mais il faut faire attention à l'article partitif qui, bien que faisant apparaître *de*, conserve la construction directe. → 265

> *Il mange <u>de la crème</u>.*
> COD

279 COD et attribut du sujet

De façon générale, on trouve le COD en posant la question « quoi ? ».

> *Il mange* (quoi ?) *<u>de la viande</u>.*
> COD

Après *être* et les verbes d'état, il n'y a jamais de COD. Il s'agit d'un attribut du sujet.

> *Il est* (quoi ?) *<u>content</u>.*
> *Il semble* (quoi ?) *<u>fatigué</u>.*

RÈGLES D'ACCORD DU VERBE AVEC LE COD

280 Règle générale d'accord

Le verbe ne s'accorde pas avec le COD mais avec son sujet, sauf dans le cas des temps composés construits avec l'auxiliaire *avoir*, où le participe passé s'accorde avec le COD si celui-ci précède le verbe.

281 Accord du participe passé avec le COD

Il faut identifier le COD afin de bien assurer l'accord du participe passé employé avec l'auxiliaire *avoir*. Lorsque le COD est un pronom personnel, il se trouve avant le verbe.

> *Ces mouettes, il <u>les</u> voit.*

Si l'on met le verbe à un temps composé, le participe passé devra s'accorder avec *les*, qui désigne *mouettes*. → 140

> *Ces mouettes, il <u>les</u> a <u>vues</u>.*
> COD

Cet accord ne s'entend pas toujours.

> *La besogne que j'ai terminée.*

Pour certains verbes, au contraire, cet accord s'entend, il se prononce.

> *Le pantalon que j'ai mis.*
>
> *La veste que j'ai mise.*

REMARQUE On note, d'une part, une tendance, à l'oral, à ne plus marquer cet accord :

> ⊖ *Les fleurs que j'ai mis dans le vase.*
>
> ⊖ *La promenade que nous avons fait.*

et, d'autre part, la tendance inverse à pratiquer un accord fautif :

> ⊖ *Cette femme, il l'a faite venir.*

En effet, le participe passé de *faire* suivi d'un infinitif reste invariable même si un COD se trouve placé avant.

282 Accord du verbe aux temps simples

Dans tous les cas, le verbe ne s'accorde qu'avec son sujet, même s'il est immédiatement précédé d'un pronom personnel COD d'un genre et d'un nombre différents de celui du sujet.

> *Il le voit.*   *Il les voit.*
>
> *Ils le voient.*   *Ils les voient.*

283 Visualisation

La représentation en arbre est la suivante.

Complément d'objet indirect

Le complément d'objet indirect est parfois nommé :

- **complément essentiel indirect** ;
- **complément indirect d'objet** ;
- **complément indirect du verbe.**

Nous utiliserons ici l'abréviation COI.

> *Il a parlé durement à son fils.*
> COI

Pour les grammaires qui utilisent le couple de termes *complément essentiel / complément circonstanciel*, le COI fait partie des compléments essentiels.

Pour les grammaires qui utilisent le couple de termes *complément de verbe / complément de phrase*, le COI fait partie des compléments de verbe.

D'autres présentations de la phrase se bornent à distinguer les compléments de construction indirecte et les compléments de construction directe, sans signaler l'existence d'un complément d'objet indirect.

Parfois, certains COI sont nommés compléments d'objet seconds (COS).

→ 320 à 322

IDENTIFICATION DU COI

284 Critères formels de reconnaissance

On peut identifier le complément d'objet indirect sans faire appel au sens, grâce aux critères suivants :

- **on peut difficilement déplacer le COI ;**
- **on ne peut pas le supprimer,** le plus souvent, sans détruire la phrase où il se trouve ;
- **il ne joue aucun rôle dans la transformation passive ;**
- **on utilise des pronoms spécifiques pour le remplacer ;**
- **il se construit avec une préposition.**

285 Le COI n'est pas supprimable

Le COI est en général un complément indispensable.

Ce jeune homme succédera à son père, l'an prochain.
COI CC

Si l'on supprime ***à son père***, les mots qui restent ne forment pas un énoncé complet.

⊖ *Ce jeune homme succédera l'an prochain.*

En revanche, la suppression de ***l'an prochain*** appauvrit la phrase, mais ne laisse pas cette impression d'inachèvement.

Ce jeune homme succédera à son père.

Il faut pourtant bien admettre qu'il ne s'agit pas là d'un caractère généralisable à tous les COI. Dans la phrase :

Nous avons téléphoné à nos amis, dès notre retour.
COI CC

la suppression de ***à nos amis*** (COI) n'est pas plus gênante que la suppression de ***dès notre retour*** (CC de temps).

Dans la phrase :

Nous avons téléphoné.

l'énoncé qui reste est plus pauvre en informations, mais ne laisse pas cette impression de phrase inachevée.

Comme dans le cas du COD et aussi de certains CC, c'est le verbe utilisé qui détermine le caractère obligatoire ou facultatif du COI.

On accepte facilement :

> *L'enfant sourit.*

à partir de :

> *L'enfant sourit <u>à sa mère</u>.*

On accepte moins facilement :

> ➋ *Je m'aperçois.*

à partir de :

> *Je m'aperçois <u>de l'erreur que j'ai faite</u>.*

REMARQUE Les deux phrases :

> *Alain parle <u>à son chien</u>.*   *Alain parle <u>de ses vacances</u>.*

se réduisent facilement et donnent, l'une comme l'autre :

> *Alain parle.*

Il est cependant difficile de dire si l'on a affaire à un seul verbe qui signifie à la fois *s'adresser à quelqu'un, raconter quelque chose* et *émettre des sons avec sa bouche*, ou à trois verbes différents. Le COI peut modifier le sens du verbe utilisé.

Le caractère non supprimable du complément d'objet indirect ne peut être considéré comme critère suffisant à lui seul pour identifier celui-ci.

286 Le COI n'est pas déplaçable

Le COI n'est pas un groupe mobile. C'est encore un caractère qu'il semble avoir en commun avec le COD. La place du COI est *à droite* du verbe (après le verbe) ; on ne peut, en général, pas le déplacer.

> *Il pense à ses parents.*

> ➋ *À ses parents il pense.* (impossible)

> *Il se souvient de cet homme.*

> ➋ *De cet homme il se souvient.* (impossible, ou relève d'un effet de style)

287 Mise en relief du COI

Dans certains cas, il est possible de placer le COI à gauche du verbe afin de le mettre en relief :

- **si le verbe est complété par un autre complément ;**

> *<u>De cette affaire</u>, le président n'a pas parlé <u>en public</u>.*

> *<u>À leurs parents</u>, ils obéissent <u>volontiers</u>.*

- **si l'on veut marquer l'opposition entre deux actions ;**

> *À Jacques je répondrai non, alors qu'à Jean je répondrai oui.*

- **si le COI est repris par un pronom personnel :** ce procédé, qui permet de placer le COI en tête de phrase, est fréquemment employé dans la langue parlée.

> *Ce gardien, je me souviens de lui. Il était là autrefois.*
>
> *Cette aventure, je n'en parlerai pas, puisqu'elle lui fait peur.*

REMARQUE Dans le cas où le COI apparaît dans une phrase comportant un COD, c'est-à-dire lorsqu'il est un complément d'objet second (COS), il devient plus facile de le déplacer avant le verbe. → **Complément d'objet second, 307**

> *Il offre des fleurs à sa mère.*
> COD   COI (COS)
>
> *À sa mère il offre des fleurs chaque dimanche, à son père une pipe en écume.*
> COI (COS)   COD   COI (COS)   COD

288 COI et voix passive

Le COI ne joue aucun rôle dans la transformation passive. Il ne peut pas devenir sujet de la phrase passive. C'est là une différence essentielle de comportement par rapport au COD.

La phrase suivante, à la voix active :

> *La maîtresse a puni cet enfant.*
> sujet   COD

devient, à la voix passive :

> *Cet enfant a été puni par la maîtresse.*
> sujet   compl. d'agent

Mais cette phrase :

> *La maîtresse parle à cet enfant.*
> sujet   COI

ne peut donner, à la voix passive :

> ● *Cet enfant est parlé par la maîtresse.*

289 Construction du COI

Le COI est un complément indirect. C'est un groupe nominal prépositionnel d'un type particulier.

Les prépositions utilisées sont en nombre limité *(à, de)*. De plus, elles sont étroitement liées au verbe utilisé. On parle de prépositions spécifiques, non interchangeables (non commutables), alors que dans le cas du complément circonstanciel on peut avoir de multiples prépositions.

Comparons :

Il pense	*à son travail.*	COI
Il s'aperçoit	*de son retard.*	

avec :

Il marche dans les prés	*avec peine.*	
à travers les prés	*pour passer le temps.*	CC
autour des prés	*à grands pas.*	
vers les collines	*de bonne heure.*	

Dans le cas du complément circonstanciel, le choix de la préposition est relativement libre, par rapport au verbe utilisé.

Dans le cas du COI, la préposition dépend du verbe utilisé : on parle *à* quelqu'un, ou *de* quelque chose, on s'aperçoit *de* quelque chose.

→ Complément circonstanciel, 333 à 338

REMARQUE Suivant les grammaires, on rencontrera deux types de « découpage » pour le COI. Soit :

> *Je parle*   *à mon père.*
>   V   + GN prép.

Dans ce cas, on a affaire à un verbe : *parler*, qui pourra se construire différemment. Soit :

> *Je parle à*   *mon père.*
>   V   GN

Dans ce cas, on considère qu'il y a plusieurs verbes possibles :

> *parler* (une langue) – *parler à* (s'adresser) – *parler de* (raconter)

NATURE DU COI

290 Mots en fonction de COI

Le COI est une fonction liée au verbe. Des mots de différentes natures peuvent la remplir : noms, pronoms, infinitifs ou propositions. Le plus fréquemment, cependant, ce sont des noms ou des groupes nominaux qui assument la fonction de COI.

291 Nom COI

Le COI peut être un nom ou un GN relié au verbe par une préposition.

> *Elle s'intéresse <u>à Mathieu</u>.*
> *Elle s'intéresse <u>à la pêche</u>.*
> *Elle s'intéresse <u>à la pêche au thon</u>.*

292 Infinitif COI

Un verbe à l'infinitif relié au verbe par une préposition peut occuper la fonction de COI.

> Il rêve de _partir_ pour les Antilles.

293 Pronom personnel COI

Un pronom personnel complément précédé des prépositions _à_ ou _de_ et placé après le verbe peut également jouer un rôle de COI.

Lorsqu'il s'agit d'un être animé, on utilise _lui, elle, eux, elles._

> Je me souviens de lui.   Je pense à lui.
>   d'elle.   à elle.
>   d'eux.   à eux.
>   d'elles.   à elles.

Lorsqu'il s'agit d'un inanimé, on utilise _en_ (si le verbe se construit avec la préposition _de_) et _y_ (si le verbe se construit avec la préposition _à_).

> Il pense _à son jardin_.   → Il _y_ pense.
> Il parle _de son voyage_.   → Il _en_ parle.

Ces pronoms se placent avant le verbe.

On observe une forte tendance, dans la langue parlée, à utiliser _en_ et _y_ même lorsqu'il s'agit d'êtres animés et d'êtres humains.

> Il pense souvent _à ce vieux comédien_.   → Il _y_ pense souvent.

Dans l'usage contemporain, _lui, elle, eux, elles_ sont réservés aux animés, alors que _en_ et _y_ peuvent renvoyer aussi bien aux animés qu'aux inanimés.

REMARQUE Dans le cas particulier où le COI est un COS, le pronom se construit sans préposition et il est placé avant le verbe.

> Il _lui_ donne une pomme.

Ces pronoms ne peuvent être que _lui_ et _leur_.

Aux 1re et 2e personnes, les pronoms utilisés sont _moi, toi, nous, vous_, précédés des prépositions _à_ et _de_. Ils sont placés après le verbe.

> Il pense à moi.   Il parle de moi.
>   à toi.   de toi.
>   à nous.   de nous.
>   à vous.   de vous.

294 Pronom relatif COI

Les pronoms relatifs COI résultent de la combinaison des prépositions *à* et *de* avec la série *lequel*, etc. (n'importe quelle autre préposition peut d'ailleurs se combiner avec cette série : *avec lequel*, *pour lequel*, etc.).

> La fille *à laquelle* je pense a déménagé.

Dans le langage soutenu, on aura tendance à utiliser la combinaison de *à* et *de* avec *qui* lorsqu'il s'agit d'un animé.

> L'homme *de qui* je t'ai parlé est professeur.
>
> L'homme *à qui* je pense pourrait nous rendre ce service.

Enfin, dans un usage courant, l'utilisation de *dont* se généralise chaque fois que l'on a affaire à une construction avec *de*.

> L'homme *dont* je me souviens...
>
> La femme *dont* je me souviens...
>
> L'arbre *dont* je me souviens...
>
> Les arbres *dont* je me souviens...

Dans ce cas, il n'y a plus de distinction ni de genre, ni de nombre, ni d'animé/inanimé. Pour plus de détails, → **Pronoms, 174 à 176**.

295 Pronom relatif remplaçant un COI employé avec la préposition *de*

On prendra bien garde d'employer le pronom relatif qui convient en fonction de la construction directe ou indirecte et de la préposition utilisée. L'exemple suivant :

> Je t'ai parlé *de cet homme*.

peut donner lieu à trois constructions relatives :

> C'est *de* cet homme *que* je t'ai parlé.
>
> C'est cet homme *de qui* je t'ai parlé.
>
> C'est cet homme *dont* je t'ai parlé.
>
> ⊜ C'est cet homme *que* je t'ai parlé.

296 Pronom relatif remplaçant un COI employé avec la préposition *à*

> J'ai parlé *à cet homme*.
>
> C'est l'homme *à qui* j'ai parlé.

La préposition *à* se conserve obligatoirement dans la construction relative.

> La réunion   *que j'ai provoquée...*
>   (On provoque quelque chose, construction directe.)
>
>   *dont je vous ai parlé...*
>   (On parle de quelque chose, construction indirecte avec *dont*.)
>
>   *à laquelle je vous ai invités...*
>   (On invite à quelque chose, construction indirecte avec *à*.)

297   Autres pronoms COI

Un pronom démonstratif *(celui-ci...)*, un pronom possessif *(le mien...)*, un pronom indéfini *(tout, rien)* peuvent être, enfin, en fonction de COI.

> *Depuis son accident, il ne se souvient <u>de rien</u>.*
>
> *Elle a hérité <u>de ceci</u>.*
>
> *J'ai toujours rêvé <u>de la tienne</u>.*

COMPARAISON DU COI AVEC D'AUTRES FONCTIONS

298   Différence entre le COI, le COD et le CC

Le COI est une fonction qui se rattache au verbe. On doit savoir le distinguer du COD, qui n'est pas précédé d'une préposition, mais aussi du CC, qui est moins directement dépendant du verbe utilisé.

299   COI et COD

Trois différences de comportement permettent de distinguer le complément d'objet de construction directe du complément d'objet de construction indirecte.

- **Le COI est un groupe nominal prépositionnel** (GN prép.) alors que le COD est un groupe nominal sans préposition (GN). → **265**

> *Michel s'occupe <u>de la nourriture</u>.*
>   COI

> *Michel mange <u>la tarte</u>.*
>   COD

REMARQUE Il faut faire attention aux *articles partitifs* qui ne jouent pas le rôle d'une préposition.

> *Michel mange <u>de la tarte</u>.*
>   COD

De la tarte est de construction directe. → **265**

- **Le COI ne peut jamais devenir sujet de la phrase passive** alors que le COD peut le devenir. → 262

> *Jacques pense à son chien.*
>   COI

La transformation passive est impossible.

> ⊜ *Son chien est pensé par Jacques.*

> *Mes amis ont acheté cette maison en 1975.*
>   COD

> *Cette maison a été achetée par mes amis en 1975.*
>   sujet

- **Le pronom remplaçant un GN COI (*lui, elle, eux, elles*) est placé après le verbe.**

> *Pierre pense à son chien.*   *Pierre pense à lui.*
>   COI   COI

En revanche, le pronom personnel remplaçant le GN COD (*le, la, les, l'*) est placé avant le verbe. → 263

> *Pierre regarde le chien.*   *Pierre le regarde.*
>   COD   COD

300 COI et COS

Le COS est un cas particulier du COI. C'est un COI qui apparaît lorsqu'il y a déjà un COD dans la phrase. Les pronoms qui le remplacent alors sont *lui*, *leur*, placés avant le verbe.

> *Il se souvient des soldats.*
>   COI

> *Il se souvient d'eux.*
>   COI

> *Il rend la monnaie aux clients.*
>   COS

> *Il leur rend la monnaie.*
>   COS

REMARQUE Le COS est plus facilement déplaçable que le COI. → 307

301 COI et CC

Le COI est toujours un groupe nominal prépositionnel et la préposition utilisée est soit *à*, soit *de*. Elle dépend du verbe choisi.

> *Il songe à ses dernières vacances.*

On ne peut avoir ici une préposition autre que *à*.

Elle se moque de tout.

On ne peut avoir ici une préposition autre que **de**.

Le CC peut être un GN prépositionnel ou toute autre chose (un adverbe, par exemple). Si l'on a affaire à un GN prépositionnel, on peut rencontrer toute une série de prépositions (dont **à** et **de**), mais elles ne dépendent pas du verbe choisi.

Il parle   *à tort et à travers.*

pour ne rien dire.

avec ses mains.

par habitude.

Le verbe **parler** est suivi d'un GN prépositionnel dont la préposition peut varier.

302 **Visualisation**

La représentation en arbre est la suivante.

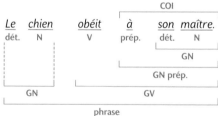

Complément d'objet second

Le complément d'objet second est un terme nouveau. Il remplace de plus en plus le terme :

- **complément d'attribution (ou complément attributif).**

Il est nommé :

- **complément d'objet second ;**
- **complément d'objet indirect second (COIs).**

> *La fermière donne du grain à ses poules.*

Beaucoup de grammaires préfèrent ne plus utiliser le terme *complément d'attribution* parce que ce terme risque de prêter à confusion avec le terme *attribut du sujet* (→ 339 à 346), avec lequel il n'a rien de commun. Ne plus utiliser le terme *attribution* permet de regrouper plus facilement des constructions identiques qui désignent tantôt celui à qui l'on donne, tantôt celui de qui l'on reçoit.

> *Mon voisin écrit une lettre à son frère.*
> *Mon voisin reçoit une lettre de son frère.*

Pour les grammaires qui utilisent le classement *complément essentiel / complément circonstanciel*, le COS est un complément essentiel (quoiqu'on puisse parfois le supprimer). Il fait partie du groupe verbal.

Pour les grammaires qui utilisent le classement *complément de verbe / complément de phrase*, le COS est un complément de verbe même si parfois il fait preuve d'une certaine mobilité.

Pour les grammaires qui n'utilisent ni l'un ni l'autre de ces classements, le COS ou le complément d'attribution est un complément du verbe parmi les autres (COD, COI, CC).

DÉFINITION ET RÔLE

303 Rôle du COS

Employer un COS permet d'associer à l'action exprimée par le verbe non seulement l'être ou la chose évoqués par le COD, mais aussi un être ou une chose supplémentaires. À un même verbe sont ainsi intimement liés deux compléments.

304 Complément d'attribution

La définition du complément d'attribution fait appel au sens. On parle de complément d'attribution lorsque l'on a affaire à des compléments qui indiquent en faveur de qui ou au détriment de qui (ou de quoi) un acte est accompli.

> *Il a offert des fleurs à sa mère.*
>
> *Il a interdit à Pierre de sortir le soir.*

Autrement dit, les grammaires qui utilisent le terme complément d'attribution désignent par là « le bénéficiaire » ou « la victime » d'une action.

> *C'est toi qui remettras la coupe au vainqueur.*
>
> *On a retiré à mon frère son permis de conduire.*

REMARQUE On précise parfois que c'est « le point ultime » de l'action.

> *Il donne des roses à sa mère.*
>   COD   COS

IDENTIFICATION DU COS

305 Critères de reconnaissance

Au terme *complément d'objet second* correspond une définition qui fait appel à cinq critères formels : présence d'un premier complément d'objet, place du COS, voix passive, construction indirecte, pronoms spécifiques.

306 Présence obligatoire d'un COD

Si, dans une phrase, on peut parler de complément d'objet second, c'est parce que le verbe est déjà accompagné d'un premier complément d'objet, le plus souvent direct (COD). Autrement dit, il n'y a en général de COS que s'il y a déjà un COD. Si l'on essaie de supprimer le COD, on obtient une phrase incorrecte.

Il a reçu <u>des nouvelles</u> de son père.

➲ *Il a reçu de son père.*

Le gardien donne <u>des indications</u> à un visiteur.

➲ *Le gardien donne à un visiteur.*

C'est alors que **second** prend tout son sens : le COS accompagne un COD
« premier ».

REMARQUE On peut cependant, dans certains cas, enlever le COD tout en conservant une
phrase grammaticalement correcte.

Il a emprunté trois millions <u>à ses parents</u>.
Il a emprunté <u>à ses parents</u>.

Elle enseigne le français <u>aux enfants étrangers</u>.
Elle enseigne <u>aux enfants étrangers</u>.

Il donne des vêtements <u>aux pauvres</u>.
Il donne <u>aux pauvres</u>.

307 Place du COS

Second ne veut pas dire que le COS occupe obligatoirement la deuxième
place. Il apparaît habituellement en deuxième position, mais on peut dans
certains cas le rencontrer avant le COD.

> *Le général remet <u>une décoration</u> <u>au caporal</u>.*
>   COD   COS

> *L'espion avait fourni <u>à l'ennemi</u> <u>le plan de la fusée</u>.*
>   COS   COD

On obtient dans ce cas un effet de mise en valeur du COS.
Cette « inversion » se pratique d'autant plus facilement que le COD est un
groupe plus long que le COS.

> *La presse a annoncé <u>au monde entier</u>*
>   COS

> *<u>le voyage du pape en Amérique latine</u>.*
>   COD

308 Construction du COS

Le COS est toujours un complément de construction indirecte. Il fait partie
des compléments d'objet indirects (COI).
Après un verbe, on peut trouver soit un COD, soit un COI, soit les deux.

> *Il mange <u>son pain</u>.*
>   COD

> *Il parle <u>de ses vacances</u>.*
>   COI

Mais, dans le cas où le verbe est suivi d'un COD et d'un COI, ce dernier est appelé COS.

> *Elle chante <u>une berceuse</u> <u>à son bébé</u>.*
>   COD   COS

> *La maîtresse habitue <u>l'enfant</u> <u>à la discipline</u>.*
>   COD   COS

REMARQUE Certaines grammaires, pour mieux préciser, utilisent le terme de complément d'objet indirect second (COIs).

Les prépositions utilisées dans la construction du COS sont presque toujours *à*, *de* et *pour*.

> *Il commande un whisky <u>à</u> la serveuse.*
> *Il a obtenu une autorisation <u>de</u> la directrice.*
> *Elle voudrait acheter un cadeau <u>pour</u> son fils.*

309 COS et voix passive

Le COS n'est pas concerné par la transformation passive. Lorsque l'on met une phrase au passif, le COD devient sujet. Le COS, lui, reste COS.

> *Le maître a accordé <u>deux jours de congé</u> <u>aux élèves</u>.*
>   COD   COS

> *<u>Deux jours de congé</u> ont été accordés par le maître <u>aux élèves</u>.*
>   sujet   COS

310 Verbes se construisant avec un COS

Le COS apparaît principalement après les verbes à double complément d'objet. Ces verbes ont souvent un sens proche de **donner**, **prendre**, **dire**. Voici les verbes le plus fréquemment rencontrés.

DONNER		PRENDRE	DIRE	
abandonner	*offrir*	*acheter*	*apprendre*	*interdire*
accorder	*porter*	*confisquer*	*classer*	*ordonner*
annoncer	*prescrire*	*dérober*	*commander*	*permettre*
apporter	*présenter*	*emprunter*	*crier*	*prédire*
distribuer	*prêter*	*obtenir*	*demander*	*promettre*
envoyer	*recevoir*	*voler*	*écrire*	*proposer*
fournir	*rembourser*		*engager à*	*raconter*
laisser	*remettre*		*enseigner*	*refuser*
livrer	*rendre*		*imposer*	*signaler*
montrer			*indiquer*	

La construction la plus fréquente est du type :

> *Donner*
> *Prendre* | *quelque chose <u>à quelqu'un</u>.*
> *Dire*

On peut rencontrer d'autres constructions du type :

| Obtenir | quelque chose _de quelqu'un_. |
| Recevoir | |

Dans ces deux cas, le COS désigne un être animé et le COD un inanimé. En revanche, le COS est inanimé dans des constructions du type :

Prévenir	quelqu'un _de quelque chose_.
Charger	
Remercier	
Priver	

311 Pronoms remplaçant un COS animé

On peut toujours remplacer le groupe nominal COS par un pronom personnel spécifique. Ces pronoms sont _lui_ au singulier, _leur_ au pluriel, si le COS désigne un être animé. Ces pronoms ne marquent que le nombre, pas le genre.

> Il apporte des bonbons _à sa sœur_.
> Il _lui_ apporte des bonbons.
> La boulangère rend la monnaie _aux clients_.
> La boulangère _leur_ rend la monnaie.

REMARQUE _Leur_, pronom en fonction de complément d'objet indirect ou de complément d'objet second, ne prend jamais de s.
> Le vieil homme _leur_ racontait des histoires du passé.

312 Pronoms remplaçant un COS inanimé

S'il s'agit d'un COS désignant un inanimé (idée, objet, sentiment...), les pronoms qui apparaissent sont _y_ (correspondant à la préposition _à_) et _en_ (correspondant à la préposition _de_).
Ces pronoms ne marquent ni le genre ni le nombre du GN COS.

> Il avait contraint son complice _au silence_.
> Il _y_ avait contraint son complice.

> Elles nous soupçonnaient _de vol_.
> Elles nous _en_ soupçonnaient.

313 COS, COI et complément d'attribution

Après avoir examiné ces différents critères, on voit mieux le rapport qui s'établit entre le terme nouveau, **COS**, et le terme ancien, **complément d'attribution**. On peut dire que les compléments d'attribution sont toujours

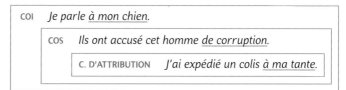

des COS ; en revanche, on peut rencontrer des COS qui ne sont pas des compléments d'attribution. Mais COS et complément d'attribution sont tous deux des COI.

On peut faire un tableau regroupant l'ensemble des compléments d'objet indirects.

> COI   *Je parle <u>à mon chien</u>.*
>
>> COS   *Ils ont accusé cet homme <u>de corruption</u>.*
>>
>>> C. D'ATTRIBUTION   *J'ai expédié un colis <u>à ma tante</u>.*

NATURE DU COS

314   Mots en fonction de COS

Le COS est le plus souvent un groupe nominal prépositionnel. Les prépositions sont *à*, *de*, *pour*.

> *Il a acheté des fleurs <u>pour sa mère</u>.*

Il peut aussi être un pronom personnel.

> *Il <u>lui</u> donne un livre.*

315   Tableau des pronoms personnels COS

Ces pronoms personnels de construction indirecte varient selon la personne.

> *Il passe le ballon <u>au goal</u> sous les sifflets du public.*
>
> *Il <u>lui</u> passe le ballon...*

PRONOMS PERSONNELS COMPLÉMENTS

INDIRECTS	DIRECTS
me	*me*
te	*te*
lui	*le / la*
nous	*nous*
vous	*vous*
leur	*les*

Ils ne distinguent pas le genre masculin du genre féminin, contrairement aux pronoms personnels compléments directs à la 3ᵉ personne.

> *Je laisse mon chien <u>à ma tante</u> / <u>à mon oncle</u>.*
>
> *Je <u>lui</u> laisse mon chien.* (à l'oncle ou à la tante)

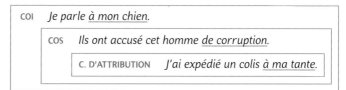

316 **Construction des pronoms personnels COS**

Ces pronoms personnels perdent la préposition des groupes nominaux qu'ils remplacent.

à ma tante → lui

Ils doivent cependant toujours être considérés comme indirects ; on peut faire réapparaître la préposition en insistant sur le destinataire.

Il me donne des bonbons.   C'est à moi qu'il les donne.
te   *à toi*
lui   *à lui / à elle*
nous   *à nous*
vous   *à vous*
leur   *à eux / à elles*

317 **Pronoms personnels COS et COD**

Les pronoms personnels qui remplacent les COS ne se distinguent de ceux qui remplacent les COD qu'à la troisième personne du singulier et du pluriel.

Il envoie un paquet par la poste.   *Il l'envoie par la poste.*
               COD

Il envoie un paquet à sa mère.   *Il lui envoie un paquet.*
                        COS

Il montre des roses.   *Il les montre.*
             COD

Il montre des roses à des amies.   *Il leur montre des roses.*
                          COS

318 **Place du pronom COS quand le COD est un groupe nominal**

Si le COD est un groupe nominal, le pronom personnel qui remplace le COS se place entre le sujet et le verbe.

Le croupier distribue des jetons aux joueurs.
   sujet   V   COD   COS

Le croupier leur distribue des jetons.
   sujet   COS   V   COD

REMARQUE À l'impératif, le pronom COS reste après le verbe.

Il lui donne de l'argent.   Donne-lui de l'argent !
  COS V   V   COS

319 **Place du pronom COS quand le COD est un pronom**

Si le COD est un pronom personnel, le pronom personnel qui remplace le COS reste placé entre le sujet et le verbe, mais sa position par rapport au pronom COD varie suivant les personnes.

• **Ordre COS-COD :** lorsque le COS est aux première et deuxième personnes.

Le facteur me donne une lettre   un paquet.
 COS   COD   COD

Le facteur me   la   donne   me   le   donne.
 COS COD   COS COD

te la donne.   te le donne.

nous la donne.   nous le donne.

vous la donne.   vous le donne.

• **Ordre COD-COS :** lorsque le COS est à la troisième personne.

Le facteur la   lui   donne   le   lui   donne.
 COD COS   COD COS

la leur donne.   le leur donne.

Paul prête son livre à Jean. → *Il le prête à Jean.* → *Il le lui prête.*
 COD   COS   COD   COS   COD COS

REMARQUE Dans le langage oral familier, lorsque les deux pronoms (COD et COS) sont à la troisième personne, on n'entend pratiquement plus le pronom personnel COD.

Il me donne une pomme. Il me la donne.

I m'la donne. (Les deux pronoms restent.)

Alors que :

Je lui ai donné une pomme. Je la lui ai donnée.

J'lui ai donnée. (Le pronom direct « disparaît ».)

COMPARAISON DU COS AVEC D'AUTRES FONCTIONS

320 **COS, COI, CC et complément du nom**

En raison de sa construction indirecte et de l'emploi fréquent des prépositions *à* et *de*, on risque de confondre le COS avec d'autres compléments indirects construits avec les mêmes prépositions.

• **COS – COI**

J'offre des fleurs à ma mère.
 COS

Je pense à ma mère.
 COI

- **COS – CC**

  Il écrit une lettre <u>au ministre</u>.
  COS

  Il écrit une phrase <u>au tableau</u>.
  CC

  Il achète un cadeau <u>pour son fils</u>.
  COS

  Il achète un cadeau <u>pour son anniversaire</u>.
  CC

- **COS – complément du nom**

  Elle donne la pipe <u>à papa</u>.
  COS

  Elle donne la pipe <u>à papa</u> à réparer.
  C. du nom
  (dans un parler familier, au lieu de : *la pipe de papa*)

321 Symboles utilisés pour désigner le COS

On rencontre selon les grammaires les symbolisations suivantes.

PIERRE	DONNE	DU PAIN	AUX OISEAUX.
Sujet	verbe	COD	COS
GN1	V	GN2	GN2 prép.
GN1	V	GN2	GN3 prép.
GNS	V	GNO	GN prép.
S	V	COD	COI
GS	V	COD	COIs
GN	V	GN	GN prép.

Ces diverses symbolisations soulignent toutes le fait que le COS est un groupe nominal prépositionnel qui apparaît en plus d'un groupe nominal complément d'objet de construction directe.

322 Visualisation

La représentation en arbre est la suivante.

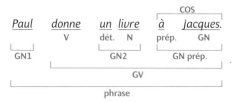

Complément circonstanciel

L'ESSENTIEL

Complément circonstanciel est une appellation traditionnelle. Elle désigne les mots ou groupes de mots qui informent sur les circonstances de l'action exprimée par le verbe : par exemple, le lieu où se déroule l'action, le temps dans lequel elle s'inscrit, la manière dont elle se produit...

Il est important de savoir que, pour certaines grammaires récentes, les compléments du verbe[1] sont groupés en deux catégories :

- **les compléments circonstanciels ;**
- **les compléments essentiels.**

Sur cette opposition nouvelle : complément essentiel / complément circonstanciel, → 246 à 250

Nous ne présentons ici que les caractéristiques de ce complément telles qu'elles sont décrites dans l'analyse traditionnelle. Le complément circonstanciel est alors un complément du verbe parmi les autres compléments (complément d'objet direct, complément d'objet indirect, complément d'attribution, complément d'agent), mais il se distingue de chacun d'eux par des caractéristiques qui lui sont propres. Nous utiliserons le symbole CC.

L'année dernière, nous étions descendus dans un hôtel tranquille.
　　CC temps　　　　　　　　　　　　　　　　　　　CC lieu

---

1 Il faut bien distinguer complément *du* verbe de complément *de* verbe : l'utilisation de *complément du verbe* permet de distinguer ce type de complément de ce que l'on appelle *complément du nom*. En revanche, le terme *complément de verbe* regroupe un ensemble particulier de compléments (COD, COI, COS, etc.) nettement distinct d'un autre ensemble appelé *complément de phrase*, composé principalement des compléments circonstanciels.

IDENTIFICATION DU CC

323 Identification du CC

On reconnaît le complément circonstanciel à ce qu'il peut, en général, être supprimé sans que la phrase où il figure soit détruite.

De plus, on peut le déplacer dans la phrase. Enfin, il peut cohabiter avec d'autres compléments circonstanciels.

C'est en raison du caractère généralement facultatif et de la mobilité du complément circonstanciel que des grammaires récentes le distinguent nettement des compléments très liés au verbe ou compléments essentiels. En définitive, c'est le double caractère déplaçable et supprimable (facultatif) qui différencie le complément circonstanciel des autres compléments.

324 Cas de suppression possible du CC

Le CC n'est pas indispensable à la construction de la phrase. On peut, très souvent, le supprimer sans détruire la phrase.

> *Le soleil pâlissait _dans le ciel_. La voiture s'arrêta _devant le bar_.*
>
> *Le soleil pâlissait, la voiture s'arrêta.*

Ces phrases sont des phrases acceptables.

En fait, quand on supprime le CC, on perd toujours des informations concernant les circonstances de l'action. Le sens global de la phrase est donc forcément changé.

> *Ils ont réussi à ouvrir la porte [_avec une fausse clé_].*
>
> *Le blessé marchait [_avec difficulté_].*

325 Suppression du CC et changement de sens

La suppression du CC peut, dans certains cas, transformer de façon radicale ce que l'on veut dire.

> *Pierre boit _avec ses amis dans la salle du fond_.*

Dans ce cas, on signifie que Pierre est en train d'effectuer l'action de boire en compagnie de ses amis, dans un lieu donné. Si l'on supprime les deux compléments circonstanciels *avec ses amis* et *dans la salle du fond*, on obtient :

> *Pierre boit.*

C'est équivalent à :

> *Pierre est un alcoolique.*

Dans ce dernier cas, la phrase se présenterait plutôt, dans le langage parlé, sous la forme : *Pierre, il boit,* marquant ainsi que le verbe sert plus à indiquer une caractéristique de Pierre (un défaut) qu'à signifier l'action que Pierre effectue. Il en irait de même avec des verbes comme *jouer, frapper, parler,* etc.

326 Cas de suppression impossible du CC

Dans certains cas, avec certains verbes qui ne peuvent se construire seuls, le CC apparaît indispensable.

> *Il va <u>à Lyon</u>.*
>
> *Tous les soirs, mon voisin met sa voiture <u>au garage</u>.*

Tous les soirs peut sans peine être supprimé ; ce n'est pas le cas de *au garage*. Ceci n'est pas le fait du CC de lieu *au garage*, mais plutôt le fait que *mettre sa voiture* implique que l'on indique où on la met.

> *Il rentre sa voiture <u>au garage</u>.*
>
> *Il répare sa voiture <u>au garage</u>.*
>
> *Il a aperçu le mécanicien <u>au garage</u>.*

Avec ces verbes, la suppression de *au garage* ne met pas en cause le caractère complet de la phrase. On voit que, dans certains cas, c'est le type de verbe employé qui détermine le caractère obligatoire ou facultatif du CC.

327 Compléments de verbe et compléments de phrase : un nouveau classement

Le fait que certains CC se révèlent indispensables à la construction de la phrase a amené certaines grammaires à proposer un nouveau classement des compléments en *compléments de verbe / compléments de phrase*.
Parmi les CC, ceux qui sont indispensables sont alors classés parmi les *compléments de verbe*.

> *Elle met sa voiture <u>au garage</u>.*
>
> *Il va <u>à Moscou</u>.*

→ Complément du verbe / complément de phrase, 251 à 254

328 Place du CC

Le groupe CC, groupe mobile, peut se placer à n'importe quel endroit dans la phrase, sans que la signification de celle-ci en soit changée.

On ne peut toutefois placer le groupe CC qu'entre les groupes constitutifs de la phrase (groupe sujet, verbe, groupe COD).

$$\underset{CC}{\uparrow} \text{ sujet } \underset{CC}{\uparrow} \text{ verbe } \underset{CC}{\uparrow} \text{ COD } \underset{CC}{\uparrow}$$

Dans le cas où il y a plusieurs CC, l'habitude veut qu'on ait tendance à placer le plus long en dernier.

> *L'homme s'élança <u>sur le quai</u>.*
> *L'homme s'élança <u>avec ses deux valises bourrées de billets</u>.*

Il est beaucoup plus probable de trouver :

> *L'homme s'élança <u>sur le quai</u> <u>avec ses deux valises bourrées de billets</u>.*

que :

> *L'homme s'élança <u>avec ses deux valises bourrées de billets</u> <u>sur le quai</u>.*

On peut schématiser de la façon suivante.

GNS → GV → GN (COD) → CC court → CC long

329 Mise en relief du CC

En général, l'attention de l'auditeur ou du lecteur est attirée par ce qui est placé en tête de la phrase. → **Mise en relief, 411 à 416**

> *Le car de police fait une ronde <u>tous les soirs</u> dans le quartier du port.*
> *<u>Tous les soirs</u>, le car de police fait une ronde dans le quartier du port.*
> *<u>Dans le quartier du port</u>, le car de police fait une ronde tous les soirs.*

La mobilité du groupe CC permet, tout en disant la même chose, d'attirer l'attention sur telle ou telle circonstance de l'événement. On peut également attirer l'attention sur la manière avec laquelle Pierre mange son pain en choisissant une place située de plus en plus vers le début de la phrase.

> *Pierre mange son pain <u>avec un plaisir non dissimulé</u>.*
> *Pierre mange, <u>avec un plaisir non dissimulé</u>, son pain.*
> *Pierre, <u>avec un plaisir non dissimulé</u>, mange son pain.*
> *<u>Avec un plaisir non dissimulé</u>, Pierre mange son pain.*

REMARQUE Il faut noter qu'il existe certains points de la phrase où il est impossible d'insérer le CC. Ainsi :

> *Pierre mange des bananes <u>dans la cour</u>.*

Le CC *dans la cour* peut se placer entre *Pierre* (sujet) et *mange* (verbe) ou entre *mange* (verbe) et *bananes* (COD) et, bien entendu, en tête de phrase. En revanche, si *Pierre* est remplacé par le pronom *il*, il devient impossible d'insérer le CC entre sujet et verbe.

➡ *Il <u>dans la cour</u> mange des bananes.*

De même, si *bananes* est remplacé par le pronom *les*, on ne pourra introduire le CC entre verbe et COD.

➡ *Pierre les <u>dans la cour</u> mange.*

330 Emploi de plusieurs compléments circonstanciels dans une phrase

Dans une même phrase, on peut utiliser plusieurs compléments circonstanciels sans les coordonner, à condition qu'ils expriment des notions différentes ; ils sont alors séparés par une virgule.

> *Le chasseur est parti <u>ce matin</u>, <u>dans les bois</u>, <u>d'un pas vif</u>,*
> CC temps   CC lieu   CC manière
>
> *<u>pour ramener du gibier</u>.*
> CC but

REMARQUE Il n'en va pas ainsi pour les compléments essentiels (COD, COI, COS, complément d'agent), non plus que pour le sujet.

> *<u>Le fermier</u> et <u>son voisin</u> vont à la chasse.*
> *Il a tué <u>un renard</u> et <u>un lièvre</u>.*
> *Il a offert un cadeau <u>à sa mère</u> et <u>à sa sœur</u>.*

Si, en revanche, nous avons dans la même phrase deux compléments circonstanciels renvoyant à la même notion, on est obligé, dans ce cas, d'utiliser la coordination *(et)*.

> *Il se promène <u>dans les bois</u> **et** <u>dans les prés</u>.*
> lieu   lieu
>
> *Il prend son médicament <u>le matin</u> **et** <u>le soir</u>.*
> temps   temps

REMARQUE Signalons cependant qu'on peut trouver dans une même phrase deux CC renvoyant à la même notion (temps, lieu, etc.) non coordonnés.

> *Je te verrai <u>demain</u> <u>à cinq heures</u>.*
> *L'arme était cachée <u>dans le salon</u>, <u>derrière le fauteuil</u>.*

Dans ces deux exemples, on se rend compte que :
– *demain* et *à cinq heures* sont deux compléments circonstanciels de temps dont le premier inclut l'autre ;
– *dans le salon* est un lieu qui inclut *derrière le fauteuil*.
C'est dans la mesure où les notions exprimées par les CC sont diverses et distinctes les unes des autres qu'on peut les juxtaposer sans les coordonner.

331 CC et voix passive

Le complément circonstanciel n'est pas concerné par la transformation passive. Il conserve sa mobilité dans la construction active comme dans la construction passive.

> Le boulanger _a préparé_ la pâte _pendant la nuit._
>
> La pâte _a été préparée_ par le boulanger _pendant la nuit._

332 Pronoms compléments circonstanciels

Alors que le sujet, le COD, le COI et le COS peuvent être remplacés par un pronom, pour ce qui concerne le CC, seul le CC de lieu peut être remplacé par les pronoms **y** et **en**.

> Elle va _à Paris._   Elle _y_ va. (à se remplace par _y_)
>
> Elle revient _de Lyon._   Elle _en_ revient. (_de_ se remplace par _en_)

NATURE, CONSTRUCTION ET SENS DU CC

333 Nature et construction du CC

La fonction complément circonstanciel peut être occupée par des mots de natures très différentes : noms, pronoms, propositions et adverbes. Le complément circonstanciel peut se construire de façon directe, sans préposition, ou de façon indirecte, en étant introduit par une préposition.

334 Nature des compléments circonstanciels

Un CC peut être :

- **un nom ou un GN ;**

  > Il lui a répondu _avec gentillesse._
  >
  > _Le matin,_ je déjeune tard.
  >
  > _Tous les soirs,_ je regardais la télévision.

- **un infinitif ;**

  > On l'a assassiné _pour le voler._

- **un pronom ;**

  > Elle se promène _avec lui._

- **un adverbe ;**

  > Il descend l'escalier _rapidement._

- **un gérondif ;**

  Il est arrivé en courant.

- **une proposition subordonnée conjonctive.**

  Nous nous mettrons à table quand ils arriveront.

335 ## Construction du CC

Certains compléments circonstanciels se construisent avec une préposition (construction indirecte), d'autres sans préposition (construction directe).

> *La nuit, il dormira, le jour, il voyagera.*
>
> *Il voyagera pendant la nuit.*
>
> *On lui avait parlé méchamment.*
>
> *On lui avait parlé avec méchanceté.*

La présence ou l'absence de préposition ne change en rien les possibilités de déplacement du CC. Les prépositions utilisées pour la construction indirecte des CC sont très nombreuses. De plus, on a souvent affaire à des locutions prépositionnelles (prépositions formées de plusieurs mots) telles que : *à travers*, *au fur et à mesure de*, etc.

Il marche	*dans*	*la forêt.*
	à travers	*la forêt.*
	autour de	*la forêt.*
Il travaille	*avec*	*son fils.*
	pour	*son fils.*
	contre	*son fils.*
	sans	*son fils.*
	en dépit de	*son fils.*

336 ## CC de construction indirecte

Dans le cas où le groupe nominal CC est construit avec une préposition (GN prépositionnel), il est important de ne pas le confondre avec d'autres GN prépositionnels qui sont des COI et des COS (compléments essentiels).

Le CC est mobile, alors que les COI et COS ne le sont pas. Le CC est généralement supprimable, au contraire des COI et COS.

Il se souvient <u>de ses dernières vacances</u>.
COI non supprimable

<u>Lors de ses dernières vacances</u>, il a découvert la voile.
CC supprimable

337 CC de construction directe

Dans le cas où le groupe nominal CC est de construction directe, on peut avoir affaire à des mots comme *la nuit, le matin*, que l'on peut aussi rencontrer en fonction sujet ou objet.

<u>La nuit</u> descend vite, sous les Tropiques.
sujet

Il appelle <u>la nuit</u> de tous ses vœux.
COD

<u>La nuit</u>, il dort.
CC temps

338 Le sens du CC

Le CC indique les circonstances de l'action exprimée par le verbe ; il donne des renseignements concernant principalement le temps, le lieu, la manière, le moyen, la cause, le but. Ces six notions correspondent aux six questions : *quand ? où ? comment ? avec quoi ? pourquoi ? dans quel but ?*

(CC temps)	*Il arrivera <u>vers 5 heures</u>.*
(CC lieu)	*La bombe était déposée <u>sous une voiture</u>.*
(CC manière)	*Il mange <u>avec délicatesse</u>.*
(CC moyen)	*Il mange <u>avec des couverts en argent</u>.*
(CC cause)	*Il tremble <u>de peur</u>.*
(CC but)	*Il court <u>pour maigrir</u>.*

Certaines grammaires parlent aussi de CC d'accompagnement, de prix, de poids, etc.

(CC accompagnement)	*Le chasseur part <u>avec son chien</u>.*
(CC prix)	*Ce livre coûte <u>15 euros</u>.*
(CC poids)	*Il pesait <u>120 kilos</u>.*

La préposition utilisée est relativement indépendante de la notion exprimée par le CC.

(CC temps)	*Il vient <u>dans une heure</u>.*
(CC lieu)	*Il travaille <u>dans sa chambre</u>.*

(CC manière)	*Il travaille <u>dans la joie</u>.*
(CC accompagnement)	*Il mange <u>avec ses amis</u>.*
(CC manière)	*Il mange <u>avec crainte</u>.*
(CC moyen)	*Il mange <u>avec une fourchette</u>.*

Dans ces exemples, une même préposition est utilisée pour rendre compte de notions différentes.

À l'inverse, la même notion peut être exprimée à l'aide de prépositions différentes qui introduisent chacune une nuance particulière.

Je le rencontrerai	<u>*à une heure*</u>.
	<u>*vers une heure*</u>.
	<u>*pendant une heure*</u>.
	<u>*dans une heure*</u>.

Dans ces exemples, il s'agit de compléments circonstanciels de temps.

Attribut du sujet et attribut du COD

Lorsqu'il occupe la fonction d'attribut, l'adjectif qualificatif appartient au groupe verbal. C'est un élément obligatoire de la phrase.

Il peut être :

- **attribut du sujet ;**

    La mer est _calme_.

- **attribut du COD.**

    Je crois son amitié _sincère_.

La fonction attribut peut être également assurée par un nom, un infinitif ou encore une proposition.

339 Adjectif attribut du sujet

En fonction d'attribut, l'adjectif qualificatif est le plus souvent attribut du sujet.

> *L'homme paraissait fatigué, sa démarche était lourde.*
> sujet   attribut du sujet   sujet   attribut du sujet

> *Es-tu sérieux quand tu me fais une proposition ?*
> sujet   attribut du sujet

340 Adjectif attribut du COD

Dans certains cas, l'adjectif qualificatif assure la fonction d'attribut du complément d'objet.

> *J'ai trouvé vos propositions intéressantes.*
>   COD   attribut du COD

> *Je le crois sincère.*
>   COD   attribut du COD

L'adjectif qualificatif se rencontre en fonction d'attribut du COD avec des verbes comme *croire, juger, faire, estimer, rendre, trouver, nommer, laisser, appeler*…

Attention de bien distinguer l'attribut du COD de l'épithète du COD.

> *Je trouve ce vase antique cher.*
>   épithète   attribut

341 Construction de l'attribut

Qu'il soit attribut du sujet ou attribut du COD, l'adjectif exprime une qualité concernant le sujet ou le complément d'objet direct par l'intermédiaire d'un élément de type verbal.

> *Le vase* est *beau, mais je le trouve cher.*
> sujet   attribut du sujet   COD   attribut du COD

Les adjectifs *beau* et *cher* permettent d'attribuer, par l'intermédiaire des verbes *est* et *trouve*, les qualités de *beauté* et de *cherté* au mot *vase* qui occupe d'abord la fonction de sujet, puis celle de COD (par l'intermédiaire du pronom *le*).

342 L'adjectif attribut : un élément obligatoire

L'adjectif qualificatif en fonction d'attribut fait partie du groupe verbal, dont il est un élément indispensable.

> *Cet enfant est* <u>sensible</u>.   *Soudain l'homme devint* <u>nerveux</u>.

Dans ces phrases, les adjectifs *sensible* et *nerveux* ne peuvent être supprimés.

> ⬤ *Cet enfant est.*   ⬤ *Soudain l'homme devint.*

De même, si l'on essaie de supprimer les éléments verbaux *est* et *devint*, les phrases ne sont pas complètes.

> ⬤ *Cet enfant sensible.*   ⬤ *Soudain l'homme nerveux.*

C'est donc la combinaison des éléments de type verbal et des adjectifs qualificatifs qui permet à ces phrases d'être acceptables et complètes. Le groupe verbal est constitué de l'élément de type verbal et de l'adjectif attribut ; ils sont indissociables.

REMARQUE En cela, l'adjectif attribut se distingue des autres compléments de verbe (COD, COI, COS) qui, dans certains cas, peuvent être supprimés. → 259, 285, 306

343 Verbes d'état

Les verbes qui forment avec l'adjectif attribut le groupe verbal sont en nombre limité ; ce sont, par exemple, *être, devenir, paraître, sembler, demeurer, avoir l'air, passer pour, être considéré comme, être traité de*, etc.
Ils portent les marques de temps et de personnes du groupe verbal.

> *Il* <u>devient</u> *riche.*   *Je* <u>deviendrai</u> *riche.*
> présent 3e pers. sing.   futur 1re pers. sing.

Ces verbes sont appelés verbes d'état ou encore verbes attributifs.

344 Place de l'adjectif attribut

L'adjectif en fonction d'attribut se place normalement après l'élément avec lequel il forme le groupe verbal.

> Les vagues étaient blanches.
> être + attribut
>
> GS GV

REMARQUE Cependant, lorsque l'on veut mettre en évidence l'adjectif qualificatif attribut, on le place en tête de la phrase et il est immédiatement suivi de *être*.

> Blanches étaient les vagues.
> GV GS

345 Accord de l'adjectif attribut

L'adjectif qualificatif en fonction d'attribut s'accorde en genre et en nombre avec le sujet (ou avec l'objet s'il s'agit d'un attribut du complément d'objet).

> Cette petite fille deviendra grande.
> sujet fém. sing. attribut fém. sing.

> Pierre la trouve intelligente.
> COD fém. sing. attribut fém. sing.

Pour plus de détails sur l'accord de l'adjectif qualificatif, → 54 à 58

346 Autres mots en fonction d'attribut

D'autres éléments que l'adjectif qualificatif peuvent occuper la fonction d'attribut du sujet :

- **un nom ou un groupe nominal ;**

> Son père est le maçon du village.
> attribut du sujet

- **un pronom ;**

> Il redevint lui-même.
> attribut du sujet

- **un infinitif ;**

> Mon idée était d'agir au plus vite.
> attribut du sujet

- **une proposition.**

> L'ennui est que les gens aient appris la chose.
> attribut du sujet

Fonctions autour du nom

Les constituants obligatoires du groupe nominal sont le nom et son déterminant. Cependant, un groupe nominal comprend également souvent des constituants non obligatoires, qui complètent le nom noyau et qu'on appelle des expansions du nom.

Ces expansions du nom peuvent être :

- **des adjectifs qualificatifs épithètes ;**

- **des noms compléments du nom ;**

- **des propositions subordonnées relatives compléments d'un nom antécédent.** → 430 à 436

On rencontre aussi des expansions – adjectif, nom, subordonnée relative – en position détachée (on dit aussi en apposition) ; à l'écrit, cette position est marquée par des virgules ; à l'oral, ces virgules correspondent à des pauses. Ces expansions se rapportent non pas au seul nom noyau mais au groupe nominal tout entier.

Si l'information apportée au GN par une proposition subordonnée relative est nécessaire (non supprimable), on parle de subordonnée relative déterminative. Si cette information n'est pas indispensable (supprimable), on parle de relative explicative.

ÉPITHÈTE

347 Adjectif qualificatif épithète

L'adjectif qualificatif épithète est étroitement uni au nom auquel il se rapporte. Il ne peut en être séparé ni par un complément du nom ni par une subordonnée relative. Cette caractéristique le distingue des autres expansions du nom.

> Le fils <u>aîné</u> du roi, qui revenait de la chasse, vint boire à la fontaine.
> épithète

Lorsque l'adjectif qualificatif est en fonction d'épithète, il apporte au nom une qualité particulière sans l'intermédiaire d'un élément verbal. Cette caractéristique le distingue de l'adjectif qualificatif attribut.

> Une _grande_ maison se dressait sur la colline.
> épithète

> Elle semblait _inhabitée_.
> attribut du sujet

348 Suppression de l'adjectif qualificatif épithète

On peut supprimer l'adjectif qualificatif épithète sans rendre la phrase inacceptable. Retirer une épithète, c'est choisir de ne pas exprimer une qualité particulière du nom et donc appauvrir le sens du GN.

> Ma fille a ramené un _petit_ chat _blanc_.

On peut supprimer l'adjectif épithète **petit** :

> Ma fille a ramené un chat blanc.

et même l'épithète **blanc** :

> Ma fille a ramené un chat.

L'adjectif qualificatif en fonction d'épithète fait partie intégrante du groupe nominal mais n'en constitue pas un élément obligatoire, à l'inverse du déterminant, par exemple.

349 Construction de l'adjectif qualificatif épithète

Généralement, l'adjectif qualificatif épithète est placé juste à côté du nom qu'il qualifie (nom commun ou éventuellement nom propre).

> le vieil homme – le grand Pierre

REMARQUE La présence d'un adjectif entraîne souvent pour un nom propre de personne la présence d'un article défini.

> la grande Berthe

L'adjectif qualificatif peut être épithète d'un nom quelle que soit la fonction de celui-ci.

> J'adore le _raisin_ _blanc_.
> COD   épithète

> Elle me regardait avec _les yeux_ _tristes_ d'une _enfant_ _abandonnée_.
> CC   épithète   C. du nom   épithète

350 Accord de l'adjectif qualificatif épithète

→ 54 à 56

351 Adjectif verbal en fonction d'épithète

L'adjectif verbal est un participe présent qui se comporte comme un adjectif qualificatif. Ainsi, il s'accorde en genre et en nombre avec le nom qu'il qualifie.

> *La petite fille <u>courant</u> vers son père affolé poussait des cris <u>perçants</u>.*

Dans cet exemple, il faut distinguer soigneusement ***courant*** et ***perçants*** :

– ***courant*** est un participe présent ; il est suivi d'un complément de verbe ***vers son père*** et ne peut être remplacé par un adjectif qualificatif ; il reste donc invariable ; il n'est pas en fonction d'épithète ;

– ***perçants*** est un adjectif verbal ; il peut être remplacé par un adjectif qualificatif, ***aigus***, par exemple ; il s'accorde donc en genre et en nombre avec le nom ***cris*** ; il est en fonction d'épithète.

REMARQUE Dans un certain nombre de verbes, l'adjectif verbal se distingue du participe présent par l'orthographe.

PARTICIPE PRÉSENT	ADJECTIF VERBAL
provoquant	*provocant*
convainquant	*convaincant*
intriguant	*intrigant*
négligeant	*négligent*
précédant	*précédent*

352 Participe passé en fonction d'épithète

Le participe passé peut être employé seul (c'est-à-dire sans l'auxiliaire ***avoir*** ou ***être***) et jouer le rôle d'un adjectif qualificatif.

> *Je préfère monter un cheval <u>dressé</u>.*
> épithète

Le participe passé ***dressé*** employé seul est en fonction d'épithète du nom ***cheval*** ; il peut être remplacé par un adjectif qualificatif et s'accorde en genre et en nombre avec le nom.

353 Place de l'adjectif épithète employé seul

Généralement, la plupart des adjectifs qualificatifs en fonction d'épithète se placent après le nom qu'ils qualifient. Il convient cependant de remarquer que certains se placent obligatoirement après le nom, d'autres normalement avant, d'autres, enfin, tantôt avant, tantôt après.

Les adjectifs de couleur, les participes passés (employés comme adjectifs) et les adjectifs verbaux se placent normalement après le nom.

> Il y avait des roses _rouges_ dans toutes les pièces.
> Un chien _dressé_ montait la garde jour et nuit.
> Il présenta des arguments _convaincants_.

Les adjectifs qui évoquent une relation se placent nécessairement après le nom.

> four _solaire_ (qui fonctionne grâce au soleil)
> évêque _catholique_ (qui appartient à l'Église catholique)
> transports _aériens_ (qui s'effectuent dans les airs)

Un nombre restreint d'adjectifs (le plus souvent courts et d'usage fréquent) se placent normalement avant le nom.

> Ce n'est finalement qu'une _petite_ contrariété pour elle.

Quelques adjectifs peuvent se placer avant ou après le nom. Ce changement de place peut entraîner un changement complet de sens.

> un _brave_ garçon – un garçon _brave_
> un _grand_ homme – un homme _grand_
> un _curieux_ enfant – un enfant _curieux_

Il peut entraîner une mise en valeur de la qualité exprimée par l'adjectif qualificatif.

> Elle habitait une maison _somptueuse_.
> Elle habitait une _somptueuse_ maison.
> Elle possédait une voix _merveilleuse_ de soprano.
> Elle possédait une _merveilleuse_ voix de soprano.

REMARQUE Dans ce dernier exemple, le placement de l'adjectif _merveilleuse_ avant le nom est d'autant plus facile que le nom _voix_ est déterminé par le complément _de soprano_. L'antéposition de l'adjectif semble s'imposer dès lors que le nom est suivi d'un complément.

354 **Place de deux ou plusieurs adjectifs épithètes**

Lorsqu'un nom se trouve qualifié par deux adjectifs qualificatifs épithètes, deux cas sont possibles.
Les deux adjectifs se placent normalement après le nom. Dans ce cas, ils sont le plus souvent coordonnés.

> Il a choisi un homme _juste_ et _sensible_.

Les deux adjectifs qualificatifs se distribuent l'un avant, l'autre après le nom. Dans ce cas, ils ne sont pas coordonnés.

> *Une belle chemise jaune.*

REMARQUE Quand deux adjectifs expriment des caractéristiques du même ordre, ils sont généralement coordonnés.

> *Il portait souvent une chemise jaune et rouge.*

Quand ils expriment des qualités d'ordre différent, les deux adjectifs se placent de part et d'autre du nom.

> *On construit une grande route nationale.*

NOM COMPLÉMENT DU NOM

355 Complément du nom

Complément du nom est un terme traditionnel qui désigne un nom (ou un groupe nominal) complétant un autre nom (ou un autre groupe nominal) par l'intermédiaire d'une préposition.

> *J'entends siffler le train.*
> *J'entends siffler le train de marchandises.*

Ce terme est parfois remplacé par celui de *complément déterminatif*.

Le complément du nom permet, comme l'adjectif qualificatif épithète ou la proposition subordonnée relative, de compléter le nom. C'est donc une expansion du nom parmi d'autres. → **Groupe nominal**, 14 à 22

Le terme *complément du nom* sert, dans certaines grammaires, à regrouper :

• **soit les compléments facultatifs :** adjectif qualificatif épithète, nom complément du nom, subordonnée relative ;

• **soit les constituants du groupe nominal dans leur ensemble**, obligatoires ou facultatifs.

Pour éviter toute confusion, on peut réserver le terme *complément du nom* au nom qui complète un autre nom et utiliser le terme *constituants du groupe nominal* pour l'ensemble des mots que l'on trouve dans le groupe nominal.

356 Nature du complément du nom

Le complément du nom peut être un nom, un pronom.

> *Le vélo de Pierre est cassé.*
> *Nous sommes sans nouvelles de lui depuis plusieurs mois.*

Le nom complément du nom peut lui-même être noyau d'un groupe nominal et recevoir des expansions.

> *Le marin recoud le bord de la voile.*

> *Le marin recoud le bord de la voile du bateau.*

> *Le marin recoud le bord de la voile du bateau de son voisin.*

> *Le marin recoud le bord de la voile du bateau de son voisin de palier.*

357 Prépositions introduisant le complément du nom

Les prépositions le plus fréquemment utilisées sont *à*, *de* et *en*. Elles donnent des précisions de sens différents.

> *la fenêtre en bois* (matière)
>
> *la fenêtre de la maison* (appartenance)
>
> *la fenêtre aux volets fermés* (caractéristique)
>
> *un bateau de pêche* (utilisation)
>
> *un bateau à voiles* (apparence ou mode d'énergie utilisée)

Les prépositions qui introduisent un complément du nom n'ont pas de valeur propre. Une même préposition peut introduire des compléments de sens différents.

> *le train de marchandises* (utilisation, caractéristique)
>
> *le train de Paris* (provenance)
>
> *le train de 8 h 45* (heure)
>
> *une statue de marbre* (matière)

Un même sens peut résulter de l'emploi de prépositions différentes.

> *une maison de granit* (matière)
>
> *une maison en granit* (matière)

REMARQUE Une tendance du français actuel consiste à ne pas utiliser de prépositions dans des expressions telles que :

> *l'impôt sécheresse* (= l'impôt pour la sécheresse)
> *un château Renaissance* (= un château de la Renaissance)
> *le rayon bricolage*
> *une assurance incendie*

358 Complément du nom et complément du verbe

Tous les groupes nominaux prépositionnels qui suivent un nom ne sont pas des compléments du nom.

Il tire la poignée du coffre. (complément du nom)

Il approche la main du radiateur. (complément du verbe)

Il apporte une cuvette d'eau froide. (complément du nom)

Il remplit une cuvette d'eau froide. (complément du verbe)

Dans certains cas, il est difficile de décider si l'on a affaire à un complément du nom ou à un complément du verbe.

Il voit les lauriers-roses de la terrasse.

Le groupe nominal prépositionnel ***de la terrasse*** peut aussi bien être compris comme complément du nom ***lauriers-roses*** que complément du verbe ***voit*** (dans ce cas, ***de*** aurait le sens de ***à partir de*** ; il serait déplaçable et précédé d'une légère pause à l'oral ou d'une virgule à l'écrit).

De la terrasse, il voit les lauriers-roses.

359 Suppression du complément du nom

Le complément du nom est facultatif. On peut toujours le supprimer. La phrase qui en résulte est moins riche en information mais elle n'est pas incorrecte.

Les roses de mon jardin sont fanées.

Les roses sont fanées.

360 Place du complément du nom

Le complément du nom se place après le nom.

Il a mangé la pomme de son camarade.

⊖ *Il a mangé de son camarade la pomme.*

REMARQUE Dans l'usage littéraire, on peut trouver un complément du nom placé avant le nom.

Et de cette journée il grava à jamais le souvenir dans sa mémoire.

361 Accord

Le complément du nom ne s'accorde ni en genre ni en nombre avec le nom noyau, contrairement à l'adjectif qualificatif épithète.

> *le chien jaune – les chiens jaunes*
>
> *le chien du voisin – les chiens du voisin*

REMARQUE Le complément du nom peut se mettre, selon ce qu'il désigne, soit au singulier, soit au pluriel.

> *un bain de bouche – un bain de pieds*
>
> *un choix de liqueurs – une bouteille de liqueur*
>
> *une boîte de cigares – une bague de cigare*

362 Emploi de plusieurs compléments du nom

Il peut y avoir plusieurs compléments du nom non coordonnés dans un même groupe nominal. Il est intéressant d'observer comment se fait leur rattachement au nom noyau.

● Plusieurs noms complétés

> *Une journée de pêche en mer du Nord.*

On a affaire, ici, à une série de compléments du nom construits en cascade.

● Un seul nom complété : emploi de prépositions différentes

> *La fenêtre en bois de la maison.*

Les deux compléments du nom se rapportent, ici, au noyau nominal *fenêtre*.

> *La fenêtre de la maison en bois.*

Dans cette phrase, **bois** pourrait aussi bien compléter **maison** que **fenêtre**. En principe, on le rattache au nom qui le précède immédiatement.

● Un seul nom complété : recours à la coordination

Dans le cas où deux compléments du nom rattachés au même noyau nominal utilisent la même préposition et apportent l'un et l'autre le même type d'information, la coordination est obligatoire.

> *Une maison de pierre et de brique.*
>   matière   matière

En revanche, si le type d'information apporté est différent, on ne peut pas coordonner.

> ⦸ *Une table de merisier et de salon.*
>   matière   lieu où se trouve la table

On emploiera dans ce cas deux prépositions différentes.

> *Une table de salon en merisier.*

APPOSITION OU EXPANSIONS DU NOM EN POSITION DÉTACHÉE

363 Position détachée ou apposition

Un groupe nominal peut être suivi ou précédé d'expansions en position détachée. Cette construction, appelée encore apposition, est matérialisée par des pauses à l'oral et des virgules à l'écrit.

> Mon père, _ce héros au sourire si doux_...

Le mot ou groupe de mots en position détachée apporte un complément d'information sur le groupe nominal tout entier (et pas simplement sur le nom). Il a toujours une valeur explicative et peut être facilement supprimé.

Les expansions en position détachée peuvent avoir différentes natures : adjectif qualificatif, nom, infinitif, proposition subordonnée.

364 Adjectif qualificatif en position détachée

L'adjectif qualificatif en position détachée est séparé par une pause (à l'oral) ou par une virgule (à l'écrit) du nom qu'il qualifie.

> _Confuse_, la jeune fille tourna les talons.
>
> _Les loups, affamés, tournaient autour du camp._
>
> _Ils remontèrent en voiture, heureux d'avoir réussi._

Il exprime une qualité du groupe nominal sans l'intermédiaire d'un élément de type verbal ; en ce sens, il évoque la fonction épithète et se distingue de la fonction attribut. C'est pourquoi certaines grammaires parlent à son propos d'épithète détachée et rebaptisent l'épithète épithète liée.

> _Joyeux, les enfants s'éloignèrent._
> épithète détachée
>
> _Les enfants sages furent récompensés._
> épithète liée
>
> _Les enfants restèrent calmes malgré l'orage._
> attribut du sujet

REMARQUE L'adjectif en position détachée est très souvent suivi d'un complément : _content de sa journée ; plein d'espoir ; effrayé à l'idée que..._

365 Valeur de l'épithète détachée

L'adjectif en fonction d'épithète détachée qualifie le groupe nominal tout entier alors que l'adjectif épithète liée se rapporte au nom noyau de ce GN. Ceci permet d'expliquer la différence de valeur entre ces deux types d'épithète.

> *Joyeux, les enfants s'éloignèrent.*

L'épithète détachée *joyeux* caractérise tous les enfants dont on parle, et non une partie d'entre eux seulement.

En revanche, dans l'exemple :

> *Les enfants <u>sages</u> furent récompensés.*

l'épithète liée *sages* divise les enfants en deux groupes :
1. ceux qui furent sages et qui furent récompensés ;
2. ceux qui ne furent pas sages et qui n'eurent pas droit à une récompense.

On peut présenter la différence entre les deux constructions par les schémas suivants.

épithète détachée — épithète liée

366 Place de l'épithète détachée

L'adjectif en fonction d'épithète détachée peut être déplacé dans une phrase beaucoup plus facilement que l'adjectif en fonction d'épithète liée. En fait, cette expansion peut être placée à n'importe quel endroit de la phrase, tant que l'on est sûr que l'auditeur (ou le lecteur) ne risque pas de se tromper sur le groupe nominal auquel l'adjectif se rapporte.

> ***Ravi**, l'enfant mangeait sa pomme dans la cour.*
>   GN A   GN B   GN C
> *L'enfant, **ravi**, mangeait sa pomme dans la cour.*
> *L'enfant mangeait sa pomme, **ravi**, dans la cour.*
> *L'enfant mangeait sa pomme dans la cour, **ravi**.*

Quelle que soit la place de l'adjectif *ravi*, il n'y a aucun doute sur le fait que c'est bien au groupe nominal A *(l'enfant)* qu'il se rapporte : ni *la cour*, ni *la pomme* ne peuvent se voir qualifier de *ravies*. En revanche, si l'on considère la phrase :

> *Abattu, l'homme contemplait l'arbre.*
> GN A   GN B

on peut placer **abattu** après *l'homme*.

> *L'homme, **abattu**, contemplait l'arbre.*
> GN A   GN B

Si l'on veut mettre l'adjectif en fin de phrase, il faut prendre particulièrement soin de le détacher par une pause afin d'éviter qu'**abattu** ne devienne épithète liée du nom **arbre** et fasse partie du groupe nominal B.

> *L'homme contemplait l'arbre, **abattu**.*
> GN A   GN B

L'adjectif en fonction d'épithète détachée, lorsque l'on prend bien soin de le détacher par une pause ou une virgule, qualifie naturellement le sujet de la phrase plutôt qu'un nom ayant une autre fonction.

367 Accord de l'épithète détachée

L'adjectif qualificatif en position détachée s'accorde en genre et en nombre avec le nom qu'il qualifie.

> *La jeune fille s'en alla, confuse.*
> fém. sing.   fém. sing.
> *Pleins d'espoir, ils se précipitèrent vers la sortie.*
> masc. pl.   masc. pl.

Pour plus de détails sur l'accord de l'adjectif, → 54 à 58

REMARQUE Il est intéressant de constater que, contrairement à l'adjectif en position liée, qui ne peut qualifier qu'un nom, l'adjectif qualificatif en position détachée peut déterminer un pronom personnel en fonction sujet ; dans ce cas, il se placera soit avant le groupe sujet-verbe, soit après ; il ne peut séparer le pronom personnel sujet du verbe.

> *Calmé, il s'en retourna chez lui.*
> *Il s'en retourna chez lui, calmé.*
> ⛔ *Il, calmé, s'en retourna chez lui.*

368 Autres expansions pouvant être mises en position détachée

- **Nom ou groupe nominal**

> *Mon camarade de classe, Pierre, va à la piscine tous les soirs.*
> *Monsieur Dupont, notre voisin de droite, part en vacances à la mer.*

À la différence de l'adjectif en position détachée qui indique une qualité du GN support, le groupe nominal en position détachée est dans un rapport d'équivalence avec le GN support.

Élégant, Pierre sort ce soir.
adjectif
(L'élégance est une propriété de Pierre.)

Pierre, mon voisin, sort ce soir.
nom
(Pierre = mon voisin)

REMARQUE Dans certaines grammaires, le terme d'apposition est réservé à ces expansions du nom en position détachée qui sont dans un rapport d'identité référentielle avec le GN support.

L'adjectif en position détachée est très mobile. → 366

> *Vexé, l'homme s'en alla, sans se retourner.*
>
> *L'homme, vexé, s'en alla, sans se retourner.*
>
> *L'homme s'en alla, vexé, sans se retourner.*

En revanche, pour le nom apposé, l'équivalence entre les deux groupes nominaux fait que c'est celui qui est vraiment entre deux virgules, entre deux pauses, qui est perçu comme apposé.

> *Le grand barbu, mon collègue, installera la salle.*
> GN ·········· GN apposé
>
> *Mon collègue, le grand barbu, installera la salle.*
> GN ·········· GN apposé

- **Groupe nominal prépositionnel**

> *Paul, de bonne humeur, est parti ce matin à la pêche.*

Dans ce cas, la présence d'une préposition rompt l'équivalence entre les deux groupes nominaux ; de ce fait, le déplacement du groupe en position détachée peut se faire sans qu'il perde son statut.

> *De bonne humeur, Paul est parti ce matin à la pêche.*

- **Infinitif**

> *Il me parle souvent du sport qu'il préfère, nager.*

- **Subordonnée relative** → 430 à 436

Parmi les subordonnées relatives, les relatives dites explicatives (appelées aussi relatives appositives) sont en position détachée. Elles apportent une information supplémentaire, comme le fait l'épithète détachée. Elles sont encadrées par deux virgules à l'écrit, deux pauses à l'oral.

> *Le vent, qui soufflait par rafales, avait enfin cessé.*

Elles peuvent être supprimées facilement sans détruire la phrase. La phrase devient alors moins riche.

> *Le vent avait enfin cessé.*

En revanche, elles ne peuvent être déplacées car elles suivent obligatoirement leur antécédent.

Les phrases

*Les numéros renvoient
aux numéros des paragraphes.*

Phrase verbale
et phrase non verbale

L'ESSENTIEL

Une phrase est un ensemble de mots dont le premier commence par une majuscule et dont le dernier est suivi d'un point. Cette suite de mots constitue un sens complet.

En règle générale, une phrase se construit autour d'un verbe qui en est le pivot. Il existe cependant des phrases complètes qui ne comportent pas de verbe.

PHRASE VERBALE

369 Constituants

La phrase verbale est formée de deux constituants obligatoires : le groupe verbal et le groupe nominal sujet. → 10 à 13

> *Les enfants / étaient tristes.*
> GN sujet   GV
> *Les oiseaux / chantaient.*
> GN sujet   GV

Le groupe nominal sujet indique de qui ou de quoi l'on parle, c'est le *thème*. Le groupe verbal désigne ce que l'on en dit, c'est le *propos*.

370 Construction

Dans une phrase verbale, tous les mots ou groupes de mots sont en relation directe ou indirecte avec le verbe.

> *Dans la soirée, des nuages noirs envahirent le ciel.*
> CC   S   V   COD

Les trois groupes nominaux : *dans la soirée*, *des nuages noirs* et *le ciel* sont en relation directe avec le verbe *envahirent*. C'est par rapport à lui qu'ils marquent leurs différentes fonctions. C'est le verbe qui assure la cohésion de la phrase. L'adjectif *noirs*, lui, est en relation directe avec le nom *nuages* et en relation indirecte avec le verbe *envahirent*.

371 **Phrase verbale minimale**

La phrase minimale est constituée d'un sujet et d'un verbe. En supprimant les compléments non obligatoires, on peut dégager cette phrase minimale.

> *Les enfants jouaient au ballon dans la cour.*
>
> *Les enfants jouaient.*

Attention ! Avec les verbes transitifs, la phrase minimale comporte nécessairement un COD.

> *Dans la soirée, des nuages noirs envahirent le ciel.*
>
> *Des nuages envahirent <u>le ciel</u>.*
> COD

PHRASE NON VERBALE

372 **Phrase nominale**

Une phrase nominale est formée d'éléments qui s'organisent autour d'un nom. Il s'agit de titres de livre, d'article, de film, d'étiquettes, etc.

> *Maigret chez le ministre* (roman)
>
> *Rentrée scolaire difficile* (article)
>
> *La Vieille Dame indigne* (film)
>
> *Faux-filet* (étiquette d'un commerçant)

Elle peut être :

- **interrogative ;**

> *Combien, ce livre ?*

- **impérative ;**

> *Silence !*

- **exclamative.**

Il s'agit d'énoncés à deux termes, l'un jouant le rôle de thème, l'autre de propos.

> *Chapeau, Gaston !* (propos/thème)
>
> *Magnifique, ce ciel !* (propos/thème)
>
> *Sylvie ! Jolie fille !* (thème/propos)

373 Phrases à présentatif

Certaines grammaires identifient les phrases introduites par *c'est* ou *il y a* comme des phrases nominales. Elles considèrent *c'est* et *il y a* non comme des verbes mais comme des présentatifs.

C'est une *fleur*.
prés.   nom

Il y a du *poisson*.
prés.   nom

Les présentatifs forment une liste courte d'éléments qui ont la même fonction syntaxique : faire qu'un nom ou un adjectif puisse être noyau de phrase et qu'on puisse lui « accrocher » différentes expansions.

PRÉSENTATIFS	AVEC NOYAU NOMINAL	AVEC QUELQUES EXPANSIONS
Il y a	*Il y a un chien.*	*Il y a un chien dans le jardin.*
C'est	*C'est un chien.*	*C'est le chien du voisin.*
Il était une fois	*Il était une fois une petite fille.*	*Il était une fois une petite fille dans un château.*
Il faut	*Il faut un chien.*	*Il nous faut un chien.*
Il manque	*Il manque un chien*	*Il manque un chien dans le chenil.*
Il s'agit	*Il s'agit d'un chien.*	*Il s'agit d'un chien de race.*
Soit	*Soit un triangle.*	*Soit un triangle isocèle.*
Voici	*Voici un chien.*	*Voici le chien promis.*
Voilà	*Voilà un chien.*	*Voilà un chien bien méchant.*

Les présentatifs n'ont donc pas un statut verbal ; ils n'assurent pas la fonction de noyau de phrase. Pourtant, certains présentent des traces verbales (verbe *avoir*, verbe *être*...) et conservent une conjugaison partielle. Ils peuvent marquer le temps.

Il y a, il y avait, il y aura.

Ils peuvent porter la négation et l'interrogation.

Il n'y a pas.

Y a-t-il ?

REMARQUE Comme il ne s'agit pas de verbes à part entière, la présence d'un sujet n'est pas obligatoire. C'est pour cela que, dans la prononciation courante, souvent ce sujet n'est pas prononcé. → **Sujet,** 216 à 245

Il y a bien longtemps.
sujet

Y a bien longtemps.

374 **Autres phrases non verbales**

Les phrases sans verbes ne sont pas exclusivement nominales. Elles peuvent être composées :

- **d'un adverbe ;**

    Dehors ! Vite !

- **d'un adjectif qualificatif ;**

    Bizarre ! étrange ! joli !

- **d'une interjection.**

Il s'agit d'expressions figées à valeur expressive. → **Interjections, 211-213**

    Nom d'un chien !

    Idiot !

    Ouf ! bof !

375 **Mots phrases**

Enfin, des réponses à une question peuvent constituer une phrase sans verbe comportant un seul mot.

    Oui.

    Non.

    D'accord.

Types de phrase

L'ESSENTIEL

Il existe plusieurs façons de s'adresser à un interlocuteur.

On peut lui donner une information. On utilisera alors une *phrase déclarative*.

On peut lui poser une question dans une *phrase interrogative*.

On peut lui donner un ordre avec une *phrase impérative*.

Enfin, on peut le prendre à partie, lui faire part d'un sentiment vif : enthousiasme, admiration, indignation, colère, etc. On construira alors une *phrase exclamative*.

Une phrase relève obligatoirement de l'un de ces quatre types.

PHRASE DÉCLARATIVE

376 Définition d'une phrase déclarative

Une phrase déclarative (ou assertive) donne une information. À l'oral, elle présente une intonation montante puis descendante. Elle se termine par un point à l'écrit.

> *La baisse de la fécondité est désormais quasiment universelle.*

Selon qu'elle a été conçue positivement ou négativement par le locuteur, une phrase déclarative est de forme affirmative ou négative.

> *Nous sommes inquiets.*

> *Nous ne sommes pas très inquiets.*

→ Phrase négative, 388 à 390

PHRASE INTERROGATIVE

377 **Définition d'une phrase interrogative**

Une phrase interrogative pose une question. Elle se caractérise par une intonation ascendante à l'oral. À l'écrit, elle se termine par un point d'interrogation.

378 **Interrogation totale et interrogation partielle**

On distingue deux sortes d'interrogation.

● **L'interrogation totale** appelle une réponse par *oui* ou par *non*, avec éventuellement une reprise des termes de la question.

As-tu fini ton travail ? Oui (j'ai fini).

L'interrogation totale peut être soit directe soit indirecte.

Arriveront-ils à temps ?

Je me demande s'ils arriveront à temps.

● **L'interrogation partielle** ne concerne qu'un élément de la phrase et appelle en réponse une information que la question ne fournit pas.

Comment es-tu arrivé ? En train.

Comme l'interrogation totale, l'interrogation partielle peut être soit directe soit indirecte.

Que s'est-il passé ?

Je ne sais pas ce qu'il s'est passé.

379 **Interrogation partielle et mots interrogatifs**

L'interrogation partielle permet d'interroger sur tous les constituants d'une phrase, quelle que soit la fonction qu'ils occupent.

Pour son anniversaire, Pierre a offert à sa femme une décapotable.

Quand Pierre a-t-il offert... ?

Qu'est-ce que Pierre a offert... ?

Qui a offert... ?

À qui Pierre a-t-il offert... ?

Les mots introduisant une interrogative partielle peuvent être :

● **des adverbes interrogatifs :** *quand, où, comment...*

● **des pronoms interrogatifs :** *qui, lequel, de quoi...*

● **des déterminants interrogatifs :** *quel, quels, quelle, quelles...*

380 Les constructions d'une phrase interrogative

On peut construire une phrase interrogative de trois manières différentes.

Dans la première construction, de style oral et relâché, l'ordre des mots reste le même que dans la phrase déclarative. La seule marque de l'interrogation est le point d'interrogation final.

> *Tu as réussi ?*
>
> *Tu veux quoi ?*

L'utilisation de le locution *est-ce que* définit une deuxième construction.

> *Est-ce que tu as réussi ?*
>
> *Qu'est-ce que tu veux ?*

La troisième construction, de style écrit, se caractérise par l'inversion du sujet. Elle est d'un registre plus soutenu que les deux précédentes.

> *Avez-vous réussi ?*
>
> *Que voulez-vous ?*

381 L'inversion du sujet dans une phrase interrogative

Il existe deux façons de construire l'inversion du sujet dans une interrogation totale, selon la **nature du sujet** :

• **le sujet est un pronom personnel** ; il est alors placé après le verbe : on parle d'inversion simple ;

> *Sont-elles heureuses au moins ?*

• **le sujet est un nom** ; il garde sa place avant le verbe et est repris après le verbe par l'un des pronoms personnels *il, ils, elle, elles*. On parle d'inversion complexe.

> *Tes sœurs sont-elles heureuses au moins ?*

Dans le cas d'une interrogation partielle, on peut avoir le choix entre deux formes d'inversion.

> *Quand arrive votre oncle ? Quand votre oncle arrive-t-il ?*

Cependant l'inversion simple est obligatoire après le pronom *que*.

> *Que veut ce monsieur ?*

La *forme complexe* est obligatoire :

• après *pourquoi* ;

> *Pourquoi Pierre part-il ?*

- **après *à qui*.**

  À qui Pierre a-t-il parlé ?

382 La phrase interro-négative

La phrase interro-négative combine le type interrogatif et la forme négative.

→ Phrase négative, 388 à 390

  Avez-vous déjà mangé ?

  N'avez-vous pas déjà mangé ?

La première phrase indique que celui qui pose la question n'a aucune idée de la réponse. La réponse peut être *oui* ou *non*.

La seconde phrase est interro-négative : on sait que celui que l'on feint d'interroger a effectivement déjà mangé. La réponse attendue est *si*.

PHRASE IMPÉRATIVE

383 Les marques de la phrase impérative

La phrase impérative sert à exprimer, au moyen du mode impératif, un ordre ou une défense.

Parfois, on l'utilise plutôt pour donner un conseil qu'un ordre.

  Ménage-toi.

L'impératif n'existe qu'à la deuxième personne du singulier et aux première et deuxième personnes du pluriel.

  Cours le rejoindre. Fuyons. Taisez-vous.

La défense, qui est un ordre négatif, s'exprime par le mode impératif avec des adverbes de négation.

  Ne me tutoyez pas.

→ Phrase négative, 388 à 390

384 Autres modes dans la phrase impérative

Lorsque l'on s'adresse à quelqu'un qui n'est pas présent par l'intermédiaire d'un autre, on aura recours à la troisième personne du *subjonctif présent*.

  Qu'il aille au diable.

Lorsque l'ordre ne s'adresse à personne en particulier, on utilise l'*infinitif*.

  Laisser le passage.

PHRASE EXCLAMATIVE

385 ## Les marques de l'exclamation

La phrase exclamative se caractérise à l'oral par une intonation particulière : fort volume sonore, courbe descendante et syllabation accentuée. À l'écrit, on met un point d'exclamation en fin de phrase.

> *C'est injuste !*

L'exclamation peut être marquée par :

- **une interjection ;**
  > *Hélas, elle est partie !*

- **un adverbe exclamatif ;**
  > *Comme elle est laide !*

- **ou encore un déterminant exclamatif.**
  > *Quel gâchis tu as fait !*

Elle peut prendre la forme d'une phrase nominale.

> *Quel temps magnifique !*

Le sujet de la phrase exclamative peut être inversé.

> *Est-il bête !*

386 ## Les modes dans la phrase exclamative

- **L'indicatif** indique une réaction devant un fait réel.
  > *Comme tu cours vite !*

- **Le conditionnel** marque une éventualité.
  > *Et je devrais en plus lui offrir un cadeau !*

- **L'infinitif ou le subjonctif** peuvent exprimer un fait très improbable.
  > *Moi, lui offrir un cadeau !*
  > *Moi, que je lui offre un cadeau !*

Formes de phrase

Les types de phrase distingués dans le chapitre précédent peuvent se combiner avec différentes formes de phrase.

- **Forme négative**

> *Je vous suis tout à fait.*
>
> *Je ne vous suis pas du tout.*

Les deux phrases sont de type déclaratif. La première phrase est de forme affirmative. Dans la seconde phrase, de forme négative, l'énoncé est nié à l'aide de la négation *ne... pas*.

- **Forme passive**

> *Picasso a peint ce tableau en 1942.*
>
> *Ce tableau a été peint par Picasso en 1942.*

Les deux phrases sont de type déclaratif. La première phrase est de forme active. Dans la seconde phrase, de forme passive, les groupes nominaux sujet et objet ont été permutés et on voit apparaître l'auxiliaire *être*.

- **Forme pronominale**

Le verbe d'une phrase de forme pronominale est accompagné d'un pronom personnel réfléchi intercalé entre le sujet et le verbe.

> *Les enfants se sont promenés pendant des heures.*

- **Forme emphatique**

La phrase de forme emphatique se caractérise par la mise en relief d'un de ses éléments, celui-ci étant détaché en tête de phrase ou encadré à l'aide de *c'est... qui, c'est... que*.

> *Je n'ai pas compris son explication.*
>
> *Son explication, je ne l'ai pas comprise.*
>
> *C'est son explication que je n'ai pas comprise.*

Les trois phrases sont de type déclaratif. La première phrase est de forme neutre. Dans la deuxième et la troisième phrases, le groupe *son explication* est mis en relief. Ces phrases sont donc de forme emphatique.

- **Forme impersonnelle**

Dans la phrase de forme impersonnelle, le sujet est déplacé après le verbe et est remplacé par le pronom impersonnel *il*.

> *Un grand malheur est arrivé.*

> *Il est arrivé un grand malheur.*

Les deux phrases sont de type déclaratif. La première phrase est de forme personnelle. Dans la seconde phrase de forme impersonnelle, on distingue le sujet apparent, le pronom impersonnel *il*, et le sujet réel, ***un grand malheur***, situé après le verbe.

PHRASE AFFIRMATIVE

387 **Les différentes nuances d'une phrase affirmative**

Une phrase de forme affirmative (ou positive) peut présenter différentes nuances.

- **L'affirmation totale** : il s'agit d'énoncer un fait, un constat ou une opinion sans le moindre doute. Dans ce cas, le mode le plus fréquent est l'*indicatif*.

> *J'ai la grippe.*

> *Il s'est avancé vers moi.*

> *Il arrivera demain à 5 heures.*

On trouve aussi le *conditionnel*.

> *Si tu travaillais, tu réussirais.*

On rencontre encore *l'infinitif*, dit *de narration*.

> *Et les oiseaux de chanter.*

- **L'affirmation atténuée, exprimant un désir**

Le verbe de la phrase est alors au *conditionnel*.

> *Je reprendrais bien de la dinde.*

- **L'affirmation « sous réserve »**

La phrase est ici encore au *conditionnel*.

> *Le ministre envisagerait de l'exclure.*

- **L'affirmation non certaine**

> *Il semblait hésiter.*

> *Il l'aura sans doute oublié.*

PHRASE NÉGATIVE

388 Phrase négative : définition

Toute phrase de forme affirmative peut être transformée en phrase de forme négative à l'aide d'une négation : le plus souvent, l'adverbe *ne* est associé à un autre mot de sens négatif.

Une phrase négative peut exprimer qu'un fait ne s'est pas produit, indiquer un désaccord, un refus.

Comme dans le cas d'une affirmation, la négation peut être atténuée, sous réserve, peu probable. Plus spécifiquement, elle peut exprimer une *restriction*.

> Je n'ai réussi que l'écrit.

389 Utilisation de *non*

On utilise *non* en réponse à une proposition.

> Le connais-tu ? Non.

> Viens-tu ? Non et non !

On utilise *pas* à la place de *non* lorsqu'on ne veut pas répéter le verbe ou opposer deux opinions.

> Il a accepté, moi pas.

Non peut être utilisé en tête de phrase pour renforcer la négation.

> Non, je n'accepte en aucun cas un tel argument.

390 Utilisation de *ne*

Ne est souvent accompagné d'un autre mot qui prend à son contact un sens négatif : *ne... pas* ; *ne... plus* ; *ne... jamais* ; *ne... guère* ; *ne... personne* ; *ne... rien* ; *ne... goutte*.

> Je ne le vois pas.

> Je ne le vois jamais.

> Je ne vois rien.

> On n'y voit goutte.

La négation *ne... pas*, *ne... plus*, etc. impose un ordre particulier. Elle encadre le pronom et le verbe simple.

> Je ne l'entend plus.

Elle encadre l'auxiliaire et le pronom si le verbe est composé.

> Je ne t'ai pas entendu.

Elle se place devant l'infinitif.

> *Je préfère ne pas le rencontrer.*

Ne se combine également à la conjonction de coordination négative *ni*.

> *Il n'avançait ni ne reculait.*

Ne est parfois employé seul.

> *Si je ne m'abuse.*
>
> *Il n'est pire sot que celui qui sait tout.*
>
> *Ne vous en déplaise.*

Il ne faut pas omettre *n'* derrière le pronom *on*.

> *On n'a guère de chance de le rencontrer.*
>
> *On n'y peut rien.*

REMARQUE Il faut distinguer le *ne* employé seul du *ne* sans aucune valeur négative, appelé *ne explétif*. On utilise celui-ci :

- après des verbes qui expriment la crainte ;

  > *Je crains qu'il ne lui ai parlé.*

- après des verbes qui expriment l'interdiction, la précaution ;

  > *Évitez qu'il ne parle.*

- dans les propositions comparatives ;

  > *Il est plus grand que je ne le pensais.*

- après *avant que, sans que, à moins que.*

  > *J'ai pris la voiture sans qu'il ne le sache.*

PHRASE PASSIVE

391 Phrase passive : définition

Dans une phrase de forme passive, le verbe est conjugué à la voix passive (avec l'auxiliaire *être*) : le sujet subit l'action au lieu de l'accomplir. On précise parfois qui fait l'action à l'aide d'un complément d'agent.

Attention, seuls les verbes qui peuvent recevoir un complément d'objet direct permettent l'emploi de la voix passive.

392 Transformation passive

Le passage de la voix active à la voix passive s'appelle ***transformation passive***. Cette transformation se caractérise par des changements qui interviennent au niveau du verbe lui-même et au niveau des fonctions essentielles de la phrase : sujet et complément d'objet direct.

393 **Modification des fonctions dans la phrase passive :**
sujet, objet et complément d'agent

Les mêmes mots, dans la phrase active et la phrase passive correspondante, n'ont pas les mêmes fonctions.

Le groupe qui occupe la fonction de *sujet* dans la phrase active devient *complément d'agent* dans la phrase passive.

Le groupe qui est *complément d'objet direct* dans la phrase active devient *sujet* de la phrase passive.

> *Nos amis construisent cette maison.*
>   sujet   verbe   COD

Dans cette phrase, dont le verbe est à la *voix active*, nous constatons que :
– le groupe nominal *nos amis* occupe la fonction de sujet du verbe *construisent* ;
– le groupe nominal *cette maison* occupe la fonction de complément d'objet direct du verbe *construisent*.

> *Cette maison est construite par nos amis.*
>   sujet   verbe   complément d'agent

Dans cette phrase, dont le verbe est à la *voix passive*, nous constatons que :
– *nos amis*, précédé de la préposition *par*, occupe la fonction de complément d'agent du verbe *est construite* ;
– *Cette maison* occupe la fonction de sujet du verbe *est construite*.

394 **Conjugaison du verbe à la voix passive**

Le verbe change de forme lors de la transformation passive. Voici, par exemple, trois phrases actives à des temps différents.

> *Nos amis construisent cette maison.*
>   présent

> *Nos amis construisaient cette maison.*
>   imparfait

> *Nos amis construiront cette maison.*
>   futur

Lors de leur transformation passive, on voit apparaître l'auxiliaire *être*.

> *Cette maison est construite par nos amis.*
>   présent

> *Cette maison était construite par nos amis.*
>   imparfait

> *Cette maison sera construite par nos amis.*
>   futur

Ainsi, quel que soit le temps du verbe, il est composé, à la voix passive, de l'auxiliaire *être* + participe passé. C'est l'auxiliaire *être* qui porte les marques du temps.

Attention, il ne faut pas confondre :

  Nous sommes arrivés. *Ils sont arrivés.*   *Vous êtes venus.*

verbes utilisés à la voix active et dont les temps composés se forment avec l'auxiliaire *être* et le participe passé, avec :

  Nous sommes volés. *Ils sont trompés.* *Vous êtes pris.*

verbes utilisés à la voix passive, au temps présent, et construits avec l'auxiliaire *être* et le participe passé.

En cas de doute, on peut procéder ainsi :

  Nous <u>sommes volés</u>. *Nous <u>avons été volés</u>.*
   prés. passif   passé comp. passif
  Nous <u>sommes tombés</u>. ❷ *Nous avons été tombés.*
   passé comp. actif

On reconnaîtra le verbe au présent passif par le fait qu'on peut le mettre au passé composé passif en utilisant l'auxiliaire *avoir* ; dans le cas de l'actif au passé composé, c'est évidemment impossible.

395 **Thème et propos dans la phrase active et dans la phrase passive**

La transformation passive permet d'intervertir dans une phrase ce dont on parle et ce que l'on en dit.

  Nos amis <u>construisent cette maison</u>.
   thème   propos
   ce dont on parle ce que l'on en dit
  <u>Cette maison</u> est construite par nos amis.
   thème   propos
   ce dont on parle ce que l'on en dit

Dans la phrase active, on parle de *nos amis* et on dit à leur propos : *ils construisent cette maison.*
Dans la phrase passive, on parle de *cette maison* et on dit à son propos : *elle est construite par nos amis.*
Cette maison qui, dans la phrase active, faisait partie du propos, c'est-à-dire de ce que l'on disait à propos de quelqu'un, devient, dans la phrase passive, le thème, c'est-à-dire ce dont on parle. → Sujet, 218
En revanche, *nos amis*, qui était présenté, dans la phrase active, comme le thème à propos duquel on allait donner des informations, fait, dans la phrase passive, partie du propos.

EMPLOI DE LA PHRASE PASSIVE

396 Règles pour la transformation passive

Seuls les verbes qui acceptent un COD peuvent se mettre au passif. En effet, la transformation de l'actif au passif exige que le COD de la phrase active devienne sujet de la phrase passive.

Il faut bien comprendre que la phrase passive n'est pas simplement une transformation mécanique de la phrase active : la forme passive permet de présenter comme thème du discours un personnage, un animal ou un objet (sujet) qui subit les conséquences d'une action dont le responsable n'est pas nécessairement identifié (complément d'agent facultatif).

397 Cas où la transformation passive est impossible

La transformation passive n'est possible qu'avec des *verbes transitifs*. On ne pourra pas utiliser la voix passive lorsque :

• **le verbe de la phrase n'admet pas de complément d'objet :** autrement dit dans le cas d'un verbe intransitif (*tomber, courir, nager, rire*, etc.) ;

> Les enfants <u>jouent</u> dans la cour.

• **le verbe de la phrase est construit avec un complément d'objet indirect :** *parler de, penser à, croire en*, etc. ;

> Jean <u>pensait</u> à son dernier match.

• **le groupe verbal est constitué d'une copule et d'un attribut ;**
→ Verbe, 105

> Ma voisine <u>est une brave femme</u>.

• **le verbe de la phrase est *avoir*.**

> Ce type <u>a</u> un superbe château.

398 Limites de l'utilisation de la transformation passive

Même lorsque le verbe de la phrase admet un complément d'objet direct, il y a des cas où la transformation passive n'est pas utilisée. C'est le cas lorsque le sujet de la phrase active est un *pronom personnel*.

> J'ai acheté la voiture de mes parents.

En principe, rien ne s'oppose à la transformation passive ; cependant, on ne dira généralement pas :

> La voiture de mes parents a été achetée par moi.

Lorsque le complément d'objet direct de la phrase active est indéfini (présenté comme non connu), la transformation passive est difficile. À partir de :

> Cet homme a acheté <u>un cheval</u>.

on obtiendrait :

> Un cheval a été acheté par cet homme.

Cette phrase est improbable.

En revanche, si l'on précise de quel cheval il s'agit, la transformation passive devient plus facile.

> <u>Le cheval qui a gagné le derby</u> a été acheté par cet homme.

399 Phrase passive sans complément d'agent

De nombreuses phrases passives ne comportent pas de complément d'agent. Cela se produit chaque fois que celui qui parle (ou écrit) pense qu'il n'est pas important de préciser qui fait l'action.

> La mairie a été bâtie en 1952. (Peu importe par qui.)
>
> La jupe est portée courte cette année. (Inutile de préciser qui la porte.)
>
> Seront admis tous les candidats qui auront répondu aux vingt questions.

400 Tournures équivalentes à la phrase passive sans complément d'agent

Lorsque la phrase passive ne comporte pas de complément d'agent, on peut lui substituer :

- **une phrase active avec pour sujet *on* ;**

  > <u>On</u> a bâti la mairie en 1952.
  >
  > <u>On</u> admettra tous les candidats qui auront répondu aux vingt questions.

- **une phrase pronominale.**

  > La jupe <u>se porte</u> courte cette année.

PHRASE PRONOMINALE

401 Construction de la phrase pronominale

La forme pronominale se caractérise par le fait que le verbe de la phrase est accompagné d'un pronom personnel réfléchi intercalé entre le sujet et le verbe. On dit que le verbe est à la voix pronominale. → **Pronoms réfléchis, 161**

> *Les enfants se sont promenés pendant des heures.*

402 Rôle de la voix pronominale

La voix pronominale permet d'indiquer que l'action exprimée par le verbe ne s'exerce sur personne ou rien d'autre que sur le sujet lui-même.

> *Tous les matins, les soldats se lavaient à la fontaine.*

Le sujet joue à la fois le rôle d'agent et le rôle de patient.
La voix pronominale permet donc d'indiquer que la personne (ou la chose) qui réalise une action la subit en même temps.

> *L'homme s'habilla avec soin.*
> (L'homme n'habille personne d'autre que lui-même.)
> *L'homme se dit qu'il avait du temps.*
> (L'homme ne s'adresse à personne d'autre qu'à lui-même.)
> *L'homme se lava les mains.*
> (L'homme ne lave les mains de personne d'autre que lui-même.)

EMPLOIS DE LA VOIX PRONOMINALE

403 Quatre emplois principaux

On distingue les emplois suivants :

- **le sujet exerce l'action sur lui-même (emploi réfléchi) ;**
- **le sujet est alternativement agent et patient (emploi réciproque) ;**
- **le sujet se contente de subir l'action (emploi à valeur passive) ;**
- **on parle aussi de verbes essentiellement pronominaux.**

404 Emploi réfléchi

Le sujet subit l'action qu'il réalise.

> *L'enfant se jeta dans la rivière.*

Cette utilisation est appelée *réfléchie*, car le sujet renvoie l'action du verbe sur lui-même comme un miroir.

405 **Emploi réciproque**

Le sujet fait référence à plusieurs acteurs et la voix pronominale indique qu'ils exercent l'action l'un sur l'autre ou les uns sur les autres.

> *Le Français et l'Américain se sont longtemps parlés.*
>
> *Les deux boxeurs se sont combattus jusqu'à l'épuisement.*
>
> *Ils se sont rencontrés par hasard sur le pont des Arts.*

Cette utilisation est dite *réciproque*.

406 **Emploi à valeur passive**

On peut utiliser la voix pronominale, plutôt que la voix passive, lorsque l'on ne veut pas exprimer le complément d'agent.

> *En Italie, les pâtes se mangent fermes.* (= sont mangées)

407 **Verbes essentiellement pronominaux**

Certains verbes sont toujours construits avec le pronom réfléchi : *s'emparer*, *s'évader*, *s'enfuir*, *s'évanouir*, etc.

> *Le prisonnier s'est évadé par les toits.*
>
> *La jeune fille s'évanouit en l'apercevant.*

ACCORD DES VERBES PRONOMINAUX AUX TEMPS COMPOSÉS

408 **Formation des temps composés des verbes pronominaux**

Les verbes à la voix pronominale, appelés plus simplement verbes pronominaux, forment tous leurs temps composés avec l'auxiliaire *être*. On doit dire :

> *Je me suis trompé.*

et non :

> ⊖ *Je m'ai trompé.*

REMARQUE Les jeunes enfants ont tendance à former les temps composés des verbes pronominaux avec l'auxiliaire *avoir* par analogie avec le modèle régulier.

> ⊖ *J'ai trompé.*

409 ## Accord avec un pronom réfléchi COD

Lorsque le pronom réfléchi est le complément d'objet direct du verbe *(se rencontrer, se baigner, se vendre...)*, le participe passé s'accorde en genre et en nombre avec le sujet.

<u>Catherine et Vanessa</u> <u>se</u> sont <u>baignées</u> dans la rivière.
    fém. pl.   COD   fém. pl.

<u>Laurent, Bruno et Jean-Baptiste</u> <u>se</u> sont <u>retrouvés</u> au café.
      masc. pl.   COD   masc. pl.

410 ## Accord avec un pronom réfléchi COI

Lorsque le pronom réfléchi est le complément d'objet indirect du verbe *(s'acheter, se faire mal, se dire...)*, le participe passé ne s'accorde ni en genre ni en nombre avec le sujet.

Muriel <u>s'</u>est fait mal.   Muriel <u>s'</u>est lavé les mains.
   COI   COI

En revanche, le participe passé s'accordera avec le complément d'objet direct si ce dernier est placé avant le verbe.

Tu ne peux imaginer <u>les choses</u> <u>que</u> je me suis <u>dites</u>.
               fém. pl.   COD   fém. pl.

PHRASE EMPHATIQUE
MISE EN RELIEF PAR DÉPLACEMENT

411 ## Mise en relief par déplacement

Certains éléments de la phrase ont une place bien précise qui permet de connaître leur fonction (sujet, complément d'objet direct, attribut) ; d'autres ont une certaine liberté de déplacement (compléments circonstanciels). Un des procédés de mise en relief consiste à présenter un élément de la phrase à une place où on ne l'attend pas ; ce déplacement est bien sûr limité, car il doit toujours être effectué de façon que l'indication de sa fonction apparaisse clairement.
On obtient une phrase de forme emphatique.

412 Déplacement du sujet

Ce déplacement a pour effet de présenter l'action avant l'agent (celui qui fait l'action) et donc de créer un effet d'attente, d'interrogation sur l'identité de ce ou celui qui arrive.

> *Je me promenais tranquillement ; cette troupe hurlante arriva en face.*
>
> *Je me promenais tranquillement ; arriva en face cette troupe hurlante.*

Le sujet du verbe ***arriva, cette troupe hurlante***, est rejeté après le verbe.

→ **Inversion du sujet et insistance sur le sujet, 229**

REMARQUE Dans l'exemple suivant :

> *De hautes statues se dressaient en haut de la colline.*
>
> *En haut de la colline se dressaient de hautes statues.*

le sujet *de hautes statues* apparaît après le verbe *se dressaient*. Il semble que la présence du complément circonstanciel *en haut de la colline* en tête de la phrase (avant le verbe) rende plus facile l'inversion du sujet ; on peut penser que le complément circonstanciel comble le vide laissé par le sujet inversé. En revanche, la phrase *Se dressaient de hautes statues en haut de la colline* n'est pas équilibrée, pas acceptable telle quelle.

413 Déplacement de l'attribut

La position en tête de phrase de l'adjectif attribut souligne l'importance que celui qui parle (ou écrit) accorde à ce qualificatif.

> *Les gens qui voulaient le rencontrer étaient nombreux.*
>
> *Nombreux étaient les gens qui voulaient le rencontrer.*

L'adjectif ***nombreux***, en fonction d'attribut du sujet *les gens*, se trouve placé avant l'élément verbal ***étaient*** et le sujet.

414 Déplacement d'un groupe nominal complément circonstanciel

Un complément circonstanciel est plus mobile que les autres groupes fonctionnels d'une phrase. Cependant, sa position en tête de la phrase permet d'insister sur la circonstance de l'action évoquée par le complément.

> *Le chat se tenait immobile, tout en haut de l'arbre.*
>
> *Tout en haut de l'arbre, le chat se tenait immobile.*

415 Déplacement des propositions subordonnées circonstancielles

> *Il a quitté la réunion parce qu'il était vexé.*
>
> *Parce qu'il était vexé, il a quitté la réunion.*

La circonstancielle de cause *parce qu'il était vexé* apparaît habituellement après la principale ; sa position en tête la met en évidence. On insiste sur la raison pour laquelle il a quitté la réunion.

> *Si j'avais su, je serais venu.*
>
> *Je serais venu, si j'avais su.*

La subordonnée de condition *si j'avais su* est normalement attendue avant la principale ; son placement en fin de phrase la met en relief.

REMARQUE La mise en relief d'un élément de la phrase par simple déplacement est un procédé utilisé plus fréquemment dans un langage de registre assez soutenu.

La mise en évidence de l'élément déplacé s'accompagne presque toujours d'une augmentation de la force de la voix.

Dans un style purement littéraire, on peut également inverser la position du complément du nom.

> *Il chérit la mémoire de son père.*   *De son père, il chérit la mémoire.*

416 Déplacement avec reprise par un pronom

Ce procédé est très fréquemment utilisé, notamment dans le langage oral. Il consiste à détacher un élément de la phrase, que l'on place en tête ou en fin de phrase, suivi ou précédé d'une pause, et à le reprendre par un pronom occupant la même fonction.

> *Tes chaussures,* (pause) *je ne les ai pas vues.*
>
> pronom COD

Le complément d'objet direct *tes chaussures* est placé en tête, détaché de la phrase par une pause et repris par le pronom personnel *les*, complément d'objet direct du verbe *ai vues*.

> *Je n'y ai pas touché,* (pause) *à ta montre.*
>
> COI

À ta montre est annoncé par le pronom personnel *y* dans la fonction de complément d'objet indirect ; placé en fin de phrase, *à ta montre* est précédé d'une pause.

> *Elle est bien,* (pause) *ta chemise.*
>
> sujet

Ta chemise, placé en fin de phrase, est annoncé en fonction sujet par le pronom personnel *elle*.

Que vous ne vouliez pas le voir, (pause) *je le comprends bien.*

subordonnée complétive   COD

La proposition subordonnée complétive est remplacée par le pronom personnel *le* ; elle est présentée en tête de phrase et suivie d'une pause.

REMARQUE *Pour* et *quant à* placés devant l'élément mis en relief renforcent l'effet d'emphase.

     De l'audace, il en avait.   *Pour de l'audace, il en avait.*

     Pierre, il s'en moque.   *Quant à Pierre, il s'en moque.*

Attention à l'orthographe de *quant à*, différente de celle de la conjonction de subordination *quand*.

MISE EN RELIEF AVEC *C'EST... QUI, C'EST... QUE*

417 **Rôle des présentatifs *c'est qui, c'est... que***

Les présentatifs *c'est... qui, c'est... que* permettent de mettre en évidence, en tête de la phrase, n'importe quel élément (sauf le verbe) sans remplacer cet élément par un pronom personnel et en lui conservant sa fonction. La phrase qui résulte de cette mise en relief est de forme emphatique.

418 **Emploi de *c'est... qui* pour la mise en relief du sujet**

Lorsque l'élément mis en relief est le sujet, le présentatif est *c'est... qui.*

     Le chien a volé le reste de gigot.
     sujet

     présentatif
     C'est le chien qui a volé le reste de gigot.
        sujet

419 **Emploi de *c'est... que* pour la mise en relief d'un COD**

Lorsque l'élément sur lequel porte l'emphase est en fonction de complément d'objet direct, le présentatif qui l'encadre est *c'est... que.*

     Je préfère la petite maison.
          COD

     présentatif
     C'est la petite maison que je préfère.
       COD

420 **Emploi de *c'est... que* pour la mise en relief d'un COI**

Lorsque l'élément sur lequel porte l'emphase est en fonction de complément d'objet indirect ou second, le présentatif qui l'encadre est *c'est... que*.

┌─présentatif─┐

J'ai parlé <u>à Pierre</u>.   <u>C'est à Pierre que</u> j'ai parlé.
    COI   COI

┌─présentatif─┐

J'ai remis le livre <u>à ton ami</u>.   <u>C'est à ton ami que</u> j'ai remis le livre.
         COS   COS

REMARQUE Le complément d'objet indirect mis en relief par le présentatif *c'est... que* conserve la préposition *à*, qui indique sa fonction.

421 **Emploi de *c'est... que* pour la mise en relief d'un complément circonstanciel**

Lorsque l'élément sur lequel porte l'emphase est en fonction de complément circonstanciel, le présentatif qui l'encadre est *c'est... que*.

J'ai toujours vécu <u>dans cette maison</u>.
                        CC de lieu

┌─présentatif──────┐

<u>C'est dans cette maison que</u> j'ai toujours vécu.
       CC de lieu

On nous a cambriolés <u>pendant la nuit</u>.
                          CC de temps

┌─présentatif──────┐

<u>C'est pendant la nuit qu'</u>on nous a cambriolés.
      CC de temps

Il l'a guéri <u>avec ce médicament</u>.
                  CC de moyen

┌─présentatif──────┐

<u>C'est avec ce médicament qu'</u> il l'a guéri.
      CC de moyen

REMARQUE Le complément circonstanciel mis en relief par le présentatif *c'est... que* conserve la préposition qui marque sa fonction.

422 *C'est... qui, ce sera... qui, c'était... qui*

Le présentatif *c'est... qui* ou *c'est... que* peut porter des indications de temps : *c'était... qui* ou *que, ce sera... qui* ou *que, ce fut... qui* ou *que*, etc.

> *J'achèterai cette voiture.*
>
> *Ce sera cette voiture que j'achèterai.*

423 *C'est... qui, c'est... que, ce sont... qui, ce sont... que*

Le présentatif peut varier en nombre selon que l'élément mis en relief est singulier ou pluriel.

> *J'ai vu ces gens à la télévision.*
>
> *Ce sont les gens que j'ai vus à la télévision.*
>   pluriel   pluriel

REMARQUE On entend souvent :
> *C'est les gens que j'ai vus à la télévision.*

424 Valeurs du présentatif

La mise en relief d'un élément de la phrase par le présentatif *c'est... qui* ou *c'est... que* peut avoir deux valeurs sensiblement différentes.

● **Valeur d'insistance**

> *C'est le brun qui a tiré le premier.*

Dans cette phrase, l'utilisation de *c'est... qui* veut dire : *c'est le brun, pas le blond, qui a tiré* ; on insiste donc sur l'identité de celui qui fait l'action.

● **Valeur d'identification**

> *C'est l'homme qui a tiré.*

Ici, on veut dire que la personne que l'on désigne est celle qui a tiré, et pas une autre *(= voilà l'homme qui a tiré).*

PHRASE IMPERSONNELLE

425 Les verbes impersonnels

Certains verbes sont dits impersonnels parce qu'ils ne varient pas en personne. Ils s'utilisent uniquement à la troisième personne du singulier, précédés du pronom *il*.

● **Les verbes toujours impersonnels**

Certains verbes ne peuvent être employés que de façon impersonnelle ; ils sont parfois appelés verbes unipersonnels. Il s'agit :

– des verbes exprimant des phénomènes météorologiques comme *pleuvoir*, *neiger*, *grêler*, *geler*, *bruiner*... ;

> *Il a neigé hier et ce matin il pleut.*

– du verbe *falloir*.

> *Il nous faut vous quitter.*

● **Les verbes occasionnellement impersonnels**

Parmi ces verbes occasionnellement impersonnels, on trouve :

– l'auxiliaire *être* et certains verbes d'état ;

> *Il est des gens qui...*   *Il paraît que...*

– des verbes intransitifs comme *arriver*, *courir*... ;

> *Il arrive que la colère le prenne.*

– des verbes passifs souvent dans un emploi administratif ;

> *Il sera procédé à une fouille en règle.*

– des verbes pronominaux ;

> *Il se peut qu'il refuse.*

– le verbe *faire* suivi d'un adjectif qualificatif ou d'un nom.

> *Il fait chaud.*

426 Les phrases impersonnelles

Dans le cas d'un verbe occasionnellement impersonnel, la phrase peut être construite de façon personnelle ou impersonnelle.

> *Une grosse averse est tombée.*
>
> *Il est tombé une grosse averse.*

Dans la phrase impersonnelle, le pronom personnel *il* ne représente rien ni personne. Il a la fonction de sujet apparent ou grammatical ; le sujet réel suit le verbe.

> *Il est tombé une grosse averse.*
> sujet apparent   sujet réel

Le sujet réel peut être :

● **un groupe nominal** comme dans l'exemple ci-dessus ;

● **un infinitif ;**

> *Il est interdit de cracher.*

● **une proposition subordonnée complétive.**

> *Il faut que tu résistes.*

Même si le sujet réel est au pluriel, le verbe reste au singulier.

> *Il lui est arrivé de terribles malheurs.*

Types de proposition

L'ESSENTIEL

Une proposition se définit par le fait qu'un ensemble de mots s'organisent grammaticalement autour d'un verbe afin de construire un sens cohérent.

Il existe trois types de proposition :

- **la proposition indépendante :** c'est une proposition qui ne dépend d'aucune autre et dont aucune autre ne dépend. Elle se suffit à elle-même ;

    Jeanne arrivera à 4 heures. Je serai là.

- **la proposition principale :** c'est une proposition qui a sous sa dépendance une ou plusieurs subordonnées. Elle pourrait fonctionner seule mais permet à la subordonnée d'exister ;

    Je vais à la gare parce que Jeanne arrive à 4 heures.

- **la proposition subordonnée :** c'est une proposition qui ne peut fonctionner seule ; son existence dépend de la présence d'une principale.

    Je lui ai donné de l'argent pour qu'il s'achète un pantalon.

LES DIFFÉRENTES PROPOSITIONS

427 Indépendante, principale et subordonnée

> *Le ciel est bleu, les oiseaux chantent.*
>
> *Quand le ciel est bleu, les oiseaux chantent.*

Dans l'exemple 1, la phrase comporte deux verbes conjugués à un mode personnel ; donc deux propositions. Chacune de ces propositions peut exister seule. Les deux idées contenues dans cette phrase sont d'égale importance. Cette phrase est composée de deux propositions indépendantes.

Dans l'exemple 2, la phrase comporte aussi deux verbes conjugués à un mode personnel, donc deux propositions. Mais l'existence de la première dépend de celle de la seconde ; elle sert à en compléter le sens. La première est une proposition subordonnée ; la seconde est sa principale.

428 **Place de la proposition principale**

La principale est assez mobile. Elle peut :

● **précéder la subordonnée ;**

  Je servirai dès qu'elle sera arrivée.

● **suivre la subordonnée ;**

  Dès qu'elle sera arrivée, je servirai.

● **encadrer la subordonnée.**

  Les amis que j'avais invités ne sont pas venus.

429 **Les différentes propositions subordonnées**

Il existe cinq sortes de propositions subordonnées :

● **les relatives :** introduites par un pronom relatif, elles complètent un nom de la proposition principale ;

● **les conjonctives :** introduites par une conjonction de subordination ou une locution conjonctive, elles complètent le verbe de la proposition principale. Les conjonctives se subdivisent en *complétives* (COD du verbe de la principale) et *circonstancielles* (CC du verbe de la principale) ;

● **les interrogatives indirectes :** introduites par un mot interrogatif, elles sont complétives ;

● **les infinitives,** dont le verbe est à l'infinitif ;

● **les participiales,** dont le verbe est un participe passé ou présent.

LES SUBORDONNÉES RELATIVES

430 **Définition de la subordonnée relative**

La proposition subordonnée relative complète un nom, un groupe nominal ou un pronom appartenant à la proposition principale : elle fait partie des expansions du nom au même titre que le GN complément du nom ou l'adjectif épithète.

  Est-ce que tu as revu le garçon qui t'a fait danser hier ?
  nomsubordonnée relative

La proposition subordonnée relative *qui t'a fait danser hier* détermine le nom *garçon*. Elle forme avec ce nom et son déterminant un groupe nominal complément d'objet direct du verbe *as revu*, noyau de la proposition principale. On pourrait remplacer cette relative :

- **par un GN complément du nom ;**

  Est-ce que tu as revu <u>le garçon</u> <u>aux yeux bleus</u> ?
                                  nom   GN complément
                                                 du nom

- **par un adjectif épithète.**

  Est-ce que tu as revu <u>le jeune garçon</u> ?
                                adj.   nom
                              épithète

Parmi toutes les expansions du groupe nominal, la proposition subordonnée relative est sans doute celle qui permet d'apporter sur le nom l'information la plus précise. → **Groupe nominal,** 14 à 19

Il est sans doute plus facile de savoir de quel garçon il s'agit à partir de :

Le garçon <u>qui t'a fait danser hier.</u>

qu'à partir de :

Le garçon <u>aux yeux bleus.</u>

et qu'à partir de :

Le <u>jeune</u> garçon.

431 Relative déterminative

La relative déterminative complète de façon souvent indispensable un nom ou un groupe nominal de la principale.

Nous avons tous peur <u>des années</u> <u>qui arrivent.</u>
                                            relative déterminative

La relative déterminative **qui arrivent** permet de savoir de quelles années on veut parler. Si l'on supprime la relative, la phrase n'est plus complète.

⊜ *Nous avons tous peur des années.*

432 Relative explicative

Si l'on supprime la relative explicative, la phrase reste acceptable.

<u>L'enfant, qui commençait à se fatiguer,</u> nageait avec difficulté.
                              relative explicative

La relative explicative *qui commençait à se fatiguer* apporte une information à propos du GN *l'enfant*. Mais cette information n'est pas indispensable à la phrase.

> *L'enfant nageait avec difficulté.*

La relative explicative est généralement encadrée par deux virgules (ou pauses, à l'oral) ; en ce sens, elle se rapproche de l'apposition ; ce type de relative est souvent appelée *appositive*.

Les relatives explicatives ou appositives informent souvent sur la cause de l'événement exprimé par la principale.

> *L'homme, que la colère gagnait, se leva d'un bond.*
> cause

> *Le loup, qui avait faim, sortit du bois.*
> cause

433 Antécédent du pronom relatif

> *Il m'a présenté l'homme   qui   lui avait sauvé la vie.*
> V   GN   pronom relatif   GV
> COD   sujet

Le groupe nominal *l'homme* est le complément d'objet direct du verbe *a présenté*, qui constitue le noyau de la proposition principale : *il m'a présenté l'homme*.

Le groupe nominal *(l'homme)* est immédiatement suivi du pronom relatif *qui* : celui-ci représente *l'homme* et occupe la fonction de sujet du verbe *avait sauvé*, noyau de la proposition subordonnée.

On dira que le groupe nominal *l'homme* est l'antécédent du pronom relatif *qui*.

On rencontre des phrases où le pronom n'a pas d'antécédent, celui-ci n'étant pas nécessaire.

> *Qui vole un œuf vole un bœuf.* (= celui qui…)

> *Je voterai pour qui me promettra moins d'impôts.* (= pour celui qui…)

434 Mécanisme de la subordination relative

En fait, la construction relative est un moyen permettant à un nom qui a déjà une fonction dans une proposition d'en assurer une autre à l'intérieur d'une proposition différente. Pour atteindre ce résultat, on fait suivre ce nom d'un pronom particulier, appelé pronom relatif, qui va jouer un nouveau rôle dans la subordonnée. → **Pronom relatif,** 174 à 176

À partir de deux phrases :

Il m'a présenté <u>un homme</u>. <u>L'homme</u> lui <u>avait sauvé</u> la vie.
          COD   sujet

on obtient une seule phrase grâce au pronom relatif.

*Il m'a présenté <u>l'homme</u> **qui** lui <u>avait sauvé</u> la vie.*
               ⌐—— COD   sujet ——⌐

Cette procédure est appelée enchâssement.

435 Accord dans la proposition subordonnée relative

Le pronom relatif sujet *qui* transmet au groupe verbal de la subordonnée le genre et le nombre de son antécédent.

J'ai revu <u>cette femme</u> qui était si belle.
     fém. sing. ⌐————————⌐

Lorsque l'antécédent du pronom relatif *qui* est un pronom personnel, le pronom relatif est porteur de la personne du pronom personnel, qu'il transmet au verbe de la subordonnée.

C'est moi <u>qui</u> l'<u>ai</u> attrapé !
     1re pers. ——⌐

➲ *C'est moi qui l'a attrapé !*

Le pronom relatif *que*, lorsqu'il est le COD d'un verbe conjugué à un temps composé, impose le genre et le nombre dont il est porteur au participe passé.

<u>Les pommes</u> <u>que</u> tu as <u>rapportées</u> sont excellentes.
   fém. pl.

436 Emploi du subjonctif dans la relative

Le verbe de la relative se met souvent à l'*indicatif*.

Nous saisirons la première occasion qui se <u>présentera</u>.

Cependant, on mettra la relative au *subjonctif* :

* **quand la proposition relative se trouve après un superlatif relatif**, tel que *le premier, le seul, le plus*… ; → 51, 52

    C'est vraiment l'homme le plus gai que nous <u>ayons</u> jamais <u>rencontré</u>.

    ➲ *… que nous avons jamais rencontré.*

- **quand la relative exprime un désir, une intention ;**

  Je veux construire un coffre où l'on puisse ranger tous tes livres.

  ➋ *... où l'on peut ranger...*

REMARQUE Cependant, on peut rencontrer le futur de l'indicatif.

  Je veux construire un coffre où l'on pourra ranger tous tes livres.

- **quand la relative se trouve après *ne... que, seulement...***

  Je ne connais qu'une personne qui soit capable de vous aider.

  ➋ *... qui est capable...*

LES SUBORDONNÉES CONJONCTIVES

437 Définition et fonctions

Les propositions subordonnées conjonctives sont introduites par une conjonction de subordination et sont compléments du verbe de la principale. Parmi les conjonctives, on distingue les *complétives* et les *circonstancielles*. Les subordonnées complétives sont plus souvent COD, parfois sujet. Les propositions subordonnées circonstancielles peuvent remplir la plupart des fonctions circonstancielles du groupe nominal.

438 Définition de la subordonnée complétive

La subordonnée complétive est introduite par la conjonction de subordination *que*. → **Conjonctions, 203 à 206**

  Je vois que tu as fini ton travail.

439 Complétive en fonction COD

La complétive peut être complément d'objet direct du verbe de la principale.

  Elle m'annonce qu'il se marie bientôt.
  V   COD

On pourrait remplacer la complétive par un groupe nominal qui remplirait la même fonction de complément d'objet direct.

  Elle m'annonce le mariage prochain de Pierre.
  V   GN COD

440 Complétive en fonction de sujet

> *Qu'il ne soit pas venu* ne nous *surprend* pas.
> sujet   V

On peut remplacer la complétive par un groupe nominal en fonction de sujet.

> *Son absence* ne nous *surprend* pas.
> GN sujet   V

441 Mécanisme de subordination de la complétive

La subordonnée complétive est le résultat de l'enchâssement de deux phrases.

> *Nous avons appris avec inquiétude. Une tempête se préparait.*

On obtient, par l'enchâssement des deux phrases :

> *Nous avons appris avec inquiétude qu'une tempête se préparait.*

Certains groupes nominaux sont suivis d'une proposition subordonnée complétive. Il s'agit de noms qui expriment une action en cours et qui proviennent le plus souvent d'un verbe. Leur sens est d'ailleurs très proche de celui d'un verbe.

> *La pensée qu'il allait déménager le réjouissait.*
> action en cours   complétive
> (= Il pensait qu'il allait déménager.)

> *J'ai la preuve qu'il a bien gagné la course.*
> action en cours   complétive

> *Il vivait avec la conviction qu'il deviendrait célèbre.*
> action en cours   complétive

442 Emploi du mode indicatif dans la complétive

Le verbe de la subordonnée complétive se met à l'*indicatif* ou au *subjonctif* selon le sens du verbe principal. Le verbe de la complétive se met à l'*indicatif* lorsque le verbe de la principale exprime une déclaration, un jugement ou une connaissance *(dire, raconter, expliquer, savoir, croire, apprendre…)*.

> *Je pense qu'il fera chaud cet été.*
> opinion   indicatif futur

Lorsque la phrase est à la forme interrogative ou négative, on peut utiliser soit le *subjonctif*, soit l'*indicatif*.

> *Je ne pense pas qu'il fasse beau cet été.* (ou qu'il *fera*)
> *Pensez-vous qu'il fasse beau cet été ?* (ou qu'il *fera*)

443 Emploi du mode subjonctif dans la complétive

Le verbe de la complétive se met au *subjonctif* lorsque le verbe de la principale exprime la volonté, le désir, le refus, la crainte *(vouloir, ordonner, désirer, interdire, craindre...)*.

Je <u>souhaite</u> vraiment qu'il <u>aille</u> voir un médecin.
désir   subj.

Après les verbes comme *craindre* et *avoir peur*, on peut utiliser dans la complétive l'adverbe *ne* sans pour autant donner un sens négatif à la phrase *(ne* complétif). → **Verbe et négation,** 107

Je crains qu'il <u>ne</u> vienne. (= Je crains qu'il vienne.)

Si l'on désire mettre la complétive à la forme négative, on devra écrire :

Je crains qu'il <u>ne</u> vienne <u>pas</u>.

444 Définition des subordonnées circonstancielles

Les propositions subordonnées circonstancielles peuvent remplir la plupart des fonctions circonstancielles du groupe nominal : temps, cause, but, etc. → **Complément circonstanciel,** 323 à 338

Ces subordonnées circonstancielles ont d'ailleurs, en général, une mobilité dans la phrase comparable à celle des GN compléments circonstanciels.

445 Conjonctions de subordination exprimant le temps

Les subordonnées circonstancielles de temps sont introduites par des conjonctions de subordination telles que : *quand, alors que, tant que, dès que, aussitôt que, pendant que, avant que, depuis que,* etc.

REMARQUE Beaucoup de ces conjonctions sont composées d'une préposition accompagnée de la subordination *que* : *dès que, après que,* etc.

446 Valeur de la subordonnée circonstancielle de temps

Selon la conjonction de subordination utilisée, on présente l'action du verbe principal comme se passant avant, pendant ou après celle évoquée par le verbe de la subordonnée.

• **Avant**

principale
subordonnée

Je vais jouer au tennis avant qu'il ne fasse nuit.
principale   subordonnée

Elle reste dans la cour jusqu'à ce qu'on l'appelle.
principale   subordonnée

- **Pendant**

Quand sa mère n'est pas là, il en profite pour regarder la télévision.
   subordonnée   principale

J'y vais pendant que vous faites le guet.
principale   subordonnée

- **Après**

Une fois qu'il eut terminé ses devoirs, il prit ses skis et sortit.
      subordonnée   principale

Depuis que sa femme est partie, il grossit.
    subordonnée   principale

447 Modes utilisés dans la circonstancielle de temps

En règle générale, le verbe de la circonstancielle de temps se met à l'*indicatif* lorsque l'action du verbe principal est présentée comme ayant lieu *après* ou *pendant* celle exprimée par le verbe subordonné.

Dès que le soleil se fut levé, il bondit de son lit.
             indicatif

Marchons tant que nous en avons le courage.
                   indicatif

En revanche, le verbe de la circonstancielle se met au *subjonctif* lorsque l'action du verbe principal se situe *avant* celle du verbe de la subordonnée.

Allons-y avant qu'ils aient fini le gâteau.
                subjonctif

La règle exige l'indicatif avec *après que*.

Vous rentrerez après que vous aurez terminé la vaisselle.
                      indicatif

Il est parti après qu'il eut terminé la vaisselle.
              indicatif

448 Conjonctions de subordination exprimant la cause

Les subordonnées circonstancielles de cause sont introduites par des conjonctions de subordination telles que : *parce que, puisque, comme, du moment que, vu que, étant donné que, sous prétexte que, non pas que*...

> *Vu que tu ne m'écoutes pas*, *tu ne risques pas de comprendre.*
> subordonnée   principale

> *Je me dépêche* *parce que je crains d'être en retard.*
> principale   subordonnée

449 Place de la subordonnée circonstancielle de cause

La circonstancielle de cause a en général une certaine mobilité dans la phrase.

> *Puisque tu sais tout*, *parle* !
> subordonnée   principale

> *Parle*, *puisque tu sais tout* !
> principale   subordonnée

Cependant, la subordonnée introduite par *comme* se place obligatoirement en tête.

> *Comme le jardin est petit*, *nous n'avons pas d'arbres.*
> subordonnée   principale

La subordonnée introduite par *parce que* termine le plus souvent la phrase.

> *Il n'est pas venu*, *parce qu'il était malade.*
> principale   subordonnée

Celle introduite par *vu que*, *attendu que*, etc., est généralement en tête.

> *Attendu que madame Martin avoue avoir tué son mari,*
> subordonnée

> *elle sera jugée pour homicide volontaire.*
> principale

450 Modes utilisés dans la subordonnée circonstancielle de cause

Le verbe de la circonstancielle de cause se met à l'*indicatif*, sauf lorsque l'on utilise la conjonction *non (pas) que*.

> *Je ne le ferai pas*, *non pas que je n'en sente pas l'intérêt*,
>   subjonctif
> *mais par pure paresse.*

Mais :

Je ne le ferai pas, non pas parce que je n'en sens pas l'intérêt, mais par pure paresse.   indicatif

REMARQUE Après *parce que* et *puisque*, lorsque la subordonnée comporte un attribut, le sujet et l'élément verbal de la subordonnée peuvent être omis.

Il a été éliminé parce que trop jeune. (= parce qu'il était trop jeune.)

451 Conjonctions de subordination exprimant le but

Les subordonnées circonstancielles de but sont introduites par des conjonctions de subordination telles que : ***pour que, afin que, de peur que***...

Je l'ai fait venir pour que vous le félicitiez.
principale   subordonnée

452 Place de la subordonnée circonstancielle de but

Généralement, la circonstancielle de but se place en fin de phrase.

Il fait tout ce qu'il peut pour que tu réussisses.
              subordonnée

On peut parfois la placer en tête, pour la mettre en valeur.

Afin qu'il soit à l'aise, je l'installai près du maire.
subordonnée

453 Mode utilisé dans la subordonnée circonstancielle de but

Le verbe de la circonstancielle de but se met au ***subjonctif***.

Nous vous avertissons de sorte que vous ne soyez pas du tout surpris.

454 Conjonctions de subordination exprimant la concession

Les subordonnées circonstancielles d'opposition ou de concession sont introduites par des conjonctions telles que : ***alors que, tandis que, sans que, même si, quoique, bien que, quand bien même, tout*** (+ adj.) ***que, si*** (+ adj.) ***que***...

Si riche qu'il soit, il ne pourra l'acheter.
subordonnée   principale

455 Modes utilisés dans la subordonnée circonstancielle de concession

Le verbe de la circonstancielle d'opposition ou de concession se met au ***subjonctif*** dans la plupart des cas.

Elle a disparu sans que nous nous en apercevions.
                     subjonctif

Cependant, il se met à l'*indicatif* avec *même si, alors que, tout* (+ adj.) *que*.

> *Elle dribble <u>alors qu</u>'elle <u>doit</u> tirer.*
>   indicatif

> *Il ira <u>même si</u> cela le <u>rend</u> malade.*
>   indicatif

Il se met au *conditionnel* après *quand bien même*.

> *<u>Quand bien même</u> nous <u>gagnerions</u> ce match,*
>   conditionnel

> *cela ne nous empêcherait pas de perdre le championnat.*

REMARQUE Après *quoique* et *bien que*, lorsque la subordonnée comporte un attribut, le sujet et l'élément verbal de la subordonnée peuvent être omis.

> *<u>Quoique très à l'aise</u>, il dépense peu.*
>   subordonnée
> (= Quoiqu'il soit très à l'aise...)

456 Conjonctions de subordination exprimant la condition

Les subordonnées circonstancielles de condition sont introduites par des conjonctions telles que : *si, pourvu que, pour peu que, à supposer que, selon que, suivant que, à moins que, au cas où,* etc.

> *<u>Selon qu'il fera beau ou non</u>, <u>nous sortirons ou resterons ici</u>.*
>   subordonnée   principale

457 Modes utilisés dans la subordonnée de condition

On utilise l'*indicatif* après *si, selon que, suivant que,* etc.

> *Si vous <u>venez</u>, je serai heureuse.*
>   indicatif présent

> *Si vous <u>veniez</u>, je serais heureuse.*
>   indicatif imparfait

On utilise le *conditionnel* après *au cas où*.

> *Je laisse ouvert <u>au cas où</u> il <u>viendrait</u>.*
>   conditionnel

On emploie le *subjonctif* dans tous les autres cas.

> *Il deviendra riche <u>pourvu qu</u>'il ne <u>fasse</u> pas d'erreurs.*
>   subjonctif

> *<u>Pour peu que</u> vous le <u>laissiez</u> faire, il vous ruinera.*
>   subjonctif

458 **Concordance des temps avec les subordonnées de condition**

La subordonnée circonstancielle de condition introduite par *si* voit le temps de son verbe varier en fonction du temps du verbe de la principale.

● **Le verbe de la principale est à l'*indicatif* :** celui de la subordonnée est au même temps que celui de la principale.

> Si tu te <u>conduis</u> ainsi, tu <u>perds</u> toute chance de réussir.
> présent   présent

> Si tu <u>t'es conduit</u> ainsi, tu <u>as perdu</u> toute chance de réussir.
> passé composé   passé composé

En revanche, lorsque le verbe de la principale est au *futur*, le verbe de la subordonnée reste au *présent*.

> Si tu te <u>conduis</u> ainsi, tu <u>perdras</u> toute chance de réussir.
> présent   futur

● **Le verbe de la principale est au *conditionnel*.**

Lorsqu'il est au *conditionnel présent*, celui de la subordonnée se met à l'*imparfait de l'indicatif*.

> Si j'<u>avais</u> de l'argent, j'<u>achèterais</u> une voiture.
> imparfait indicatif   conditionnel présent

On ne dit jamais :

> ➲ *Si j'aurais de l'argent...*

Lorsqu'il est au *conditionnel passé*, celui de la subordonnée se met au *plus-que-parfait de l'indicatif*.

> Si j'<u>avais eu</u> de l'argent, j'<u>aurais acheté</u> une voiture.
> plus-que-parfait indicatif   conditionnel passé

On ne dit jamais :

> ➲ *Si j'aurais eu de l'argent...*

REMARQUE On peut marquer la condition sans utiliser de conjonction de subordination ; on met alors le verbe de la circonstancielle au conditionnel.

> Vous me l'<u>auriez dit</u> avant, je vous <u>aurais gardé</u> une place.
> conditionnel   conditionnel
> (= Si vous me l'aviez dit avant, je vous aurais gardé une place.)

459 **Conjonctions de subordination exprimant la comparaison**

Les subordonnées circonstancielles de comparaison sont introduites par *comme, de même que, aussi que, tel que* et par la conjonction *que* précédée par *plus* (+ adj.), *aussi* (+ adj.), *moins* (+ adj.), etc.

> Il a agi <u>comme je le lui avais dit</u>.
> principale   subordonnée

460 **Mode utilisé dans la subordonnée de comparaison**

Le verbe de la subordonnée de comparaison est normalement à l'*indicatif*.

Le temps est <u>moins</u> mauvais <u>qu'</u>on ne l'<u>avait annoncé</u> aux informations.
indicatif

Cependant, lorsque la subordonnée est présentée comme une simple hypothèse, le verbe se met souvent au conditionnel.

Elles ont <u>mieux</u> joué <u>que</u> je ne l'<u>aurais cru</u>.
conditionnel

461 **Subordonnées conjonctives et subordonnées relatives**

Les subordonnées conjonctives ne doivent pas être confondues avec les subordonnées relatives. Voici un schéma récapitulatif indiquant leurs rôles respectifs.

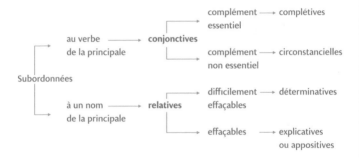

LES SUBORDONNÉES INTERROGATIVES INDIRECTES

462 **Définition de la subordonnée interrogative indirecte**

La proposition subordonnée interrogative indirecte est introduite par un mot interrogatif et dépend d'un verbe principal exprimant une interrogation implicite ou explicite (*demander*, *se demander*, *ignorer* ; mais aussi *dire*, *comprendre*, etc.).

Je lui ai demandé <u>ce qu'elle</u> en pensait.

Dis-moi à <u>quelle</u> heure tu seras là.

J'ai compris très vite <u>où</u> il voulait en venir.

Elle est presque toujours COD du verbe de la proposition principale.

463 **Mots interrogatifs dans l'interrogation indirecte**

À la différence de l'interrogation directe, l'interrogation indirecte est toujours introduite par un mot interrogatif. → **Phrase interrogative, 377 à 381**
Il peut s'agir :

- **d'un adverbe interrogatif :** *quand, où, comment, pourquoi, combien,* etc. ;

- **d'un pronom interrogatif :** *qui, lequel, ce que* ;

- **d'un adjectif interrogatif :** *quel, quelle, quels, quelles.*

Une interrogation indirecte qui est la transposition d'une interrogation directe totale est introduite par l'adverbe *si*.

> *As-tu fermé la porte à clé en partant ?*
>
> *Dis-moi <u>si</u> tu as fermé la porte à clé en partant.*

L'inversion du sujet comme l'utilisation d'*est-ce que* sont ici interdites.

LES PROPOSITIONS INFINITIVES ET PARTICIPIALES

Les subordonnées relatives, complétives et circonstancielles peuvent présenter, au lieu d'un verbe conjugué à un mode personnel, un verbe à l'infinitif ou au participe. L'infinitif ou le participe constitue alors le noyau d'une véritable proposition.

464 **Proposition infinitive à valeur de relative**

> *Il regardait par la fenêtre <u>les enfants</u> jouer <u>dans la cour</u>.*

On observe, dans cet exemple, deux noyaux verbaux :
– *regardait* : verbe de la principale dont le sujet est *il*, le complément d'objet *les enfants* et le complément circonstanciel *par la fenêtre* ;
– *jouer* : verbe de la subordonnée dont *dans la cour* constitue le complément circonstanciel et *les enfants* le sujet.
Les deux noyaux verbaux ont un élément en commun : *les enfants*, objet de *regardait* et sujet de *jouer*. Une telle phrase équivaut à :

> *Il regardait par la fenêtre les enfants qui jouaient dans la cour.*

Le pronom relatif *qui* remplace *enfants*.
On dira donc qu'on a affaire à une proposition infinitive de valeur relative ; l'absence du pronom relatif a pour conséquence qu'un même mot est à la

fois objet du verbe de la principale et sujet du verbe à l'infinitif. Cette construction n'est possible qu'avec des verbes tels que : *regarder, voir, entendre, apercevoir, écouter, sentir...*

465 ## Proposition infinitive à valeur de complétive

Lorsque le sujet du verbe de la subordonnée est le même que celui de la principale, on peut transformer le verbe de la complétive en un infinitif sans sujet exprimé.

> <u>Jacques</u> pense. <u>Jacques</u> viendra.　→　Jacques pense <u>venir</u>.
>
> ou : Jacques pense qu'il viendra.

mais :

> <u>Jacques</u> pense. <u>Pierre</u> viendra.　→　Jacques pense que Pierre viendra.

En règle générale, la transformation infinitive est obligatoire avec des verbes comme ***désirer*** qui sont suivis d'un verbe subordonné au subjonctif, lorsque les deux verbes désignent la même personne. Avec les autres verbes, elle est facultative.

> Je désire <u>venir</u>.　　●　Je désire que je vienne.

Selon le verbe, la transformation infinitive est parfois introduite par ***de***.

> J'attends <u>d'</u>être prêt.

466 ## Proposition infinitive à valeur circonstancielle

Lorsque le verbe de la proposition circonstancielle a le même sujet que celui de la proposition principale, la transformation infinitive est fréquente.

- **Circonstancielles de temps** *(avant de, après...)*
  > <u>Avant que je ne me décide</u>, je veux connaître votre opinion.
  > <u>Avant de me décider</u>, je veux connaître votre opinion.

- **Circonstancielles de cause** *(pour, faute de...)*
  > Il a eu une amende <u>parce qu'il avait brûlé le feu</u>.
  > Il a eu une amende <u>pour avoir brûlé le feu</u>.

- **Circonstancielles de but** *(pour, en vue de, de peur de...)*
  > Je suis venu <u>afin de vous dire bonjour</u>.

- **Circonstancielles d'opposition ou de concession** *(sans, au lieu de...)*
  > Il est parti <u>sans nous prévenir</u>.

467 Proposition participiale avec un participe présent

On distingue deux cas.

- **Les deux propositions ont deux sujets différents.**

  Des manifestants étant attendus, il faut craindre des débordements.
         sujet   sujet

  La proposition *des manifestants étant attendus* joue le rôle d'une subordonnée circonstancielle de cause ; elle possède son sujet propre : *des manifestants*.

- **La proposition principale et la proposition subordonnée ont le même sujet.**

  Des hommes, hurlant dans des porte-voix, s'avançaient vers nous.
        sujet

  On distingue deux noyaux verbaux :
  – *s'avançaient*, dont le sujet est *des hommes* et *vers nous* le complément circonstanciel ;
  – *hurlant*, qui a pour complément circonstanciel *dans des porte-voix* et pour sujet *des hommes*.
  Les deux propositions qui s'organisent chacune autour d'un noyau verbal ont en commun un même élément : *des hommes*, à la fois sujet de *s'avançaient* et sujet de *hurlant*.
  Cette construction équivaut à une subordonnée relative.

  Des hommes, qui hurlaient dans des porte-voix, s'avançaient vers nous.

  REMARQUE De nombreux participes présents peuvent fonctionner comme de simples adjectifs. Dans ce cas, ils s'accordent en genre et en nombre avec le nom qu'ils qualifient.

  J'ai assisté à une conférence passionnante.

  Passionnante est un adjectif verbal ; il n'est pas le noyau d'une proposition participiale.
  → Adjectif verbal, **351**

468 Proposition participiale avec un gérondif

Le participe présent précédé de la préposition *en* est appelé *gérondif*. Il équivaut à une proposition circonstancielle dont le sujet est le même que celui de la principale.

Tout en mangeant, il l'observait. (= Pendant qu'il mangeait, il l'observait.)
                  sujet

REMARQUE On ne dit pas :

⊖ *En sautant dans le train, son sac tomba par terre.*

Le sujet (sous-entendu) de la subordonnée (*elle* ou *lui*) n'est pas le même que celui de la principale (*son sac*).

469 Proposition participiale avec un participe passé

De même que le participe présent, le participe passé peut être le noyau d'une subordonnée équivalant soit à une relative, soit à une circonstancielle.

• **La subordonnée équivaut à une circonstancielle.**

Son frugal repas à peine terminé, il sortit.

(= Dès qu'il eut terminé son frugal repas, il sortit.)

La proposition organisée autour du participe passé *terminé*, avec un sujet distinct de celui de la principale, équivaut à une subordonnée circonstancielle de temps.

On peut aussi trouver des participiales subordonnées circonstancielles de cause avec ou sans sujet distinct.

Éjecté de la voiture, il s'en tira indemne.

(= Comme il avait été éjecté de la voiture, il s'en tira indemne.)

• **La subordonnée équivaut à une relative.**

La décision prise à cette époque ne fut jamais mise en cause.

Cette phrase équivaut à une proposition subordonnée relative déterminative.

La décision qui fut prise à cette époque ne fut jamais mise en cause.

Ponctuation

L'ESSENTIEL

La ponctuation est l'ensemble des signes qui représentent, dans un texte écrit, les silences et les variations de l'intonation. Elle aide à lire un texte à voix haute mais aussi à comprendre le sens d'une phrase.

Tiphaine dit : « Ma sœur est partie pour Marrakech. »
Tiphaine, dit ma sœur, est partie pour Marrakech.

470 L'intonation à l'oral

Lorsqu'on parle, la voix monte ou descend, à certains moments de notre discours ou à l'intérieur même des phrases. Nous observons des arrêts, des pauses. Les montées et les descentes de la voix, les pauses qui séparent les groupes de mots ou les phrases sont très importantes ; elles sont parfois même indispensables pour que notre auditeur puisse comprendre ce que l'on veut dire.

471 Ponctuation à l'écrit

Lorsqu'on écrit, il faut trouver des moyens de noter, pour celui qui nous lira, les variations de hauteur de la voix ou les pauses plus ou moins longues qui séparent certains éléments du texte ; ces moyens nous sont offerts par les signes de ponctuation. Ces signes sont au nombre de dix.

,	la virgule
;	le point-virgule
:	les deux-points
.	le point
?	le point d'interrogation
!	le point d'exclamation
« »	les guillemets
( )	les parenthèses
– –	les tirets
...	les points de suspension

472 **Définition de la virgule**

La virgule peut être utilisée pour séparer les termes d'une énumération ou pour détacher un élément de la phrase ; elle marque une pause sans que la voix baisse.

473 **Rôle de la virgule dans une énumération**

La virgule permet de séparer les termes d'une énumération.

> _Le père, la mère, l'enfant avaient disparu._

Quand les termes de l'énumération sont coordonnés, la virgule permet de ne pas répéter la conjonction de coordination. Cette dernière n'apparaît qu'avec le dernier mot coordonné.

> _Il mangea les bonbons, les gâteaux et les chocolats._

474 **Rôle de la virgule entre des propositions**

La virgule permet de séparer des propositions en indiquant que les événements qu'elles évoquent se produisent l'un après l'autre (en succession chronologique) ou au même moment.

> _Je le vois, je cours, il se retourne et me reconnaît._
>
> _J'arrivais, ils partaient._

Elle peut marquer que les deux propositions sont liées par une relation logique (cause, condition, etc.).

> _Je la gronde, elle se met à pleurer._ (Elle pleure parce que je la gronde.)
>
> _Tu me frappes, je le dis à mon père._ (Si tu me frappes, je le dis à mon père.)

475 **Virgule et apposition**

La virgule permet d'insérer une apposition qui donne une information supplémentaire sur le nom auquel elle se rapporte.

> _L'homme, fatigué par sa longue marche, s'assit enfin._
>   sujet   apposition   verbe

476 **Virgule et mise en relief**

Dans le cas d'une mise en relief par déplacement d'un élément de la phrase, la virgule permet la mise en évidence de cet élément.

> _Les femmes commencèrent à crier de l'autre côté de la rivière._
>
> _De l'autre côté de la rivière, les femmes commencèrent à crier._

C'est aussi le cas lorsqu'un pronom sujet est mis en relief.

> _Moi, je n'aurais jamais accepté une chose pareille._

477 **Définition du point-virgule**

Le point-virgule sépare deux propositions. Il indique que l'on marque une pause un peu plus importante qu'avec la virgule, sans pour autant que la voix baisse complètement entre les deux éléments séparés.

REMARQUE Le plus souvent, les deux propositions ont entre elles une relation logique.
Il travaillait énormément ; il voulait absolument réussir son examen.
(Il travaillait énormément car il voulait absolument réussir son examen.)

478 **Rôle des deux-points**

Les deux-points ont différentes utilisations. Ils permettent :

- **d'indiquer de quels éléments se compose un ensemble ;**

    Les villes les plus importantes de France sont : Paris, Marseille, Lyon, etc.

- **de citer ou de rapporter les paroles de quelqu'un ;**

    Elle se retourna et dit : « Est-ce vous qui m'avez appelée ? »

- **d'exprimer une explication.**

    On entendait de temps en temps des bruits étranges : c'était le vent qui soulevait les tuiles.

479 **Définition du point**

Le point indique la fin d'une phrase déclarative. Il marque une descente complète de la voix et une pause importante avant que la voix ne remonte pour une autre phrase.

    Pierre s'assit à la terrasse du café. Les gens passaient sur le boulevard sans se presser. Dans le ciel, les premières étoiles se mirent à briller.

480 **Rôle du point**

Le plus souvent, on utilise le point lorsqu'on exprime une idée nouvelle qui n'a pas de relation étroite avec celle exprimée dans la phrase précédente.

REMARQUE Lorsque, dans un texte, on veut vraiment indiquer que l'on change de thème, on met un point et on va à la ligne. On commence ainsi un nouveau paragraphe.

481 ## Emploi du point d'interrogation

Le point d'interrogation se place à la fin d'une phrase interrogative. On ne l'utilise qu'avec l'interrogation directe.

> *Lui as-tu dit de venir dîner ?* (interrogation directe)
>
> *Savez-vous votre leçon ?* (interrogation directe)
>
> *Est-ce que vous lui avez parlé ?* (interrogation directe)
>
> *Je me demande s'il est parti.* (interrogation indirecte)
>
> *La jeune fille ne savait pas si elle devait le croire.* (interrogation indirecte)

482 ## Emploi du point d'exclamation

Le point d'exclamation se place à la fin d'une phrase dans laquelle celui qui parle ou écrit exprime un ordre, un souhait, la surprise, l'exaspération, l'admiration, etc.

> *Venez ici immédiatement !*
>
> *Oh ! le joli petit chaton !*
>
> *Assez de mensonges et de flatteries !*
>
> *Ainsi, c'était donc vous !*

483 ## Emploi des guillemets

Les guillemets encadrent une phrase ou un groupe de mots qui n'appartiennent pas à celui qui écrit, mais qui sont empruntés à quelqu'un d'autre. Grâce aux guillemets, on cite les paroles ou les écrits d'un personnage. Le plus souvent, les éléments encadrés par des guillemets sont précédés de deux-points.

> *Il se tourna vers moi : « Avez-vous quelque chose à dire ? »*
>
> *Victor Hugo écrit à sa fille : « Nul ne saura ce que j'endure en voyant s'enliser ce en quoi j'ai toujours cru. »*

Lorsqu'on utilise un mot dans un sens qui n'est pas son sens habituel, lorsqu'on veut donner à un mot une nuance particulière, on le met entre guillemets. C'est également le cas lorsqu'on utilise un mot étranger, argotique ou « à la mode ».

REMARQUE Lorsqu'on cite une ou plusieurs phrases d'un auteur à l'aide de guillemets, on doit veiller à respecter très fidèlement ce que l'auteur a écrit.

Si l'on enlève une partie de la phrase citée, on l'indiquera à l'aide de points de suspension encadrés de *crochets* : [...]

Si l'on souligne un mot ou un groupe de mots, on le notera en bas de page par la formule : *souligné par nos soins.*

484 Emploi des parenthèses

Les parenthèses servent à isoler une information à l'intérieur d'une phrase. Le groupe de mots ou la phrase entre parenthèses n'a aucun lien syntaxique avec le reste de la phrase. Il s'agit souvent d'une réflexion que fait celui qui écrit à propos de tel ou tel passage de la phrase.

> *Il s'avança et dit (et d'ailleurs tout le monde s'en doutait) qu'il allait épouser la princesse.*

> *« Mais qu'est-ce que c'est que ça ? » (c'était son expression favorite), répétait-il sans arrêt.*

REMARQUE Les parenthèses ne doivent pas être utilisées trop souvent. Elles provoquent une rupture dans le rythme de la lecture qui la rend difficile. Le segment mis entre parenthèses ne doit pas être trop long.

485 Emploi des tirets

Encadrant une phrase ou un segment de phrase, les tirets jouent un rôle semblable à celui des parenthèses.

> *Il la regarde, hésite – cruel dilemme – et s'en retourne sans un mot.*

Il s'agit souvent d'un commentaire de celui qui écrit.

Dans un dialogue, le tiret sert à indiquer que l'on change d'interlocuteur.

> *– Viens-tu ?*

> *– Oui, j'arrive dans cinq minutes.*

> *– Mais qu'est-ce que tu as encore à faire ?*

486 Emploi des points de suspension

Ils peuvent avoir plusieurs valeurs. Ils interviennent dans une énumération que l'on ne veut pas allonger. Ils ont alors un sens analogue à *etc.*

> *Il y avait bien sûr toute la famille : le père, la mère, les frères, les sœurs...*

Ils interviennent aussi lorsque la personne qui parle (ou qui écrit) veut sous-entendre une suite, un commentaire, une conclusion, une référence, etc., compréhensible pour la personne qui l'écoute (ou la lit).

> *Ne t'en fais pas, il a très bien compris...*

> *Nous sommes allés en Bretagne : il a beaucoup plu...*

Usages et textes

*Les numéros renvoient
aux numéros des paragraphes.*

Énoncé et énonciation

L'*énonciation* désigne l'acte par lequel on s'adresse à quelqu'un, à l'oral ou à l'écrit. L'*énoncé* est le résultat de l'énonciation.

La *situation d'énonciation* est la situation concrète dans laquelle l'énoncé est produit. Elle est caractérisée par les éléments suivants :

- **les personnes qui se parlent (locuteurs et interlocuteurs) ;**
- **le lieu de l'énonciation ;**
- **le moment de l'énonciation.**

On distingue deux types d'énoncé :

- **l'énoncé ancré dans la situation d'énonciation** (E. Benveniste, qui a introduit cette distinction, parle de *discours*), dans lequel le locuteur fait référence à la situation d'énonciation et ne peut donc être compris de l'interlocuteur que si celui-ci est au courant de la situation d'énonciation ;
- **l'énoncé coupé de la situation d'énonciation** (ou *récit*, selon la terminologie de Benveniste), dans lequel le locuteur rapporte des faits qui peuvent être compris indépendamment de la situation d'énonciation.

Ces deux types d'énoncé se différencient par la répartition des temps des verbes, des pronoms, des indicateurs de lieu et de temps.

487 Situation d'énonciation

On appelle *énonciation* toute action qui consiste à produire un énoncé, c'est-à-dire un message oral ou écrit, dans une situation déterminée.

La *situation d'énonciation* correspond donc aux circonstances de lieu (lieu de l'énonciation) et de temps (temps de l'énonciation) dans lesquelles est produit un énoncé. Elle varie selon l'identité du locuteur (ou émetteur ou énonciateur) et de l'interlocuteur (ou récepteur ou destinataire).

488   Énoncé ancré dans la situation d'énonciation

> *Je te dis qu'il est venu au bureau ce matin et qu'il est reparti depuis deux heures déjà.*

L'énoncé ancré dans la situation d'énonciation contient des références à la situation d'énonciation, des traces de la prise en charge de l'énoncé par le locuteur ; on les appelle des *indices d'énonciation.* Ce sont :

- **des pronoms et déterminants** des première et deuxième personnes, qui désignent le locuteur et l'interlocuteur *(je te dis)* ;

- **l'emploi du présent** comme temps de base, ce présent correspondant à celui de l'énonciation ;

- **des indicateurs de temps** *(ce matin, depuis deux heures déjà)* **et de lieu** *(au bureau)* faisant référence au moment et au lieu où le locuteur prend la parole ;

- **des modalisateurs** révélant la subjectivité du locuteur *(je te dis* nous renseigne sur la certitude du locuteur).

489   Énoncé coupé de la situation d'énonciation

> *Fatigué, l'homme posa son sac à terre. La veille, il avait traversé toute la forêt.*

L'énoncé coupé de la situation d'énonciation se caractérise par l'emploi privilégié de la troisième personne : *l'homme posa* ; *il avait.*

Quand les faits rapportés dans l'énoncé constituent une histoire (→ Usage narratif, 504 à 509), on y relève ces autres marques spécifiques :

- **l'emploi du passé simple** pour rapporter les faits principaux *(posa)* ;

- **des indicateurs de temps** *(la veille)* **et de lieu** *(la forêt)* en relation avec le moment et le lieu internes à l'histoire.

490   Déictiques et anaphoriques

Les pronoms, déterminants et adverbes qui, dans un énoncé ancré dans la situation d'énonciation, font référence à la situation d'énonciation sont appelés *déictiques (qui montrent).*

Ceux qui, dans un énoncé coupé de la situation d'énonciation, se comprennent grâce au contexte linguistique sont désignés par le terme d'*anaphoriques (qui renvoient à un antécédent).*

Si l'on entend :

> *Je voudrais un tonic.*

on comprend qui est *je* ; le pronom désigne la personne qui est devant nous, en train de parler.

Avec l'énoncé :

> *Il m'a donné un coup de pied.*

on comprend ce que représente ce *il* s'il y a un geste à l'appui pour montrer celui qui a donné ce coup de pied.
Les pronoms *il* et *je* sont déictiques.

En revanche, si on entend ou si on lit :

> *Mon père est rentré fatigué, il a bu un tonic.*

on comprend ce que représente *il* en l'absence de toute situation, car ce pronom renvoie, dans le fil de la phrase, à l'antécédent **mon père**.

Le pronom *il* est le plus souvent **anaphorique** alors que *je* est toujours **déictique** (sauf dans *Je, soussigné Untel...*).

Les adverbes de lieu *ici* et *là* font partie des déictiques. On ne peut les trouver que dans un énoncé ancré dans la situation d'énonciation. Les indicateurs de lieu varient de fait selon le type de l'énoncé.

ÉNONCÉ ANCRÉ DANS LA SITUATION D'ÉNONCIATION	ÉNONCÉ COUPÉ DE LA SITUATION D'ÉNONCIATION
Je suis ici !	Il est à Paris.
Mes lunettes ne sont plus là.	Ses lunettes étaient sur lui.
Regarde par là.	Il regarda par la fenêtre.
etc.	etc.

491 Répartition des indicateurs temporels

Selon que l'énoncé est ancré dans la situation d'énonciation ou coupé de celle-ci, on n'utilise pas les mêmes indicateurs de temps.

En présence de quelqu'un, on ne peut pas dire :

> ➥ *Je suis arrivé la veille et je repartirai le lendemain.*

On est obligé de dire :

> *Je suis arrivé hier et je repartirai demain.*

À l'inverse, dans un récit, la phrase :

➡ *Le prince était arrivé hier et devait repartir demain.*

est interdite ; on est tenu de dire ou d'écrire :

Le prince était arrivé la veille et devait repartir le lendemain.

Il est très utile de bien repérer et de bien utiliser cette double série d'indicateurs temporels suivant le type d'énoncé produit.

ÉNONCÉ ANCRÉ DANS LA SITUATION D'ÉNONCIATION	ÉNONCÉ COUPÉ DE LA SITUATION D'ÉNONCIATION
aujourd'hui	ce jour-là
hier	la veille
demain	le lendemain
en ce moment	à ce moment-là
dans un an	un an plus tard
etc.	etc.

492 La modalisation

Le locuteur révèle souvent dans son énoncé son point de vue, c'est-à-dire ses opinions, ses sentiments. L'énoncé contient alors des traces de cette subjectivité : c'est ce qu'on appelle la *modalisation* du discours.

Une modalisation permet de traduire, selon le cas :

● **une certitude ou un doute,** selon que le locuteur est convaincu ou non de ce qu'il énonce ;

Je suis sûr que ta voiture va tomber en panne.

Je serai sans doute en retard.

● **une évaluation,** c'est-à-dire un jugement positif ou négatif.

Tu aurais pu t'habiller correctement.

Si les marques du locuteur sont plus particulièrement présentes dans l'usage dialogique (→ Usage dialogique, 495 à 503) et l'usage argumentatif (→ Usage argumentatif, 516-517), elles ne manquent pas non plus dans les autres usages : seuls les énoncés informatifs, scientifiques et techniques échappent en principe à la modalisation.

Différents types d'usage

493 Discours

Le terme *discours* est actuellement employé dans le sens de production langagière en général. Selon l'intention du locuteur, on parle de *discours narratif*, de *discours descriptif*, de *discours explicatif*, de *discours argumentatif*. Le sens originel du terme *discours* (qu'on retrouve dans l'expression *discours rapporté*) disparaît avec ces nouveaux emplois.

494 Types d'usage

Afin d'éviter toute confusion, nous parlerons ici d'usage. Selon l'objectif du locuteur – engager un échange, raconter, informer, agir sur son interlocuteur –, on peut effectivement distinguer différents usages, qui se réalisent à l'écrit dans différents types de texte :

• **l'usage dialogique** : le locuteur échange des paroles avec un ou plusieurs interlocuteurs ;

• **l'usage narratif** : le locuteur rapporte des faits qui forment une histoire ; pour ancrer son récit dans la réalité, il ajoute des descriptions ;

• **l'usage informatif** : le locuteur donne des informations accompagnées d'explications ;

• **l'usage argumentatif** : le locuteur soutient un point de vue et cherche à convaincre son interlocuteur ;

• **l'usage pragmatique** : le locuteur cherche à faire agir l'interlocuteur en lui donnant des consignes.

• On peut ajouter à cette liste **l'usage poétique**, cet usage très particulier de la langue où la forme linguistique est à ce point essentielle que le message, pour être retransmis, doit être redit à l'identique.

Usage dialogique

L'ESSENTIEL

L'usage dialogique est avant tout oral. Contrairement à ce qui se produit avec l'usage pragmatique (→ 518 à 520), celui qui parle ne cherche pas à modifier le comportement de l'autre mais à engager un échange avec lui.

L'énonciation est directe, c'est-à-dire que celui qui parle, l'énonciateur, et celui qui écoute, le destinataire, sont en présence et partagent la même situation. Le dialogue résultant est un énoncé *ancré* dans la situation d'énonciation, qui se caractérise par l'emploi du présent de l'indicatif et de marques indiquant celui qui parle, à quel endroit et à quel moment.
→ **Énoncé ancré dans la situation d'énonciation, 488**

La forme écrite, littéraire, de l'usage dialogique est le théâtre, mais aussi le discours (dialogue) *rapporté* dans le récit. → 511 à 513

ANCRAGE ÉNONCIATIF

495 **Exemple caractéristique**

> JULIETTE – *Nous sommes bien ici. Personne ne vient nous déranger ce soir.*
> GUSTAVE – *Oui nous sommes bien.*
> JULIETTE – *Depuis trois jours vous êtes triste. La nostalgie de l'Espagne peut-être ?*
> GUSTAVE – *Oh ! non.*
> JULIETTE – *Je regrette maintenant d'avoir refusé de travailler mon espagnol au collège. Nous aurions pu parler. Cela aurait été amusant.*
> GUSTAVE – *Je le parle moi-même très peu.*
> Jean Anouilh, *Le Bal des voleurs*, deuxième tableau, Éditions de la Table ronde, 1958.

On remarque dans cet extrait d'une scène de théâtre l'emploi du *présent*, des pronoms *je* et *vous*, du marqueur de lieu *ici* et du marqueur temporel *depuis trois jours*.

496 Situation d'énonciation

Le dialogue est fondé sur le face à face de l'énonciateur (Juliette, dans l'exemple ci-dessus) et du destinataire (Gustave), ou plutôt sur l'alternance des énonciateurs (Juliette parle puis c'est Gustave, et ainsi de suite) et sur l'ancrage du propos dans la réalité temporelle et spatiale de la situation d'énonciation. Ces trois données sont souvent résumées sous la forme *je, ici, maintenant.*

497 Je : la référence à l'énonciateur

Celui qui parle, l'énonciateur (ou locuteur), est *je* ou **nous** (voir l'exemple ci-dessus) ; celui à qui l'on parle, le destinataire (ou interlocuteur), est *tu* ou **vous** suivant le degré de familiarité. Le *je* devient *tu* et vice versa lorsque, au fil des échanges, l'interlocuteur répond.

498 Ici : la référence au lieu de l'énonciation

« Nous sommes bien ici », dit Juliette au début du dialogue reproduit ci-dessus (→ **495**). En entendant le mot *ici*, le spectateur comprend qu'il s'agit du lieu où se trouvent les personnages, sans que Juliette ait besoin de le préciser.

499 Maintenant : la référence au moment de l'énonciation

Quand Juliette dit « Depuis trois jours vous êtes triste », l'indication de temps *depuis trois jours* ne prend de sens que par rapport au moment où Juliette parle.

De même, si l'on entend *aujourd'hui*, on comprend qu'il s'agit du jour où nous sommes, le 2 décembre par exemple. Si le même mot aujourd'hui est prononcé un autre jour, il ne désignera plus le 2 décembre mais, par exemple, le 20 janvier. *Maintenant, aujourd'hui, demain, hier*, etc. sont des repères temporels propres aux énoncés ancrés dans la situation d'énonciation et qu'on peut donc trouver dans un dialogue. Il en va tout autrement d'autres repères temporels, tels que *ce jour-là, la veille* ou *le lendemain,* qui prennent sens non pas par rapport au moment où le locuteur ouvre la bouche, mais par rapport aux références du récit qui se déroule.

→ **Répartition des indicateurs temporels, 491**

TEMPS DU DIALOGUE

500 Temps de base du dialogue

Dans le dialogue, tous les « temps » de la conjugaison peuvent se rencontrer, mais c'est principalement autour du couple *présent/passé composé* que s'organise ce type d'énoncé.

Le locuteur énonce au présent des actions contemporaines du moment où il parle (« Nous sommes bien ici ») et au passé composé des actions désormais accomplies. On parle parfois de *système du présent* pour désigner cette association de temps.

501 Emploi du mot temps

L'emploi du mot *temps* est générateur d'ambiguïté. Il mène à la confusion entre le temps qui « passe » (présent, passé, futur) et les seize formes verbales que propose la conjugaison (présent, passé simple, passé composé, passé antérieur, plus-que-parfait, etc.). Il ne faut pas confondre ces formes avec les valeurs sémantiques qu'elles représentent : valeurs temporelles (→ Temps, 126 à 133) et valeurs aspectuelles (→ Aspect, 123 à 125). Nous distinguerons trois valeurs temporelles (présent, passé, futur) et deux valeurs aspectuelles (accompli, non accompli).

Dans le dialogue, le couple *passé composé/présent* s'oppose davantage en fonction de ses valeurs aspectuelles que de ses valeurs temporelles ; c'est-à-dire davantage comme *accompli/non accompli* que comme *passé/présent*.

502 Les différentes valeurs du passé composé

Au bureau de vote, on entend :

> Monsieur Martin <u>a voté</u>.

Ce passé composé signifie qu'à l'instant même où le bulletin tombe dans l'urne, les jeux sont faits, on ne peut plus le reprendre. Il exprime une action contemporaine du moment de l'énonciation (valeur temporelle de présent), mais accomplie (valeur aspectuelle).

> Le mécanicien <u>a réparé</u> ta voiture.

Dans l'exemple ci-dessus, on a l'association logiquement attendue d'un passé (valeur temporelle) et d'un accompli (valeur aspectuelle).

Ne t'inquiète pas, dans deux jours je l'ai lu.

C'est la réponse à l'inquiétude de celui qui, ayant prêté un livre, insiste : ***Tu me le rends, tu me le rends…*** Elle présente l'association d'un accompli et d'un futur (indiqué par ***dans deux jours***). On pourrait dire aussi : ***dans deux jours je l'aurai lu***, mais la formulation précédente est aussi fréquente et surtout elle a plus d'impact.

503 Les différentes valeurs du présent

La forme verbale appelée présent n'a pas toujours une valeur temporelle de présent. Elle a une valeur de ***futur*** dans :

> *Ce soir, je vais au cinéma.*

C'est le cas même si le fait envisagé est moins proche :

> *Dans dix ans, je prends ma retraite.*

Elle a une valeur de ***passé*** dans :

> *Hier il rentre chez lui, il se casse la jambe.*

Dans la phrase :

> *Mon voisin travaille à la mairie.*

prononcée alors que l'intéressé est en vacances, la forme présent ne montre ni passé, ni présent, ni futur. Elle prend ici une ***valeur générale***, comme dans :

> *La Terre tourne.*

Ces exemples du langage courant attestent le comportement caméléon de cette forme verbale appelée présent. Elle s'adapte à tout contexte. Sa valeur temporelle lui est donnée par des mots et expressions de son contexte, tels que ***ce soir***, ***hier***, etc.

Employé en couple avec le passé composé, le présent représente la valeur aspectuelle ***non accompli***.

Le téléphone sonne pendant le dîner. À la question du correspondant :

> *Je ne vous dérange pas ?*

on peut répondre, suivant le cas :

> *Si, je mange.* (non accompli, je suis en train de…)
>
> ou, *Non, j'ai mangé.* (accompli, c'est fait)

Afin d'éviter toute confusion, il faut donc utiliser la distinction : ***temps du verbe/temps de la phrase***.

Usage narratif

L'ESSENTIEL

L'usage narratif débouche sur la production de récits. Un récit raconte des actions ou des événements vécus par des personnes réelles ou fictives. Qu'il soit oral ou écrit, court (nouvelle) ou long (roman), d'une grande qualité littéraire ou non, le récit présente des constantes.

Autant les usages pragmatique ou dialogique sont des pratiques spontanées, autant, avec l'usage narratif, on a affaire à une activité culturelle, l'art de raconter et de *faire exister l'absent*, qui connaît ses propres lois.

On peut comprendre l'histoire racontée sans avoir connaissance de la situation dans laquelle elle a été produite. L'énoncé se suffit à lui-même. L'histoire est rapportée au *passé* mais de telle façon que les événements ne sont pas situés par rapport au moment de l'énonciation. Ils s'organisent entre eux par rapport à d'autres faits du passé.
On dit de cet usage qu'il est *coupé de la situation d'énonciation*.

COUPURE ÉNONCIATIVE

504 **Qui ? Où ? Quand ?**

Dans un récit, puisqu'on se trouve coupé de la situation d'énonciation, il n'y a plus d'indices de l'énonciateur, ni du destinataire, ni du lieu, ni du temps de l'énonciation.

> *Il était une fois, dans un grand château, une petite fille qui...*

Le triple point d'ancrage *je, ici, maintenant* du dialogue laisse la place à la triple question : qui ? *(une petite fille)* ; où ? *(dans un grand château)* ; quand ? *(il était une fois)*, dont les réponses sont fournies dans l'énoncé, sans référence à la situation d'énonciation.

505 **Le narrateur et les personnages**

Dans un récit, il faut distinguer : *le narrateur*, qui raconte l'histoire à la troisième personne ; il peut rester caché mais aussi donner son opinion sur l'action (alors, il dit *je*) ; *les personnages*, qui sont mis en scène par le narrateur.

À l'échange *je/tu* du dialogue se substitue la troisième personne, *il, elle, ils*, etc., ces pronoms représentent les personnages nommés. Certaines grammaires appellent cette « troisième personne » la **non-personne**, car ces pronoms *(il, elle, ils...)* représentent des personnages qui ne sont pas parties prenantes de l'échange. Contrairement au *je* dont le référent est tout de suite repérable (c'est celui qui parle), le *il*, ou le *elle*, ont besoin d'un antécédent (mot antérieur dans le texte). Ils ont un fonctionnement anaphorique. → **Déictiques et anaphoriques, 490**

TEMPS DU RÉCIT

506 Imparfait et passé simple

Dans un récit, on trouve des formes verbales très diverses, mais les plus fréquentes sont *l'imparfait* et *le passé simple*. Utilisées en contraste, elles forment, avec le plus-que-parfait et le passé antérieur (→ **507**), ce que certaines grammaires nomment le **système du passé**.

• **À l'imparfait** sont évoqués le décor et les actions de second plan.

• **Au passé simple** sont rapportées les actions de premier plan, celles des personnages dont les actes se succèdent.

> Il ***pleuvait***, le type marchait sur le trottoir, il s'*arrêta* devant le 21, *poussa* la porte, *monta* l'escalier jusqu'au quatrième, *entra* dans l'appartement, *sortit* son revolver et *abattit* froidement l'homme barbu. Alors, il *descendit* tranquillement et se *retrouva* dans la rue, il ***pleuvait*** toujours.

Les deux imparfaits encadrent la suite d'actions : décor statique avec l'imparfait, acteurs dynamiques avec le passé simple.

Voici, à partir d'un texte de Valery Larbaud, un autre exemple d'emploi de ce système verbal.

> Le carré au persil fut un grand pays de verdures légères que de longues brises caressaient. Ailleurs, au milieu d'un vaste désert, on découvrit une demi-douzaine de rois obèses, au corps jaune et tout rond, posés à même le sable. De grands parasols verts abritaient à peine leur énorme rotondité, et comme ils ne pouvaient pas se mouvoir, leurs peuples les nourrissaient au moyen d'un ingénieux réseau de gros câbles verts, tout velus, et frais au toucher.

Dans le cinquième continent que l'on découvrit, un des plus éloignés de l'île, et dont le rivage paraissait inhabité, on rencontra, à cinq jours de marche dans l'intérieur, une immense ville faite de palais de verre tous semblables, en forme de dômes, et bien alignés.

Cette ville était si belle que les explorateurs poussèrent un cri et se sentirent récompensés de tous leurs travaux. Mais l'éclat du soleil sur les dômes de verre était si douloureux pour leurs yeux que, dans la crainte de devenir aveugles, ils repartirent sans être entrés dans la ville, et regagnèrent leur vaisseaux.

Après qu'ils eurent doublé un cap, ils débarquèrent dans une région couverte d'une haute végétation bleuâtre, si légère que son enchevêtrement semblait être l'ouvrage d'un peuple d'araignées. C'était le royaume des asperges, alors à l'apogée de sa grandeur, et une fête continuelle s'y célébrait. Tout le fouillis des branches et des lianes était orné d'une multitude de petites lanternes rouges, vertes et blanches. Les blanches étaient des gouttes de pluie qui avaient été faites prisonnières et les explorateurs, en soufflant dessus, en délivrèrent un grand nombre. [...]

Un jour Marcel découvrit la mer intérieure, le bassin. Il la voulut pour lui tout seul et cela faillit causer une guerre générale. Après bien des pourparlers, il fut convenu que le port principal (l'escalier qui descend dans l'eau) lui appartiendrait.

Valery Larbaud, *Enfantines*, Gallimard, 1918.

SUJETS DES VERBES À L'IMPARFAIT	SUJETS DES VERBES AU PASSÉ SIMPLE
de longues brises (caressaient)	le carré au persil (fut)
de grands parasols verts (abritaient)	on (découvrit)
ils (= les parasols) (ne pouvaient)	on (rencontra)
leurs peuples [...] (nourrissaient)	les explorateurs (poussèrent)
le rivage (paraissait)	les explorateurs (se sentirent)
cette ville (était)	ils (= les explorateurs) (repartirent)
l'éclat du soleil [...] (était)	ils (= les explorateurs) (regagnèrent)
son enchevêtrement (semblait)	ils (= les explorateurs) (débarquèrent)
c' (= le royaume) (était)	les explorateurs (délivrèrent)
une fête continuelle (s'y célébrait)	Marcel (découvrit)
tout le fouillis [...] (était)	il (= Marcel) (voulut)
les blanches [...] (étaient)	cela (faillit)
	il (fut convenu)

Les imparfaits et les passés simples sont en nombre à peu près identique. Les sujets des *imparfaits* représentent des éléments de décor alors que les sujets des *passés simples* représentent les acteurs.
L'opposition entre les deux temps peut se résumer ainsi.

IMPARFAIT	PASSÉ SIMPLE
sujet statique	sujet dynamique
inanimé	animé
non humain	humain
décor	acteur
arrière-plan	premier plan
états	événements
en cours	successifs
non chronologisables	chronologisables

507 Formes verbales composées

Dans l'extrait de Valery Larbaud, les formes composées doivent être classées avec les formes simples qui leur correspondent :
– *eurent doublé* (passé antérieur) avec les passés simples ;
– *avaient été faites* (plus-que-parfait) avec les imparfaits.
Ce classement correspond bien à l'opposition acteurs/décors.

Les phrases :

> Après qu'ils <u>eurent doublé</u> un cap, il débarquèrent [...]
>
> Les blanches étaient des gouttes de pluie qui <u>avaient été faites</u> prisonnières [...]

présentent les corrélations suivantes pour les deux couples.

FORME SIMPLE	FORME COMPOSÉE
dans la proposition principale	dans la proposition subordonnée
action contemporaine du moment de référence	action antérieure à celle de la forme simple

Il existe une correspondance entre les trois oppositions :

- **forme simple/forme composée ;**

- **principale/subordonnée ;**

- **antériorité de l'action/postériorité de l'action.**

CARACTÉRISTIQUES DU RÉCIT

508 Schéma narratif

Pour capter l'attention du lecteur, un récit comprend plusieurs étapes qui s'enchaînent logiquement.

● **La situation initiale :** elle est destinée à présenter le cadre spatio-temporel et les personnages.

● **L'élément perturbateur :** c'est un événement ou une action qui perturbe l'équilibre de la situation initiale et permet à l'action de commencer.

● **Les péripéties :** ce sont les actions qui ont un retentissement sur la vie des personnages.

● **La résolution :** c'est un événement qui permet à l'action de retrouver un équilibre.

● **La situation finale ou dénouement :** elle constitue un retour au calme et souligne la réussite ou l'échec du personnage.

Voici une séquence prononcée par un enfant.

> *Il y avait un chien et puis aussi un grand jardin et un bonhomme dans le jardin.*

Il ne s'agit pas d'un récit, plutôt d'une énumération. Il ne se passe rien. En revanche, la phrase :

> *L'enfant a pleuré, son père l'a pris dans ses bras.*

présente les caractères d'un récit, même s'il est caricaturalement court. Il y a modification, enchaînement causal et enchaînement chronologique.

Qui dit récit dit dénouement ou chute, c'est-à-dire un propos qui boucle l'histoire et nous oblige à nous remémorer le point de départ et le chemin parcouru. La chute est d'autant plus ramassée que l'histoire est courte.

Voici une courte histoire.

> *Vous connaissez l'histoire de Paf le chien ? Eh bien c'est un chien qui traverse une rue, la nuit, une voiture arrive et paf le chien.*

Elle présente les caractères d'un récit. Le dénouement est d'autant plus précis et ramassé que l'histoire est courte.

Mais *Le Temps retrouvé*, dernier des seize volumes d'*À la recherche du temps perdu* de Marcel Proust, peut être considéré comme le dénouement de cette très longue histoire.

509 Vitesse et ordre du récit

Raconter une histoire, c'est faire des choix. On ne peut pas tout dire. Au cinéma, la caméra ne montre pas tout de l'espace ni du temps qui passe, on utilise des procédés de montage.

Dans un récit, on distingue le *temps de l'histoire* et *celui de la narration*.

Le narrateur peut accélérer ou ralentir le temps de l'histoire. Certains événements peuvent être passés sous silence *(ellipse)*.

Ainsi, ce passage de Flaubert accélère les événements.

> *Il voyagea.*
>
> *Il connut la mélancolie des paquebots,* [...]
>
> *Il revint.*
>
> *Il fréquenta le monde,* [...] *des années passèrent,* [...]
>
> *Vers la fin de 1867, à la nuit tombante, comme il était seul dans son cabinet, une femme entra...*

> Gustave Flaubert, *L'Éducation sentimentale*, 1869.

D'autres événements, au contraire, peuvent être longuement décrits, le temps de la narration excédant alors le temps réel de l'action. C'est le cas dans cette description au ralenti d'une chute de cavalier.

> [...] *il plaça tous ses pieds en un seul bouquet, plia le dos, puis soudain l'arqua et m'expédia droit dans les airs à quelque trois ou quatre pieds ! Je retombai droit en selle, fut immédiatement renvoyé en l'air, retombai presque sur le pommeau proéminent, m'élevai à nouveau, retombai sur le cou du cheval, le tout en l'espace de trois ou quatre secondes. Puis il se redressa et se tint presque tout droit sur ses pattes arrières et moi, étreignant désespérément son maigre cou, je glissai en selle et tint bon.*

> Marck Twain, *Mes Folles Années*, 1872.

Par ailleurs, le narrateur peut suivre l'ordre chronologique des événements mais il choisit quelquefois d'annoncer une action future *(anticipation)* ou de faire des retours en arrière *(flash-back)*.

> *J'avais oublié de vous dire que le Petit Poucet avait emporté dans sa poche des petits cailloux.*

Dialogue
et récit entremêlés

L'ESSENTIEL

Les deux usages narratif et dialogique peuvent s'entremêler.

Un dialogue peut s'interrompre pour laisser un personnage dérouler un récit. On peut parler dans ce cas de *récit rapporté dans le discours*.

Plus fréquemment encore, le récit peut amener des personnages à prendre la parole. Ce *discours rapporté dans le récit* se présente sous trois types :

- **discours direct ou style direct ;**

    L'homme posa son sac et déclara : « Je boirai bien une bière. »

- **discours indirect ou style indirect ;**

    L'homme posa son sac et déclara qu'il boirait bien une bière.

- **discours indirect libre ou style indirect libre.**

    L'homme posa son sac. Il boirait bien une bière.

RÉCIT RAPPORTÉ DANS LE DISCOURS

510 Exemple caractéristique

Dans *Phèdre*, au cours d'un dialogue entre Thésée et Théramène, ce dernier apprend à Thésée la mort de son fils. Le dialogue, alors, laisse la place à un long récit racontant les circonstances dramatiques de la mort du jeune homme.

> THÉRAMÈNE
> *J'ai vu des mortels périr le plus aimable,*
> *Et j'ose dire encor, Seigneur, le moins coupable.*
> THÉSÉE
> *Mon fils n'est plus ? Hé quoi ! quand je lui tends les bras,*
> *Les Dieux impatients ont hâté son trépas ?*
> *Quel coup me l'a ravi ? Quelle foudre soudaine ?*

THÉRAMÈNE (récit)
À peine nous sortions des portes de Trézène,
Il était sur son char. Ses gardes affligés
Imitaient son silence, autour de lui rangés.
Il suivait tout pensif [...]

Racine, Phèdre, acte V, scène VI, 1677.

Dans un texte plus contemporain, voilà un dialogue engagé entre trois amis, où l'un des personnages se met à raconter.

— *Alors cette histoire de vache, tu ne nous a jamais dit...*
— *Depuis le temps que tu nous en parles.*
— *Ca fait des années cette histoire...*
— *Tu l'as bien connu Anatole...*
— *Asseyez-vous là tous les deux. C'est vrai, je l'ai bien connu. Anatole était pauvre, il effectuait de menus travaux dans les fermes, coupait le bois chez le curé et vivait de pas grand-chose dans une petite cabane à la sortie du village avec sa femme Adélina. Le ménage s'était installé là au printemps. L'été venu, ceux du château lui donnèrent une vache. Ils n'étaient pourtant pas connus pour leur générosité, enfin, une fois n'est pas coutume.*

On remarquera l'emploi du présent, des première et deuxième personnes dans la partie dialogue, l'apparition de l'imparfait et du passé simple à la troisième personne dans la partie récit.

DISCOURS RAPPORTÉ DANS LE RÉCIT

511 Discours direct ou style direct

Les paroles du personnage qui parle sont rapportées telles qu'il les a prononcées. Elles sont annoncées par un verbe qui introduit ces paroles.

Il <u>déclara</u> en souriant : « Comme c'est étrange ! »

Ce verbe peut se trouver dans une proposition incise avec inversion du sujet.

L'accusé s'était rassit. « Décidément, <u>s'écria le juge</u>, je ne comprends pas votre système de défense. »

Les verbes utilisés sont nombreux, ce sont des équivalents de *dire*.

> *déclarer, affirmer, s'écrier, susurrer, demander, répondre, répéter...*

Ils peuvent apporter des nuances concernant le ton, la véhémence, la douceur, etc. des paroles proférées.

> *tonna-t-il, siffla-t-il, s'emporta-t-il, éructa-t-il, hurla-t-il, murmura-t-il...*

Les paroles rapportées sont encadrées de guillemets. Les guillemets du début sont précédés d'un deux-points.

> *Le patron du bar dit : « Vous prendrez bien quelque chose. »*

S'il s'agit d'un dialogue, le changement d'interlocuteur se marque par un tiret et un passage à la ligne.

> *L'autre lui répondit :*
> *« – Avec plaisir.*
> *– Eh bien, dites-moi ce que vous souhaitez.*
> *– Un chocolat.*
> *– Vous le voulez chaud ou froid ? »*

Le style direct donne une allure plus vivante au récit. Le narrateur peut jouer sur les niveaux de langue de ses personnages. On peut rencontrer des expressions familières, des élisions, des tournures argotiques.

> *Le type se retourna et lui cria : « J'en ai ras l'bol de tes manières. »*

La présence de verbes introducteurs tels que ***prétendre*** permet à l'auteur de prendre du recul par rapport à son personnage et de donner son avis sur ses propos.

> *« Je n'y suis pour rien » prétendit le jeune homme.*

Cette phrase laisse entendre que le personnage ne dit peut-être pas la vérité.

Les temps employés sont ceux d'un énoncé ancré dans la situation d'énonciation (présent, passé composé, futur...), les pronoms personnels sont *je*, *tu*, *vous*, les repères spatio-temporels sont *ici* et ***maintenant***.

512 Discours indirect ou style indirect

Les paroles prononcées sont présentées dans une proposition subordonnée complétive introduite par la conjonction *que*. Cette proposition dépend d'un verbe introducteur.

> *Le voyageur posa sa valise et déclara <u>qu'il avait fait un bon voyage</u>.*

Elles peuvent aussi se trouver dans une subordonnée interrogative indirecte introduite par un mot interrogatif : *qui, si, où, quand, comment...*

> *Après avoir repris sa valise, le voyageur demanda <u>où se trouvait le buffet de la gare.</u>*

Les paroles rapportées sont ainsi prises dans le fil du récit. Elles semblent en faire partie car, contrairement au style direct, on ne change pas de système d'énonciation. Aux verbes synonymes de **dire** s'ajoutent des verbes d'opinion : *croire, penser, reconnaître...*

Le style indirect n'utilise pas de signes de ponctuation particuliers : pas de guillemets, pas de tirets. On n'y rencontre pas de phrases exclamatives, interrogatives ou impératives. Ces types de phrase sont remplacés par des verbes introducteurs qui leur correspondent : *il s'étonna que..., il demanda si...*

> *Le policier s'écria : « Attendez votre tour. »*   style direct
>
> *Le policier exigea que chacun attende son tour.*   style indirect

On notera en outre les changements :

- **de temps du verbe :** impératif → subjonctif présent ;

- **de personne :**
  – pour le verbe : 2e personne du pluriel → 3e personne du singulier ;
  – pour le déterminant possessif : votre → son.

À travers ces changements, l'adresse impérieuse donnée par le style direct est gommée dans le style indirect. Avec le style indirect, le récit ne présente pas de rupture. Il conserve son unité de ton. Mais les paroles des personnages qui semblent passer par la bouche de l'auteur comportent moins de marques d'oralité (niveaux de langue, hésitations). Ce procédé enlève de la vivacité au récit.

513 Discours indirect libre ou style indirect libre

Comme pour le style indirect, le style indirect libre intègre la parole au récit, car on ne change pas de système d'énonciation.
Le style indirect libre n'utilise donc pas les signes de ponctuation du discours direct, guillemets et tirets, cependant il est caractérisé par une ponctuation souvent expressive : point d'exclamation, points de suspension, point d'interrogation... Cela vient du fait qu'il abandonne le verbe introducteur et maintient les phrases de type exclamatif et interrogatif. L'auteur nous rend donc témoin des paroles et plus encore du monologue intérieur des personnages.

Arrivé au carrefour, il descendit de son vélo. <u>Prendrait-il à gauche ?</u>
<u>Prendrait-il à droite ?</u> À gauche cela le mènerait à la ferme de
Maheux.

Comme dans le style direct, le style indirect libre permet de prendre en compte les niveaux de langue (familier, courant, soutenu), les hésitations, les répétitions, les phrases inachevées. Mais, comme dans le style indirect, il ne coupe pas le fil du récit.

Le passage suivant est au discours indirect libre. L'auteur nous fait part des pensées du personnage en utilisant le temps du récit, le passé simple.

Puis il descendit aux chaudières, marcha lentement, devant les
foyers éteints, béants et inondés, tapa du pied sur les générateurs
qui sonnèrent le vide. Allons ! c'était bien fini, sa ruine s'achevait.
Même s'il raccommodait les câbles, s'il rallumait les feux, où
trouverait-il des hommes ? Encore quinze jours de grève, il était
en faillite. Et dans cette certitude de son désastre, il n'avait plus
de haine contre les brigands de Montsou, il sentait la complicité
de tous, une faute générale, séculaire.

Émile Zola, Germinal, 1885.

Si l'on transpose ce texte au discours direct, on est amené à modifier le temps des verbes et les marques de personnes.

Puis il descendit aux chaudières, marcha lentement, devant les
foyers éteints, béants et inondés, tapa du pied sur les générateurs
qui sonnèrent le vide. Allons, <u>pensa-t-il</u>, c'est bien fini, <u>ma</u> ruine
<u>s'achève</u>. Même si <u>je raccommode</u> les câbles, si <u>je rallume</u> les feux,
où <u>trouverai-je</u> des hommes ? Encore quinze jours de grève, <u>je suis</u>
en faillite. Et dans cette certitude de <u>mon</u> désastre, <u>je n'ai</u> plus de
haine contre les brigands de Montsou, <u>je sens</u> la complicité de tous,
une faute générale, séculaire.

Un verbe introducteur apparaît : ***pensa-t-il*** ; le passé simple poursuit celui utilisé dans le texte.
Les verbes à l'imparfait passent au présent : ***c'était fini*** → ***c'est fini***, etc.
Les indicateurs de personne qui renvoient au personnage passent de la troisième à la première personne.
Pronoms personnels : ***s'il raccommodait*** → ***si je raccommode***, etc.
Déterminants possessifs : ***sa ruine*** → ***ma ruine***, etc.
L'apparition du verbe introducteur provoque une rupture entre le récit et les paroles du personnage. Le fil du récit est coupé, la parole est plus brutale. On entend parler le personnage, on a moins l'impression de suivre ses pensées, son monologue intérieur.

Autres usages

À côté des deux usages principaux, dialogique et narratif, il existe d'autres usages.

• **L'usage informatif**
Il peut s'agir d'un texte écrit, long ou court, d'un article de presse, d'un traité scientifique, d'un article d'encyclopédie. Il peut s'agir à l'oral d'un bulletin d'information à la radio, d'un cours magistral, d'une conférence. Dans tous ces cas, on apporte des informations, on ne parle pas de soi, on ne raconte pas une histoire.

• **L'usage argumentatif**
Dans un énoncé relevant de l'usage argumentatif, le locuteur défend une thèse au moyen d'arguments étayés sur des exemples.

• **L'usage pragmatique**
On parle d'usage pragmatique lorsque la langue est utilisée pour agir sur l'autre et modifier son comportement.

> *Efface le tableau et ouvre la fenêtre.*

Cette phrase invite l'interlocuteur à agir.

• **L'usage poétique**
On parle d'usage poétique lorsque le message transmis à l'écrit ou à l'oral attire l'attention du destinataire plus sur la façon dont il est constitué que sur le contenu qu'il transmet.

> *Il l'emparouille et l'endosque contre terre.*
> Henri Michaux, « Le Grand Combat », *Qui je fus*, Gallimard, 1927.

USAGE INFORMATIF

514 **Caractéristiques linguistiques**

Dans la mesure où l'on apporte à la connaissance de l'autre des vérités générales, l'énonciateur s'efface derrière le propos. On n'y rencontre pas, en principe, de première personne. Le présent à la troisième personne du singulier y est très fréquent avec une valeur atemporelle.

515 **Exemples types**

Un exemple type est le théorème de mathématiques.

> *Le carré de l'hypoténuse est égal à la somme des carrés des deux autres côtés.*

Un autre exemple est l'article de dictionnaire.

> Muscat. *Le muscat à petits grains craint la sécheresse et préfère les terrains calcaires. Ses grappes longues et dorées donnent des vins frais et fruités à l'arôme caractéristique de « muscat » tout en nuances florales et rôties.*

Pierre Rézeau, *Le Dictionnaire des noms de cépages de France*, éditions du CNRS, 1997.

On a affaire à des énoncés coupés de la situation d'énonciation. → **489**

USAGE ARGUMENTATIF

516 **Usage informatif et usage argumentatif**

Lorsque des faits portés à la connaissance des lecteurs ou des auditeurs sont accompagnés d'un système d'argumentation de plus ou moins grande valeur, l'énoncé ne relève plus de l'usage informatif à proprement parler, mais de l'usage argumentatif.

> *Tout se passe comme si l'univers, dans son ensemble, subissait un vaste mouvement d'expansion. Une sorte de gonflement dans lequel les galaxies sont entraînées à des distances mutuelles toujours croissantes.*
>
> *On compare souvent ce mouvement à celui d'un ensemble de points dessinés sur un ballon qu'on gonfle. Cette comparaison prête souvent à confusion. [...] Je préfère, pour ma part, l'image du pudding aux raisins mis au four. Chaque raisin y figure une galaxie.*

Hubert Reeves, *Dernières Nouvelles du cosmos*, Seuil, 1994.

517 **Caractéristiques linguistiques**

L'énoncé relevant de l'usage argumentatif est *ancré* dans la situation d'énonciation. → **488** Il est rédigé au présent d'actualité, le plus souvent à la première personne.

Le locuteur est plus ou moins engagé dans son argumentation. Pour exprimer clairement une position subjective, il peut utiliser des *modalisateurs*. → **Modalisation, 492**

> *Je ne pense pas que...*
>
> *Je suis sûr que...*

Pour impliquer le destinataire dans son raisonnement, il emploie la *deuxième personne* et a recours à des injonctions ou à des interrogations rhétoriques.

> *Vous n'êtes pas sans savoir...*
>
> *Savez-vous seulement que... ?*

Pour être efficace, une argumentation doit être organisée : les arguments sont souvent reliés par des *connecteurs logiques*. → **538**

> *Tout le monde sait que les abeilles possèdent un langage. Pourtant, elles sont incapables de répéter un message. De plus, il ne s'agit pas d'un langage doublement articulé. Par conséquent, on ne peut mettre sur le même plan le langage des abeilles et le langage humain.*

USAGE PRAGMATIQUE

518 **Action sur l'autre**

> *Passe-moi le sel. Quelle heure est-il ?*

Lorsque l'on pose ces questions, on a l'intention de provoquer une modification du comportement de l'interlocuteur. La réponse de l'autre n'est pas obligatoirement seulement langagière, elle peut être accompagnée de gestes ou même consister en gestes seuls. L'autre tend la salière ou montre deux doigts pour signifier qu'il est deux heures.

La demande elle-même est facilement relayée par des gestes et peut aussi se limiter aux gestes seuls. Le doigt pointé sur la salière ou sur la montre, accompagné d'un mouvement du menton et des sourcils, suffit.

Les recettes de cuisine, les notices d'appareil, les énoncés d'exercice sont des suites de consignes. Ces écrits « pour faire » font partie de l'usage pragmatique.

519 ## Caractéristiques linguistiques

L'énoncé relevant de l'usage pragmatique est ancré dans la situation d'énonciation.

On y rencontre surtout des phrases de types impératif et interrogatif.

> *Passe-moi le sel.* (= Je vous demande de me passer le sel.)
>
> *Quelle heure est-il ?* (= Je vous demande de me dire quelle heure il est.)

Il s'agit de séquences courtes.

À l'écrit, l'usage pragmatique peut consister en inscriptions, panneaux, affichettes...

> *Défense de fumer. Défense d'entrer. Pelouse interdite.*

L'usage pragmatique écrit est souvent négatif.

> *Ne pas stationner devant la porte.*

Pourtant, un domaine nouveau, celui de l'informatique, propose un usage pragmatique positif.

> *Tapez votre code. Validez. Cliquez sur...*

Par ailleurs, l'usage pragmatique peut se combiner avec des niveaux de langue allant du familier au soutenu.

> *Le sel !*
>
> *Passe-moi le sel !*
>
> *Auriez-vous l'obligeance de me passer la salière ?*

520 ## Usages mêlés

On rencontre rarement d'usage pur. Un reportage publié dans la presse peut très bien relever tantôt du récit, du dialogue, du témoignage informatif, du pragmatique.

> *De notre envoyé spécial à Corte, 20 août 2000. Ne commettez pas l'erreur que j'ai faite, ne cherchez pas à savoir...* (pragmatique). *Hier j'ai rencontré le responsable d'un mouvement nationaliste, c'est un homme qui...* (informatif). *Il m'a rappelé les événements d'Aléria. C'était en 1975...* (récit). *Aujourd'hui, j'ai eu un échange avec un enseignant.*
>
> *– Il faudrait enseigner la langue corse dans tous les établissements de l'île.*
>
> *– Souhaitez-vous que tout l'enseignement soit assuré dans cette langue ?...* (dialogue)

USAGE POÉTIQUE

521 Définition

La poésie est un champ d'expérience sur le langage. Qu'il soit écrit ou lu, le texte poétique attire l'attention sur sa forme avant de l'attirer sur son contenu. Il joue sur :

- **les contraintes de la forme versifiée (dans la poésie régulière)** ;
- **la syntaxe** ;
- **les images** ;
- **les mots** ;
- **les sons.**

Par ailleurs, le texte poétique s'inscrit dans un *genre*.

L'usage poétique s'intéresse non seulement à la forme langagière mais aussi à la forme écrite ou imprimée du texte. Cet intérêt pour la *mise en espace* apparaît depuis la fin du XIXe siècle.

Cette définition au sens large de l'usage poétique permet d'englober aussi bien la poésie proprement dite que la publicité, les slogans, les comptines, les proverbes.

522 Forme versifiée

Jusqu'au XIXe siècle, la poésie se définissait par sa forme versifiée : passage à la ligne avant la fin de la phrase afin d'assurer un retour régulier du même son, la *rime*. Cette contrainte que se donne le poète assure un rythme particulier au texte versifié.

Par la suite, cette définition est devenue insuffisante. Les poètes se sont affranchis, avec l'apparition du vers libre, des règles strictes qui régissaient l'écriture poétique.

- **Les types de vers**

Un vers est une suite de mots, comportant un certain nombre de syllabes. Les vers qui se suivent peuvent être de même longueur, vers de douze syllabes, par exemple, dans l'*alexandrin* classique.

> *Dans un mois, dans un an, comment souffrirons-nous,*
> *Seigneur, que tant de mers me séparent de vous ?*
> *Que le jour recommence, et que le jour finisse,*
> *Sans que jamais Titus puisse voir Bérénice, [...]*
> Jean Racine, *Bérénice*, acte IV, scène 5, 1670.

Mais deux autres types de vers sont également très répandus :
– le *décasyllabe*, vers de dix syllabes ;
– l'*octosyllabe*, vers de huit syllabes.

Les vers peuvent se suivre et être de longueur inégale.

> *L'éternel problème ainsi*
> > *Éclairci,*
> *Philosopher est de mise*
> *Sur maint objet réclamant*
> > *Moindrement*
> *La synthèse et l'analyse...*

Paul Verlaine, *Parallèlement,* 1889.

L'alternance de vers de sept syllabes et de vers de trois syllabes produit ici un effet brutal de rupture.

● **Le décompte des syllabes**
Le respect du nombre de syllabes choisi par le poète peut entraîner une prononciation très différente de la prononciation courante.

> *Les sanglots longs*
> *Des violons*
> > *De l'automne*
> *Blessent mon cœur*
> *D'une langueur*
> > *Monotone.*

Paul Verlaine, *Poèmes saturniens,* 1866.

Pour que le deuxième vers, *Des violons*, ait le même nombre de syllabes que le cinquième vers, *D'une langueur*, il faut prononcer le mot *violon* avec trois syllabes : *vi/o/lons*, ce qui n'est pas le cas dans la prononciation courante de ce mot : *vio/lons*. On appelle cela une *diérèse*.
Au contraire, la *synérèse* permet de rapprocher deux voyelles en une seule syllabe, comme dans la prononciation courante.
Dans ce vers de La Fontaine, vers de huit syllabes, les deux voyelles du mot *chi/en* sont prononcées comme une seule (synérèse), comme elles le sont dans la prononciation ordinaire.

> *Tant les Chiens faisaient bonne garde*

La Fontaine, *Le Loup et le Chien.*

Alors que dans cet autre vers, également de huit syllabes, les deux voyelles du mot *lion* doivent être prononcées en deux syllabes (diérèse), sinon le vers serait boiteux.

> *Le Lion, terreur des forêts*
>
> La Fontaine, Le Lion devenu vieux.

Le *e*, dit *e* muet, occupe une place particulière dans le décompte des syllabes.
En fin de vers, il n'est pas compté.

> *Son/ re/gard/ est/ pa/reil/ aux/ re/gards/ des/ sta/tues*

Ce vers de Verlaine comporte douze syllabes.
Dans le courant du vers, il est compté s'il se trouve devant une consonne ou un *h* aspiré.

> *Quand,/ vo/yant/ l'â/ne/ mê/me à/ son/ an/tre a/ccou/rir*
>
> La Fontaine, Le Lion devenu vieux.

Le *e* d'*âne* doit être prononcé, il se trouve devant une consonne. Celui de *même*, qui est devant une voyelle, n'est pas prononcé.

• Les rimes

Les rimes sont dites *pauvres* lorsqu'elles n'ont qu'un son en commun. Elles sont alors très proches de l'*assonance* (dans le premier sens de ce mot).
→ **Remarque ci-dessous et Sons, 526.**

> *am-i / pa-ri   v-ie / am-ie*

Les rimes sont dites *suffisantes* lorsqu'elles ont deux sons en commun.

> *ti-s-on / rai-s-on*

Les rimes sont dites *riches* lorsqu'elles ont trois sons en commun.

> *i-m-a-ge / hom-m-a-ge*

REMARQUE Au Moyen Âge, la dernière voyelle de chaque vers est la même : on ne tient pas compte des consonnes qui la suivent ou la précèdent. On appelle cette rime l'assonance.

> *Le roi répond : « Vous êtes un homme sage ;*
> *Par cette mienne barbe et ces miennes moustaches, [...] »*
>
> Chanson de Roland (traduit).

Les rimes trop riches deviennent des calembours.

> *Ça me va hormis l'y taire*
> *Que je sente du foyer*
> *Un pantalon militaire*
> *À ma jambe rougeoyer*
>
> Stéphane Mallarmé, Poésies, 1898.

Il arrive qu'un poète invente un mot pour assurer une rime.

> Tout reposait dans Ur et dans _Jerimadeth_ ;
> Les astres émaillaient le ciel profond et sombre ;
> Le croissant fin et clair parmi ces fleurs de l'ombre
> Brillait à l'Occident, et Ruth se deman<u>dait</u>, [...]

Victor Hugo, « Booz endormi », La Légende des siècles, 1859-1863.

Jerimadeth est un nom de ville inventé par Victor Hugo.

Avec le vers libre, on ne compte plus les syllabes et on ne cherche plus la rime. La langue se développe sur une large ampleur.

> Des Villes hautes s'éclairaient sur tout leur front de mer, et par de
> grands ouvrages de pierre se baignaient dans les sels d'or du large.

Saint-John Perse, Amers, Gallimard, 1957.

523 Syntaxe

La poésie bouscule souvent la syntaxe ordinaire. Dans cet exemple extrême tiré de l'œuvre de Mallarmé, l'attention du lecteur est attirée sur la forme par la transgression des habitudes grammaticales. Inversions de sujets, d'épithètes, ruptures de constructions, ponctuation non traditionnelle rendent la lecture difficile.

> Victorieusement fui le suicide beau
> Tison de gloire, sang par écume, or, tempête !
> Ô rire si là-bas une pourpre s'apprête
> À ne tendre royal que mon absent tombeau.

Stéphane Mallarmé, Poésies, 1898.

Ces vers pourraient être ainsi traduits en langage ordinaire : « Je ne me suis pas suicidé et je ris de voir, au loin, les pompes funèbres s'apprêter à me préparer royalement un tombeau qui n'existe pas. »
Le résultat n'a évidemment pas la force mystérieuse des vers originaux.

524 Images

À travers les images, le poète suggère un réseau de correspondances, donne à voir le monde sous un jour nouveau. On distingue deux procédés : la comparaison et la métaphore.

- **La comparaison**

Deux éléments sont mis en relation au moyen d'un outil de comparaison : *comme, tel...*

> La terre est <u>bleue comme une orange</u>.
>
> Paul Eluard, L'Amour la poésie, 1929.

Ce vers de Paul Eluard semble apporter une information mais, avant tout, il intrigue par son caractère insolite, inattendu.

- **La métaphore**

Deux éléments sont mis en relation pour en souligner la ressemblance, mais sans l'intermédiaire d'un mot outil.

> Ce <u>toit</u> tranquille, où marchent des colombes,
> Entre les pins palpite, entre les tombes.
> Midi le juste y compose de feux
> La mer, la <u>mer</u> toujours recommencée !
>
> Paul Valéry, Le Cimetière marin, 1922.

La mer est *comme* un toit.

Plusieurs images peuvent s'enchaîner.

> Déjà la nuit en son parc amassait
> Un grand troupeau d'étoiles vagabondes.
>
> Joachim Du Bellay, L'Olive, 1549.

La *nuit* est comparée à un *parc* et les *étoiles* sont un *troupeau*.

525 Mots

Le poète joue également souvent sur le lexique en composant de nouvelles expressions ou en inventant des mots suggestifs.

- **Les associations de mots insolites**

> Un curé de course sur un vélo de campagne.

L'association des mots est insolite, inattendue dans ce vers de Jacques Prévert.

- **Les mots inventés**

> Il l'emparouille et l'endosque contre terre
> Il le rague et le roupète jusqu'à son drâle
> Il le pratèle et le libucque...
>
> Henri Michaux, « Le Grand Combat », Qui je fus, Gallimard, 1927.

Henri Michaux invente des mots qui suggèrent la violence.

526 Sons

Dans la poésie régulière, les rimes constituent un jeu privilégié sur les sons. Cependant, on peut trouver d'autres procédés sonores.

* **L'assonance,** dans son second sens, est la répétition d'un même son vocalique dans un vers.

> Sous le pont Mirabeau coule la Seine
> Et nos amours
> Faut-il qu'il m'en souvienne
> La joie venait toujours après la peine
>> Guillaume Apollinaire, « Le Pont Mirabeau », *Alcools*, Gallimard, 1913.

Ici, il y a une assonance en *ou*.

* **L'allitération** est la répétition d'un même son consonantique.

> Pour qui sont ces serpents qui sifflent sur vos têtes ?
>> Jean Racine, *Andromaque*, 1667.

Ce vers contient une allitération en *s*, son répété cinq fois.

Le vers qui suit comprend à la foi une assonance et une allitération.

> Aboli bibelot d'inanité sonore
>> Stéphane Mallarmé, *Poésies*, 1898.

Ici, la suite de voyelles *bo li* s'inverse en *bi lo*.

527 Genres poétiques

Cependant, la poésie ne consiste pas en un pur travail sur la forme. Selon son message, on peut distinguer différents genres.

* **Poésie lyrique**

C'est à l'origine la poésie chantée avec la lyre comme accompagnement. Les thèmes récurrents de ce genre poétique sont l'amour, la mort, la nature, etc. Le poète exprime ses émotions.

> Bel aubépin, fleurissant,
> Verdissant
> Le long de ce beau rivage,
> Tu es vestu jusqu'au bas
> Des longs bras
> D'une lambrunche sauvage.
>> Ronsard, *Odes*, XXII, 1550-1556.

- **Poésie élégiaque**

Le poème élégiaque exprime souvent des sentiments mélancoliques liés à l'amour ou à la mort.

> *Il faut que le cœur seul parle dans l'élégie.*
>
> Nicolas Boileau.

- **Poésie épique**

La poésie épique magnifie des héros, chante la gloire et les armes.

> *Je chante les hommes et leurs armes.*
>
> Virgile.

- **Poésie satirique**

La poésie satirique critique les hommes et la société.

> *Suivant que vous serez puissants ou misérables,*
> *Les jugements de cour vous rendront blanc ou noir.*
>
> La Fontaine, *Les Animaux malades de la peste.*

528 Autres usages poétiques

Sans faire partie de la poésie au sens étroit du terme, les comptines, proverbes, slogans publicitaires et autres sont à ranger dans l'usage poétique, dans la mesure où il s'agit de jeux sur les mots.

- **Comptines**

> *J'ai vu une anguille*
> *Qui coiffait sa fille.*
> *J'ai vu un gros rat*
> *Le chapeau sous l'bras.*
>
> Tradition populaire.

Il s'agit d'une poésie enfantine et populaire.

- **Proverbes**

> *Rouge le matin, pluie en chemin*
> *Rouge le soir, bon espoir.*

C'est un proverbe à propos du soleil levant et couchant.

> *Qui vivra verra.*

La formule est symétrique *(vivra/verra)* et l'identité phonique induit l'identité du sens : c'est en vivant que l'on connaîtra l'avenir.

- **Contrepèteries**

> *La vie des mots / L'ami des veaux*
> *Marcel Duchamp se disait Le marchand du sel.*

On échange des syllabes pour parvenir à un autre sens.

- **Palindromes**

  Ésope reste ici et se repose.

Les palindromes permettent de pouvoir lire une séquence en commençant par la fin aussi bien que par le début.

- **Anagrammes**

  Alcofibras Nasier / François Rabelais.

Les lettres sont mélangées de manière à former de nouveaux mots.

- **Vire langues**

  Les chaussettes de l'archiduchesse sont-elles sèches archisèches ?

Prononcés vite et plusieurs fois, ces attrape-langues mènent au cafouillage des sons et des sens.

- **Slogans publicitaires**

  Un petit clic vaut mieux qu'un grand choc.

C'est à propos de la ceinture de sécurité. Certains slogans publicitaires jouent sur la proximité des sons et des sens pour frapper la mémoire.

- **Slogans politiques**

Criés dans la rue, ils s'appuient sur des effets de rythme et sur des assonances.

  Pompidou des sous ! Giscard à la barre ! Mitterrand président !

529 Mise en espace

La poésie est, avant tout, faite pour être entendue mais on trouve des présentations de poèmes qui sont composées aussi pour être vues. L'usage poétique, dans ce cas, est doublement centré : sur la forme langagière et sur la forme typographique.

- **Disposition traditionnelle**

De tout temps, les poètes ont utilisé des formes avec contraintes. Ce sont les formes fixes qui sont apparues en France au XVe et au XVIe siècle. Les principales sont :

– *le sonnet :* il est organisé en deux quatrains (strophes de quatre vers) et deux tercets (strophes de trois vers) ;

– *l'ode :* forme héritée de l'Antiquité, elle se compose de trois strophes, deux longues et une courte ; elle traite de sujets nobles ;

– *la ballade :* c'est un poème lyrique composé de trois strophes identiques qui se finissent par un refrain.

- **Disposition non traditionnelle**

On peut puiser un certain nombre d'exemples dans la poésie des siècles récents.

Stéphane Mallarmé (1842-1898), dans *Un coup de dés jamais n'abolira le hasard*, déroule sur neuf doubles pages un poème sans aucune ponctuation, dans une typographie extrêmement variée.

JAMAIS

QUAND BIEN MÊME LANCÉ DANS DES CIRCONSTANCES

ÉTERNELLES

DU FOND D'UN NAUFRAGE

SOIT
    que

l'Abîme

blanchi
   étale
     furieux

Stéphane Mallarmé, extrait de *Un coup de dés jamais n'abolira le hasard.*

Guillaume Apollinaire (1880-1918) publie des poèmes, *Calligrammes*, qui prennent la forme de ce dont ils parlent. Ce poème est en forme de tour Eiffel, symbole de Paris.

Guillaume Apollinaire, extrait du « Deuxième canonnier conducteur », *Calligrammes*, Gallimard, 1925.
© éditions GALLIMARD

```
          S
          A
         LUT
          M
        O  N
        D   E
        DONT
       JE SUIS
      LA LAN
      GUE  É
      LOQUEN
      TE QUESA
      BOUCHE
     O PARIS
    TIRE ET TIRERA
   TOU      JOURS
  AUX          A  L
 LEM           ANDS
```

Cohérence textuelle

L'ESSENTIEL

Un texte n'est pas une simple suite linéaire de phrases.
La cohérence d'un texte dépend, pour le lecteur :

• **de l'avancée régulière** des informations nouvelles données par l'auteur ;

• **du fonctionnement sans ambiguïté des anaphores** qui permettent de conserver le fil conducteur du texte ;

• **de l'usage de connecteurs spatiaux et temporels** qui permettent de situer les propos dans le temps et dans l'espace ;

• **de l'usage de connecteurs logiques** qui mènent avec précision à une conclusion.

THÈME ET PROPOS – PROGRESSION THÉMATIQUE

530 **Thème et propos**

Une phrase (proposition) est constituée d'un thème et d'un propos. Le *thème*, c'est ce dont on parle, le *propos*, c'est ce que l'on dit « à propos » du thème.

> *Mes voisins <u>sont rentrés de vacances hier</u>.*
>   thème   propos
>   sujet   verbe + complément

Souvent, le thème coïncide avec le sujet grammatical. → **Sujet, 217 et 218**
Mais ce n'est pas toujours le cas.

> *Hier, <u>mes voisins sont rentrés de vacances</u>.*
> thème   propos
>   CC   sujet   + verbe + complément

Ici, le thème est *hier*. Il ne s'agit pas du sujet grammatical du verbe *sont rentrés* mais d'un complément circonstanciel de ce verbe.

Mais surtout, il ne faut pas confondre le découpage grammatical de la phrase (groupe nominal sujet/groupe verbal) avec le repérage en thème et propos du contenu informatif d'une phrase (ou d'une proposition) qui en suit une autre.

> *Que s'est-il passé hier ? Hier, mes voisins sont rentrés de vacances.*
>
> | thème | | propos | |
> |---|---|---|---|
> | CC | sujet | + verbe | + complément |

Dans l'enchaînement de ces deux phrases, le thème de la deuxième phrase concerne une information déjà mentionnée : *hier*. Le propos apparaît alors non seulement comme ce que l'on dit du thème mais comme apport d'une information nouvelle, ***mes voisins sont rentrés de vacances***.

Voici un autre exemple.

> *Il est souhaitable d'être discret.*
>
> *Discrets, certains le sont par respect des autres.*
>
> | thème | | propos | |
> |---|---|---|---|
> | attribut détaché | sujet | + verbe | + cc |

Le thème de la deuxième phrase, ***discrets***, n'est pas le sujet grammatical du verbe ***sont*** mais la reprise du propos de la phrase précédente, ***être discret*** permettant d'introduire une information nouvelle.

Le couple thème/propos n'a pas tout à fait le même sens suivant que l'on se situe au sein d'une phrase (ou d'une proposition) ou bien dans l'enchaînement de phrases (ou de propositions).

Quelques grammaires utilisent les termes ***thème/rhème*** pour bien distinguer : thème (éléments déjà connus) et rhème (informations nouvelles).

531 Progression thématique

La façon dont se développent les informations reçues par le lecteur assure la cohérence du texte. On parle de progression thématique. On rencontre trois types de progression thématique.

• Progression linéaire

Le propos de chaque phrase devient le thème de la phrase suivante. La continuité du texte s'établit comme une chaîne.

> a → b   b → c   c → d
>
> *Toutes les femmes avaient des châles lâchés dans le dos, et dont elles tenaient les bouts sur leurs bras avec cérémonie. Ils étaient rouges, bigarrés, flamboyants, ces châles. Et leur éclat semblait étonner les poules noires...*

Guy de Maupassant, *Les Contes de la bécasse*, 1883.

La dernière chose nommée est reprise dans la séquence suivante comme dans la célèbre comptine.

Marabout, bout de ficelle, selle de cheval, cheval de course, etc.

● **Progression à thème constant**

Le même thème est utilisé dans les phrases qui se suivent, alors que les propos sont chaque fois différents. C'est le mode de progression le plus utilisé.

a → b   a → c   a → d

Walter Schnaffs s'assit devant une assiette restée intacte, et il se mit à manger. Il mangeait par grandes bouchées comme s'il eût craint d'être interrompu trop tôt, de ne pouvoir engloutir assez. Il jetait à deux mains les morceaux dans sa bouche ouverte comme une trappe.

Guy de Maupassant, Les Contes de la bécasse, 1883.

Les phrases s'articulent autour d'un personnage et chaque propos introduit une action nouvelle. Le passé simple assure une suite chronologique.

● **Progression à thèmes dérivés**

Les thèmes sont différents de phrase en phrase mais se rattachent tous à un hyperthème plus ou moins implicite.

hyperthème = A

a1 → b   a2 → c   a3 → d

La petite ville de Verrières peut passer pour l'une des plus jolies de la Franche-Comté. Ses maisons blanches avec leurs toits pointus de tuiles rouges s'étendent sur la pente d'une colline, dont les touffes de vigoureux châtaigniers marquent les moindres sinuosités. Le Doubs coule à quelques centaines de pieds au-dessous de ses fortifications, bâties jadis par les Espagnols, et maintenant ruinées.

Stendhal, Le Rouge et le Noir, 1830.

Ici, **La petite ville** représente l'hyperthème qui se diversifie ensuite entre : **maisons, touffes, Doubs, fortifications**.

Ce type de progression à thèmes dérivés (ou éclatés) est fréquent dans les descriptions. Le texte se développe en éventail, se répartissant dans des sous-thèmes différents, évitant une suite de présentatifs *(c'était, il y avait)* à l'inverse de la progression à thème constant, où la suite des actions se centre autour d'un même personnage.

● **Combinaisons de progressions**

En réalité, la progression d'un texte fait souvent appel à une combinaison de ces différents procédés. Une progression linéaire peut, par exemple, être arrêtée pendant un moment au profit d'un développement à thème constant.

Les soldats portaient tous leur fusil à l'épaule. Ces fusils étaient d'un ancien modèle. Un modèle que les autres en face avaient abandonné depuis longtemps. Abandonné comme les lourdes capotes. Les fusils de l'ennemi avaient fait leurs preuves. Ils permettaient une distance de tir plus longue, plus précise. Ils étaient plus légers. Et surtout, ils pouvaient tirer cinq balles à la suite.

Ce texte démarre par une progression linéaire. Après *lourdes capotes*, l'auteur passe à une progression à thème constant.

REPRISE ANAPHORIQUE

532 **Définition**

La progression d'un texte repose à la fois sur la présentation d'informations nouvelles et la possibilité de rappel d'éléments anciens déjà mentionnés. Cette possibilité dépend, bien sûr, de la compétence du lecteur. (Il est plus facile de revenir en arrière à l'écrit, car l'oral, lui, défile sans retour, sauf enregistrement.) Elle dépend aussi de l'habileté de l'auteur qui aura su assurer clairement ces reprises, ces rattachements à des éléments antérieurs.

La *répétition* est le procédé le plus simple : on répète le mot tel quel. Il n'y a aucune ambiguïté mais le procédé peut devenir lassant et introduire une certaine lourdeur.

L'enfant était tombé. L'enfant s'était blessé au genou. Puis l'enfant a été soigné.

La *reprise anaphorique* permet une écriture plus élégante. Ce rappel d'éléments anciens, certaines grammaires le nomment *procédé de substitution*, d'autres parlent de reprise anaphorique. → **Déictiques et anaphoriques, 490**

533 **Reprises anaphoriques grammaticales**

● **Reprise par des pronoms**
Pour reprendre un élément antérieur, on utilise les pronoms personnels, mais seulement ceux de la troisième personne.

Mon voisin a changé de voiture. Il a acheté une décapotable.

D'autres pronoms, démonstratifs, possessifs, numéraux, interrogatifs, indéfinis, relatifs peuvent être utilisés comme reprises.

> Les Dupont sont venus dîner. <u>Ce</u> sont mes amis, <u>ce</u> ne sont pas les tiens.
>
> Pour le marathon, une centaine de coureurs ont pris le départ mais <u>deux</u> seulement sont arrivés et <u>aucun</u> parmi les seniors.
>
> <u>Lequel</u> est arrivé le premier ?
>
> Il faudrait noter les noms de <u>ceux</u> qui ont gagné.

- **Reprise par des déterminants**

Les déterminants – articles, déterminants démonstratifs ou possessifs – peuvent aussi assurer la reprise d'un terme antérieur.

> J'ai acheté des cadeaux. <u>Ce</u> livre est pour ma sœur, <u>le</u> foulard pour mon frère.

Les déterminants possessifs renvoient au possesseur.

> Elle avait froid, <u>il</u> lui avait prêté <u>son</u> manteau.
>
> <u>Catherine</u> avait tout laissé chez lui. Bernard lui avait rapporté <u>sa</u> valise.

Ils rappellent l'élément antérieur sans le mot lui-même.

- **Représentation totale et représentation partielle**

Lorsque le substitut représente un élément dans sa totalité, on parle de représentation totale.

> Les étudiants étaient assis sur les marches. Je <u>les</u> entendais discuter entre eux.

Les représente l'ensemble des étudiants.

On parle de représentation partielle lorsque le substitut ne représente qu'une partie de l'antécédent.

> Il regardait les chanteurs à la télévision. <u>Les uns</u>, il les avait déjà entendus, <u>les autres</u> lui étaient inconnus.

Les uns représente une partie seulement de ces chanteurs. Il en va de même pour **les autres**.

- **Ambiguïté de la reprise**

> Dix ans plus tard, Bernard a retrouvé son frère. Il ne l'a pas reconnu.

Qui n'a pas reconnu l'autre ? Dans les cas où l'ambiguïté risque de perturber la compréhension du texte, des marques de genre, de nombre, de personne aident pour savoir à quel antécédent se rattache le terme substitut.

> Dix ans plus tard, <u>Bernard</u> a retrouvé sa sœur. <u>Il</u> ne l'a pas reconnue.

> Dix ans plus tard, Bernard a retrouvé <u>sa sœur</u>. <u>Elle</u> ne l'a pas reconnu.

La présence du féminin ou du masculin lève l'ambiguïté.

> Jean se promenait avec son frère. Comme <u>il</u> boitait, il avait pris sa canne.

Une règle implicite veut que le nom sujet ait plus de poids dans la phrase (caractère obligatoire du sujet). C'est donc à Jean que l'on rattache de préférence le pronom anaphorique. Si l'on veut transgresser cette règle, il faut avoir recours à des expressions comme : *ce dernier, celui-ci...*

> Comme <u>ce dernier</u> boitait, il avait pris sa canne.

534 Reprises anaphoriques lexicales

La reprise peut s'effectuer par :

● **des synonymes,** parfois augmentés d'expansions qui précisent le terme que l'on rappelle ;

> Située en haut d'une colline, <u>Saint-Brémont</u> montrait ses murailles blanches. <u>La petite ville</u> avait été construite au xve siècle. <u>Cette plaisante bourgade</u> du midi...

Le contexte indique clairement l'idée de construction.

● **des périphrases ;**

> <u>La belette</u> avait mis le nez à la fenêtre.

Six lignes plus loin :

> <u>La dame au nez pointu</u> répondit que la terre
> Était au premier occupant.
> <div align="right">La Fontaine, <i>Le Chat, la Belette et le Petit Lapin.</i></div>

● **des métaphores ;**

> Le lion tournait en rond dans sa cage. <u>Le roi des animaux</u> montrait sa tristesse.

● **un terme générique.**

> Jean admirait <u>les roses</u>. <u>Les fleurs</u> étaient à peine écloses.

On parle :

- **d'anaphore fidèle** lorsque l'on se contente de reprendre l'antécédent avec un simple changement de déterminant ;

  Je regardai <u>un livre</u> dans la vitrine, <u>ce livre</u> était <u>le livre</u> que j'avais déjà remarqué la semaine dernière.

- **d'anaphore infidèle** lorsque la reprise est différente de son antécédent.

  Je regardais <u>un livre</u> dans la vitrine, <u>ce volume</u> m'intéressait, car il s'agissait <u>d'un ouvrage</u> important.

Ces reprises anaphoriques ou procédés de substitution permettent d'éviter les répétitions, assurent la cohérence du texte et le font progresser en apportant des informations nouvelles.

CONNECTEURS

535 Définition

Les connecteurs sont des termes qui assurent les relations entre les phrases. Ils ne font pas partie de la phrase elle-même. Contrairement aux anaphores, ils ne renvoient à aucun élément antérieur du texte. Ils ne forment pas une classe grammaticale mais une liste fermée qui regroupe des adverbes, des conjonctions de coordination et de subordination, des groupes prépositionnels.

Les connecteurs se répartissent en trois grands groupes suivant qu'ils organisent le texte par rapport à l'*espace*, au *temps*, à la *logique*.

536 Connecteurs spatiaux

Ils se présentent sous forme de paires.

ici/là, là/là-bas, devant/derrière, à gauche/à droite, dessus/ dessous, au-dessus de/au-dessous de, loin de/près de...

537 Connecteurs temporels ou chronologiques

Ils précisent le déroulement chronologique interne du texte.

et, puis, ensuite, après, alors, enfin, finalement...

Ils peuvent situer les faits annoncés par rapport au moment où l'on parle, les dater (énonciation).

aujourd'hui, hier, avant hier, demain, dans trois jours, il y a un mois, l'an dernier...

Ils peuvent aussi indiquer la fréquence.

> *parfois, de temps en temps, souvent...*

Ils précisent la durée.

> *pendant toute l'année, deux heures durant...*

Certains connecteurs peuvent être utilisés aussi bien en référence au temps qu'en référence à l'espace.

> *La mairie se trouve avant (après) l'église.*
>
> *Il sera là avant (après) 16 heures.*

538 Connecteurs logiques

Ils sont utilisés au cours de raisonnements ou d'argumentations, ou pour mener à une conclusion simple, au cours d'un dialogue.

Donc annonce une conclusion.

> *Tu me dis que tu es libre <u>donc</u> tu viens déjeuner avec moi.*

Il permet d'aller, au fil du texte, de la cause vers la conséquence. Il en va de même avec **par conséquent, ainsi**.

Aussi amène une inversion.

> *Tu es libre, <u>aussi viens-tu</u> déjeuner avec moi.*

À l'inverse, *car*, **parce que**, **puisque**, permettent de remonter de la conséquence vers la cause (→ 210).

> *Il est venu déjeuner avec moi <u>car</u> il était libre.*

Mais annonce un propos qui s'oppose à ce qui avait été dit précédemment ou qui contredit ce à quoi on s'attendait.

> *Je suis libre <u>mais</u> je ne viendrai pas avec toi.*

Mais peut aussi restreindre ce qui avait été annoncé.

> *Il est végétarien <u>mais</u> il ne mange pas de betterave.*

D'autres connecteurs peuvent marquer l'opposition ou la restriction.

> *pourtant, cependant, néanmoins...*

Annexes

*Les numéros renvoient
aux numéros des paragraphes*

Mots grammaticaux et mots lexicaux

Très peu de grammaires présentent la distinction entre les mots grammaticaux et les mots lexicaux. Pourtant, cette distinction se révèle souvent très utile ; elle permet de classer les mots du français en deux grands ensembles qui ont des caractéristiques très différentes.

Les mots grammaticaux sont le plus souvent très courts ; ce sont les articles, les adjectifs non qualificatifs (possessifs, démonstratifs, etc.), les pronoms, les conjonctions et les prépositions.

Les mots lexicaux sont de longueur variable ; ce sont les noms, les adjectifs qualificatifs, les verbes, les adverbes et les interjections.

Les mots grammaticaux sont en petit nombre, les mots lexicaux en très grand nombre. On ne crée pratiquement jamais de mots grammaticaux, alors que l'on fabrique souvent de nouveaux noms, de nouveaux verbes, de nouveaux adjectifs.

Les mots grammaticaux ne peuvent être remplacés par un pronom, les mots lexicaux peuvent l'être.

Les mots grammaticaux n'ont qu'une seule fonction, les mots lexicaux peuvent en assurer plusieurs.

LES MOTS GRAMMATICAUX

539 Définition des mots grammaticaux

Les mots grammaticaux sont les déterminants (articles et adjectifs non qualificatifs), les pronoms, les prépositions et les conjonctions de coordination et de subordination.

> *Le petit chien de Pierre rongeait un os dans son coin.*

– *le* : article défini, déterminant de *chien* ;
– *de* : préposition ;
– *un* : article indéfini, déterminant d'*os* ;
– *dans* : préposition ;
– *son* : adjectif possessif, déterminant de *coin*.

540 Nombre de mots grammaticaux

Les mots grammaticaux sont en nombre limité.

> *L'enfant s'avançait vers la cabane.*

On découvre dans cette phrase trois mots grammaticaux : l'article défini *l'*, la préposition *vers* et l'article défini *la*. On peut remplacer chacun d'entre eux :
– *l'* peut être remplacé par *cet, son, un, quelque*, etc. ;
– *la* peut être remplacé par les mêmes mots sous leur forme féminine : *cette, sa, une, quelque*, etc. ;
– *vers* peut être remplacé par *dans, en direction de, sur*, etc.

Dans chaque cas, les mots qui peuvent remplacer chacun des trois mots grammaticaux sont en nombre limité.

En d'autres termes, si l'on appelle paradigme l'ensemble des mots qui peuvent remplacer un autre mot dans une phrase, on dira que les mots grammaticaux forment un *paradigme court*.

541 Création de mots grammaticaux

On crée très rarement de nouveaux mots grammaticaux. Alors que l'on crée volontiers un nouveau nom ou un nouveau verbe lorsque le besoin s'en fait sentir, on hésiterait beaucoup à créer un nouvel article, un nouvel adjectif non qualificatif et même une nouvelle préposition.

On dira que les mots grammaticaux sont en *inventaire fermé*, c'est-à-dire qu'ils constituent un stock de mots qui ne peut être augmenté.

542 Sens des mots grammaticaux

Les mots grammaticaux sont d'usage fréquent et ont un sens peu précis.
Du fait de leur nombre limité, le même mot grammatical peut être utilisé
de façon très fréquente dans un texte ou même dans une phrase.

> Un jour <u>vers</u> midi <u>sur la</u> plate-forme arrière <u>d'un</u> autobus à peu
> près complet <u>de la</u> ligne 5, j'aperçus <u>un</u> personnage <u>au</u> cou fort
> long qui portait <u>un</u> feutre mou entouré <u>d'un</u> galon tressé <u>au</u> lieu
> <u>d'un</u> ruban.

Raymond Queneau, Exercices de style, Gallimard, 1947.

Dans ce texte, on remarque que :
- les mots qui sont utilisés plus d'une fois sont des mots grammaticaux :
un (six fois), *de* (quatre fois), *la* (deux fois) ;
- le sens de ces mots d'usage fréquent est très large :
 – *un* peut signifier *une unité* (un, pas deux), la non-précision (un quelconque), etc. ;
 – *de* est une préposition qui peut indiquer : la possession *(le chapeau de Pierre)*, la matière *(une table de bois)*, la provenance *(il sort de la cuisine)*, etc.
Ces mots sont courts, ils dépassent rarement une syllabe.

REMARQUE Il est intéressant de constater que plus un mot est fréquent, plus son sens est large
et peu précis. Cela tient au fait qu'il est utilisé dans un grand nombre de phrases différentes au
sein desquelles les autres mots lui donnent un sens particulier.
De même, on peut noter que plus un mot est fréquent et son sens variable, plus il est court.
Cela s'explique par le fait que celui qui parle « refuse » de faire un effort (d'utiliser un mot trop
long) si ce mot n'apporte pas une information précise.
Les mots grammaticaux sont à la fois fréquents, peu précis et courts. Ils constituent un excellent exemple de ce que l'on appelle l'*économie de la langue*.

543 Remplacement des mots grammaticaux

Les mots grammaticaux ne peuvent pas être remplacés par des pronoms.
Ainsi, ni les déterminants, ni les prépositions, ni les conjonctions ne peuvent être remplacés par des substituts.
Il faut se garder de confondre certains pronoms avec certains articles ou
prépositions qui ont la même forme.

> Il <u>le</u> voit. – <u>Le</u> navire.
> pronom   article

> Le pied <u>de</u> lampe. – Il mange <u>de la</u> soupe.
> prép.   art. partitif

544 Classement des mots grammaticaux

Les mots grammaticaux se distribuent en deux groupes :

- **ceux qui déterminent le nom :** articles, adjectifs non qualificatifs ;

- **ceux qui servent à mettre en relation les mots dans une phrase :** les prépositions, les pronoms relatifs et les conjonctions.

Dans la phrase suivante :

> *Dans un ciel d'azur, les petits nuages jouaient à chat perché sur les rayons de soleil.*

- les mots grammaticaux qui déterminent des noms sont :
- *un*, qui détermine *ciel* ;
- *les*, qui détermine *nuages* ;
- *les*, qui détermine *rayons*.

- les mots grammaticaux qui marquent les relations entre les mots de la phrase sont :
- *dans*, qui indique la fonction de *ciel* et le met en relation avec le verbe *jouaient* ;
- *d'*, qui établit la liaison entre *azur* et *ciel* ;
- *à*, qui indique la fonction de *chat perché* et le relie au verbe *jouaient* ;
- *sur*, qui marque la fonction de *rayons* et le rattache au verbe *jouaient* ;
- *de*, qui établit la relation entre *rayons* et *soleil*.

LES MOTS LEXICAUX

545 Mots lexicaux

Les mots lexicaux sont les noms, les verbes, les adjectifs qualificatifs, les adverbes et les interjections.

> *Le loup sortit du bois, regarda le pauvre agneau avec voracité, et se précipita pour le dévorer.*

Les mots lexicaux de cette phrase sont au nombre de neuf :
- *loup* : nom ;
- *sortit* : verbe ;
- *bois* : nom ;
- *regarda* : verbe ;
- *pauvre* : adjectif qualificatif ;
- *agneau* : nom ;
- *voracité* : nom ;
- *se précipita* : verbe ;
- *dévorer* : verbe.

546 Nombre de mots lexicaux

Ils sont en très grand nombre. Dans l'exemple suivant :

Le loup aperçut l'agneau.

les mots lexicaux : *loup*, *aperçut* et *agneau* peuvent être remplacés par un nombre très important d'autres mots lexicaux.

Le	loup	aperçut	l'	agneau.
	lion	vit	le	cochon.
	chien	mangea	le	lapin.
	garçon	prit	l'	oiseau.

On dira donc que, lorsque l'on remplace un mot lexical par l'ensemble des mots qui peuvent être utilisés à sa place, on obtient un **paradigme long**.

547 Création de mots lexicaux

On peut créer, selon les besoins, des mots lexicaux nouveaux.

La langue est un outil grâce auquel on peut parler, écrire à d'autres personnes pour leur donner des informations sur des sujets très différents.

Comme tous les outils, la langue change, se transforme pour s'adapter à des besoins nouveaux de communication.

Ainsi, lorsque l'on a inventé un nouveau moyen de se déplacer sur l'eau à l'aide d'une planche munie d'une voile, on a inventé l'expression **planche à voile**. Pour désigner ceux qui se servent de ce nouvel engin, on a fabriqué le mot **véliplanchistes**. Un nouvel engin sur rail entraîna la création d'un sigle : **TGV** (train à grande vitesse).

548 Procédés de création de mots lexicaux

Pour créer des mots nouveaux, le français dispose de trois procédés.

• **La suffixation**
On ajoute à la fin d'un mot un suffixe pour obtenir un nouveau mot.

À partir de bord, on forme border ou bordure.
À partir de fleur, on forme fleurir ou fleuriste.
À partir de douce, on forme douceur ou doucement.

• **La préfixation**
On place devant un mot un préfixe pour fabriquer un nouveau mot.

À partir de dire, on forme redire ou prédire.
À partir de voir, on forme prévoir.

- **La composition**

On juxtapose des mots déjà existants pour former un mot nouveau.

*chou-fleur – café crème – pomme de terre – essuie-glace –
aigre-doux – porte-monnaie – arc-en-ciel*

→ Pluriel des noms composés, → 29

549 Remplacement des mots lexicaux

Certains mots lexicaux peuvent être remplacés par des pronoms. C'est le cas des noms et des adjectifs qualificatifs attributs. Aucun des mots grammaticaux n'offre cette possibilité. → **Pronoms,** 142 à 176

550 Classement des mots lexicaux

Les mots lexicaux se distribuent dans des classes grammaticales différentes. On met dans une même classe les mots qui peuvent avoir la ou les mêmes fonctions.

On distingue alors :

- **les noms**, qui peuvent être sujet, complément d'objet direct, complément d'objet indirect, complément circonstanciel, complément du nom, etc. ;

- **les adjectifs**, qui peuvent être épithète liée ou détachée, ou attribut ;

- **les adverbes**, qui sont le plus souvent complément circonstanciel ;

- **les verbes**, qui, quand ils sont conjugués, servent de noyau à la phrase.

Les mots appartenant à la même classe ont la même nature.

REMARQUE Les noms et les adjectifs peuvent remplir plusieurs fonctions ; ils forment deux classes de *polyfonctionnels*. → 214
En revanche, les adverbes et les verbes ne peuvent avoir qu'une seule fonction. Ils appartiennent chacun à une classe de *monofonctionnels*. → 215

Manipulations

L'ESSENTIEL

Les manipulations portent soit sur des *groupes de mots* à l'intérieur de phrases, soit sur des *mots* à l'intérieur de groupes de mots. Il est très important de distinguer ces deux cas de manipulations.

Elles sont utilisées pour établir des classes de mots ou pour préciser les critères qui permettent de reconnaître chaque fonction. → 9

Les principales manipulations sont : la réduction, le déplacement, la permutation, l'expansion, la commutation.

551 Principes d'emploi de la manipulation

Chaque fois que l'on manipule un élément d'une phrase, on doit nécessairement savoir ce que l'on veut mettre en évidence. S'agit-il d'un mot ou d'un groupe de mots ? Veut-on juger de la pertinence de sa position ? Veut-on prouver qu'il est indispensable à l'existence de la phrase ?

552 Objet de la manipulation

Que manipule-t-on ? Il est important, en ce qui concerne le bon usage de chacune des procédures, de bien savoir que l'on peut faire porter la manipulation :

- **sur un groupe de mots dans le cadre d'une phrase ;**

    Il s'est cassé la jambe, <u>cet hiver</u>.

    <u>Cet hiver</u>, il s'est cassé la jambe.   Procédure de déplacement

- **sur un mot dans le cadre d'un groupe de mots.**

    Il portait une <u>superbe</u> chemise rouge.

    Il portait une chemise rouge.   Procédure de réduction

553 ### Vérification de la manipulation

Chaque fois que l'on manipule une phrase, le sens de cette phrase se trouve modifié. Il reste à savoir si la phrase obtenue reste grammaticalement correcte. En fait, quelles que soient les procédures appliquées, quatre cas peuvent se présenter.

● **La phrase obtenue est moins riche en information, mais son sens n'est pas fondamentalement changé.**

> *Mes amis sont partis <u>de bonne heure</u>.*
> *Mes amis sont partis.*   Procédure de réduction

● **La phrase obtenue est moins riche en information et en outre son sens d'origine est modifié.**

> *Le paysan monte <u>un sac de blé</u>.*
> *Le paysan monte.*   Procédure de réduction

● **La phrase obtenue n'a pas de sens mais elle reste grammaticalement correcte.**

> *Le vent plie l'arbre.*
> *L'arbre plie le vent.*   Procédure de permutation

● **La phrase obtenue n'a plus de sens et n'est plus correcte grammaticalement.**

> *<u>Elsa</u> arrivera par le train de 5 heures.*
> *⊖ arrivera par le train de 5 heures.*   Procédure de réduction

554 ### Différentes procédures

Chacune des manipulations correspond à une intention de mettre en évidence tel ou tel mécanisme de la phrase :

● **la réduction** permet de savoir ce qui est indispensable à la construction de la phrase ;

● **la permutation** permet de juger si la place d'un mot est pertinente ;

● **la commutation** permet d'établir des catégories de mots.

555 **Réduction : définition**

Réduire consiste à supprimer un groupe de mots dans une phrase ou à supprimer un mot dans un groupe de mots.

Le test de la réduction révèle le caractère obligatoire (essentiel, indispensable) ou le caractère facultatif (non essentiel) d'un mot dans un groupe ou d'un groupe dans une phrase. On appelle aussi cette manipulation *suppression* ou *effacement* ou encore *soustraction*.

556 **Suppression d'un groupe dans une phrase**

> <u>Le chien</u> rongeait son os.
> GN sujet
> ● rongeait son os.

Le GN sujet apparaît comme obligatoire, non supprimable.

> Mon voisin va <u>à la pêche</u>.
> GN CC
> ● Mon voisin va.

Le GN CC apparaît ici comme obligatoire. C'est un complément de verbe.

→ **Complément de verbe / complément de phrase,** 251 à 254

> Les chasseurs marchent <u>dans la prairie</u>.
> GN CC
> Les chasseurs marchent.

Le GN CC n'est, cette fois, pas obligatoire. C'est un complément de phrase.

557 **Suppression d'un mot à l'intérieur d'un groupe nominal**

> <u>Les vagues aux crêtes blanches</u> poussent <u>le canot pneumatique</u>.
> GN sujet   GN COD

Dans ces deux groupes nominaux, ni *les* ni *le* ne peuvent être supprimés. Dans le cadre du groupe nominal, le test de la réduction permet de faire apparaître les constituants obligatoires du groupe, les *déterminants*. La phrase sans déterminants est impossible.

> ● ~~Les~~ vagues aux crêtes blanches poussent ~~le~~ canot pneumatique.

On peut en revanche supprimer les constituants facultatifs : les *expansions lexicales* (adjectifs, compléments du nom, subordonnées relatives...).

> Les vagues poussent le canot.

558 Phrase minimale

Si l'on supprime tous les mots qui ne sont pas strictement indispensables à la construction grammaticale de la phrase, on obtient une *phrase minimale*.

559 Déplacement : définition

Déplacer consiste à changer la place d'un mot dans un groupe de mots ou d'un groupe de mots dans une phrase.

560 Déplacement d'un groupe dans la phrase

Cette manipulation peut se révéler très utile pour distinguer différentes fonctions à l'intérieur de la phrase.

→ **Sujet,** 227 à 231 ; **COD,** 259 à 261 ; **CC,** 324 à 330

Certains groupes sont très facilement déplaçables.

> *Ils avaient marché à travers la forêt <u>toute la journée</u>.*
> CC

> <u>*Toute la journée*</u>*, ils avaient marché à travers la forêt.*
> CC

D'autres groupes sont difficilement déplaçables.

> *Les enfants lisaient <u>des illustrés</u>.*
> COD

561 Déplacement à l'intérieur du groupe nominal

Les déterminants placés avant le nom et les subordonnées relatives sont difficilement déplaçables.

> <u>*La*</u> *bicyclette de <u>mon</u> oncle.*
> *Le jardinier <u>qui avait taillé les arbres</u> est mort.*

L'adjectif épithète est plus facilement déplaçable : il peut, en général, se mettre à gauche ou à droite du nom.

> *Un <u>énorme</u> éléphant se mit à barrir.*
> *Un éléphant <u>énorme</u> se mit à barrir.*

562 Réduction et déplacement

Le caractère déplaçable ou non d'un groupe, associé au caractère de suppression, permet de distinguer les groupes nominaux compléments essentiels et non essentiels. → 246 à 250

563 Permutation : définition

Permuter consiste à échanger les places de deux mots ou de deux groupes de mots. Il en résulte un changement de sens.

564 Permutation d'un groupe dans la phrase

Elle permet de montrer que c'est la place occupée par le GN qui indique s'il est sujet ou complément d'objet.

> *Le gros chat gris guette la petite souris blanche.*
> GN sujet   GN COD
>
> *La petite souris blanche guette le gros chat gris.*
> GN sujet   GN COD

565 Permutation à l'intérieur d'un groupe nominal

La permutation du nom noyau et du nom complément du nom permet de montrer que chacun des deux éléments a une place précise liée à sa fonction.

> *La **femme** de mon frère est venue.*
> nom   compl. du nom
>
> *Le frère de ma **femme** est venu.*
>
> *Le **chien** de mon ami est méchant.*
>
> *L'ami de mon **chien** est méchant.*

566 Expansion : définition

Elle consiste à ajouter des mots dans un groupe ou des groupes de mots dans une phrase ; on apporte ainsi des informations supplémentaires.

> *Le linge sèche.*
>
> *Le linge mouillé sèche.*
>
> *Le linge mouillé sèche sur le fil.*
>
> *Depuis hier, le linge mouillé sèche sur le fil.*

567 Expansion à l'intérieur de la phrase

On ajoute un groupe dans une phrase :

- **en le coordonnant à un groupe de même fonction ;**

> *Irène nage tous les jours.*
>
> *Irène et sa fille nagent et font du tennis tous les jours.*

- **en insérant des groupes ayant une fonction nouvelle.**

  Il hache <u>de la viande</u>.
  COD

  <u>Tous les soirs</u>, il hache <u>de la viande</u> <u>pour le chat</u>.
  CC   COD   COS

568 ## Expansion à l'intérieur du groupe nominal

On peut ajouter certains déterminants à celui ou à ceux qui se trouvent déjà dans le groupe nominal.

> *Trois bateaux entrèrent dans le port.*
>
> *Trois <u>autres</u> bateaux entrèrent dans le port.*

On peut ajouter un adjectif qualificatif épithète, un complément du nom, une subordonnée relative.

> *J'ai acheté la voiture qui me plaisait.*
>
> *J'ai acheté la voiture <u>rose</u> <u>qui me plaisait</u> et <u>que tu as vue avec moi</u>.*

569 ## Commutation : définition

Commuter, c'est remplacer un mot ou un groupe de mots par un autre mot ou un autre groupe de mots. La commutation permet d'établir des ensembles de mots qui ont la même fonction.

Commutation d'un groupe de mots à l'intérieur de la phrase.

Le chat	*mange le pain.*
Mon frère	
Irène	
Celui-ci	

Tous les groupes de mots qui peuvent remplacer *le chat* peuvent assurer la fonction sujet.

La voiture roulait	*sur le chemin.*
	vite.
	sans phares.

Les groupes de mots pouvant remplacer ***sur le chemin*** forment l'ensemble des compléments circonstanciels.

REMARQUE Lorsque l'on procède à une commutation entre un groupe et un autre groupe, on peut obtenir des phrases grammaticalement correctes, mais dont le sens est surprenant ou absurde.

> *Des oiseaux volaient dans le ciel.*
>
> *Des marteaux-piqueurs volaient dans le ciel.*

570 Commutation à l'intérieur du groupe nominal

Le	chat	noir.
Mon		qui miaule à la porte.
Un		de mon voisin.
Aucun		mouillé par la pluie.
Chaque		finissant son repas.

Tous les mots qui peuvent remplacer *le* devant **chat** forment l'ensemble des déterminants du nom.

→ **Déterminants,** 59 à 100

Tous les groupes qui peuvent remplacer **noir** forment l'ensemble des expansions lexicales du GN.

→ **Groupe nominal,** 14 à 19

Visualisation de l'analyse grammaticale

L'ESSENTIEL

Il est utile de pouvoir représenter sous forme d'un schéma, d'un dessin, les relations qu'entretiennent les mots d'une phrase. Ce schéma permet d'un seul coup d'œil de prendre connaissance de l'organisation grammaticale de la phrase.

On parle de visualisation, de représentation schématique ou visuelle, ou encore de schématisation.

La visualisation n'est qu'un schéma. Les techniques de visualisation ne sont pas des instruments servant à analyser une phrase. Leur seule utilité est de rendre compte concrètement d'une analyse déjà faite.

Les procédures de visualisation sont multiples. Elles renvoient chacune à des modes d'analyse particuliers. Elles ont chacune leurs avantages et leurs inconvénients. Nous présenterons ici trois grands types de visualisation de l'analyse grammaticale :

- **la représentation en arbre ;**
- **la représentation par emboîtements successifs ;**
- **la représentation en cercles concentriques.**

REPRÉSENTATION EN ARBRE

571 Avantages de la représentation en arbre

La représentation en arbre permet de bien montrer le « découpage » de la phrase en *groupe verbal* et *groupe nominal*.

Elle permet de voir que les compléments de phrase ne font pas partie du groupe verbal, mais sont des constituants de la phrase.

Elle permet d'aller du « plus grand » au « plus petit », en lisant l'arbre du bas vers le haut, c'est-à-dire des groupes aux mots qui les constituent.

572 **Inconvénients de la représentation en arbre**

La représentation en arbre est cependant parfois de lecture difficile. Les mêmes symboles sont utilisés pour des groupes occupant des fonctions différentes : ainsi un GN prép. (groupe nominal prépositionnel) peut être complément circonstanciel, complément du nom ou complément d'objet indirect. La représentation en arbre rend mal compte des relations de subordination à l'intérieur des groupes : les noyaux et les déterminants apparaissent sur la même ligne.

573 **Exemple 1 : GNS, GV**

Analysons la phrase (P) :

    Pierre voit Paul.

- *Pierre* : groupe nominal sujet (GNS) ;
- *voit Paul* : groupe verbal (GV) comprenant :
voit : verbe (V) ; *Paul* : groupe nominal (GN) COD.

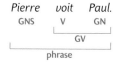

574 **Exemple 2 : GNS (avec GN prépositionnel), GV (avec GN prépositionnel)**

    Le frère de Pierre a donné un livre à Paul.

- *Le frère de Pierre* : groupe nominal sujet (GNS) qui se décompose en :
- *Le* : déterminant (D) ;
- *frère* : nom (N) ;
- *de Pierre* : groupe nominal prépositionnel (GN prép.), complément du nom *frère* ; comprenant *de* : préposition ; *Pierre* : groupe nominal.
- *a donné un livre à Paul* : groupe verbal (GV) qui se décompose en :
- *a donné* : verbe (V) ;
- *un livre* : groupe nominal (GN) COD ; comprenant *un* : déterminant (D) ; *livre* : nom (N) ;
- *à Paul* : groupe nominal prépositionnel (GN prép.), complément d'objet second (COS) ; comprenant *à* : préposition ; *Paul* : groupe nominal.

Le	*frère*	*de*	*Pierre*	*a donné*	*un*	*livre*	*à*	*Paul.*
dét.	N	prép.	GN	V	dét.	N	prép.	GN

GN prép.   GN   GN prép.

GNS   GV

phrase

575 **Exemple 3 : GNS, GV, GN prépositionnel**

> *Paul a rencontré Pierre sur la plage.*

- *Paul* : groupe nominal sujet (GNS).

- *a rencontré Pierre* : groupe verbal (GV) décomposé en :
- – *a rencontré* : verbe (V) ;
- – *Pierre* : groupe nominal complément d'objet direct (GN).

- *sur la plage* : groupe nominal prépositionnel (GN prép.), complément de phrase (→ 251 à 254), qui se décompose en :
- – *sur* : préposition (prép.) ;
- – *la plage* : groupe nominal (GN) ; comprenant *la* : déterminant (D) ; *plage* : nom (N).

Paul	*a rencontré*	*Pierre*	*sur*	*la*	*plage.*
GNS	V	GN	prép.	dét.	N

GN

GV   GN prép.

phrase

REPRÉSENTATION PAR EMBOÎTEMENTS SUCCESSIFS

576 Avantages de la représentation par emboîtements

La représentation par emboîtements successifs a l'avantage de ne pas bouleverser la phrase. Les mots sont laissés dans l'ordre dans lequel ils apparaissent dans la phrase.

Elle permet de bien distinguer deux grands groupes : le *thème* et le *propos*.

Elle permet aussi de présenter la composition des groupes et les relations entre les mots qui les composent.

577 Inconvénients de la représentation par emboîtements

Il semble que parfois les différents niveaux d'emboîtements n'apparaissent pas de façon très claire ; on risque souvent de confondre les boîtes de dimensions différentes, et donc de confondre des degrés de relation différents.

578 **Exemple 1 : thème, propos**

> *Pierre voit Paul.*

- *Pierre* : thème (ce dont on parle) ;
- *voit Paul* : propos (ce que l'on en dit) ; décomposé en :
voit : verbe ; *Paul* : COD.

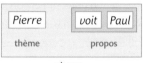

579 **Exemple 2 : thème (GN), propos (verbe, COD, COS)**

> *Le frère de Pierre a donné un livre à Paul.*

- *Le frère de Pierre* : thème.
- *a donné un livre à Paul* : propos ; se décompose en :
– *a donné* : verbe ;
– *un livre* : complément d'objet direct ; comprenant *un* : déterminant ;
livre : nom ;
– *à Paul* : complément d'objet second.

580 **Exemple 3 : thème (nom), propos (verbe, CC)**

> *Paul a rencontré Pierre sur la plage.*

- *Paul* : thème.
- *a rencontré Pierre sur la plage* : propos ; décomposé en :
– *a rencontré* : verbe ;
– *Pierre* : complément d'objet direct ;
– *sur la plage* : complément circonstanciel ; comprenant *la* : déterminant ;
plage : nom.

REPRÉSENTATION EN CERCLES CONCENTRIQUES

581 Avantages de la représentation en cercles

La représentation en cercles concentriques a l'intérêt de faire apparaître le *verbe* comme le *noyau* auquel se rattachent directement ou indirectement tous les mots de la phrase.

Elle permet aussi de bien distinguer les *niveaux de relation* dans la phrase en présentant sur le même cercle les mots qui sont au même niveau.

Elle met en évidence le *rôle des prépositions*, qui sont des outils mettant en relation les mots d'une même phrase.

Elle montre la cohérence des groupes fonctionnels (→ Groupe nominal et groupe verbal, 10 à 13) ; tous les mots d'un même groupe fonctionnel sont en relation (directe ou indirecte) avec le noyau verbe central.

582 Inconvénients de la représentation en cercles

Elle a cependant le désavantage de ne pas présenter le « découpage » entre groupe nominal sujet et groupe verbal, ni entre le thème et le propos. Enfin, elle demande que l'on ait identifié soigneusement la fonction occupée par chaque mot de la phrase et son niveau.

583 Exemple 1

Pierre voit Paul.

- *voit* : noyau verbal (→ Verbe, 108) ; il sera représenté au centre du cercle ;
- *Pierre* : sujet ; se situe sur le cercle à gauche du verbe ;
- *Paul* : complément d'objet direct ; se situe sur le cercle à droite du verbe.

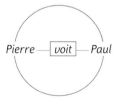

Exemple 2

> *Le frère de Pierre a donné un livre à Paul.*

Le frère de Pierre
- *frère* : sujet du verbe *a donné* ; il est en relation directe avec le verbe ; il apparaît sur le premier cercle à gauche.
- *Pierre* : complément du nom *frère*, est relié à lui par la préposition *de* ; il n'est pas en relation directe avec le verbe ; il apparaît donc sur le second cercle.
- *Le* : déterminant de *frère* ; il apparaît aussi sur le second cercle car il n'est pas en relation directe avec le verbe.

a donné
verbe, noyau central.

un livre à Paul
- *livre* : complément d'objet direct ; il est en relation directe avec le noyau verbal ; il apparaît sur le premier cercle à droite ;
- *un* : déterminant de *livre* ; il n'est pas en relation directe avec le verbe ; il apparaît sur le second cercle, relié à *livre* ;
- *Paul* : complément d'objet second, est relié directement au verbe par la préposition *à* ; il apparaît sur le premier cercle relié à l'un des coins du rectangle encadrant le verbe.

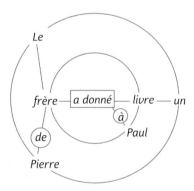

Index

Les numéros renvoient aux numéros des paragraphes.

Les renvois signalés en majuscules
concernent des chapitres entiers de l'ouvrage.
Exemple :

Adjectif qualificatif
→ ADJECTIF QUALIFICATIF .... 43 à 58

Les renvois à une (ou plusieurs) entrée(s) de l'index
sont indiqués en italique gras.
Exemple :
→ *Accord, Place, Attribut, Épithète*

ABRÉVIATIONS UTILISÉES

Adj. qual. : adjectif qualificatif
Art. : article
Comp. : complément
Circ. : circonstanciel
Dét. : Déterminant
Fém. : féminin
GN : groupe nominal
GN prép. : groupe nominal prépositionnel
GNS : groupe nominal sujet
GV : groupe verbal
Masc. : masculin
Part. : participe
Prop. : proposition
Sub. : subordonnée

A

B

C

Ça
pronom démonstratif 166

Caillou → **cailloux**
pluriel des noms 28

Calligramme 529

-Cant ou **-quant**
(provocant / provoquant)
→ *Adjectif verbal / participe présent*

Car
conjonction de coordination 210

Cardinaux
déterminants numéraux *(un, deux)* 92-95

Carnaval → **carnavals**
pluriel des noms 28

Cause
complément circonstanciel de 198, 338
notion de 198, 432, 448-450, 469, 474
subordonnée circonstancielle de 448-450

Ce
pronom démonstratif 164

Ce, cet, ces...
déterminants démonstratifs 83-86, 99

Ce dont on parle, ce que l'on en dit
→ *Thème / propos*

Celui, celle, ceux...
pronoms démonstratifs 162-167

Cent ou **cents**
déterminant numéral 92-95

Cercles concentriques
→ *Visualisations*

Certain
déterminant indéfini 89

Ces / ses
dét. démonstratif / dét. possessif 86

C'est... qui, c'est... que
→ *Présentatifs*

Cet / cette
dét. démonstratif masc. / fém. 85

Chacal → **chacals**
pluriel des noms en *-al* 28

Chaque
déterminant indéfini 87-89, 100

Chef de groupe
noyau 15, 22

Chez ou **à** 39

Chou → **choux**
pluriel des noms en *-ou* 28

Circonstanciel
→ *Compl. circ., Prop. sub. circ.*

Citation 478, 483

Classe
catégorie grammaticale *(noms...)* 1, 109, 550

Combinabilité
des déterminants 79, 97

Comme
conjonction de subordination 448, 449, 459

Commutation 569, 570

Comparaison
notion de 198, 459, 460
image (en poésie) 524
subordonnée circonstancielle de 459, 460

Comparatif
(aussi / moins / plus grand que...) 45-50

Complément de l'adjectif
(fier de soi) 175, 364

Complément d'agent
(il est aimé par tous) 175, 253, 391, 393, 399
→ *Phrase passive, Passif*

Complément d'attribution
(on lui a donné des fleurs) 304, 313

Complément circonstanciel 114, 132, 144
→ COMPLÉMENT CIRCONSTANCIEL 323-338
comp. circ. : comp. de phrase 251, 253
comp. circ. / comp. d'objet direct 264, 276
comp. circ. / comp. d'objet indirect . . 289, 301, 320
comp. circ. : GN prép. 289, 290, 299, 301
→ *Place du comp. circ.*

Complément déterminatif 18
→ *Complément du nom*

Complément essentiel /
complément circonstanciel 246-250

Complément du nom 18, 21, 22,
75, 184, 355-362

Complément d'objet direct
→ COMPLÉMENT D'OBJET DIRECT 255-283
comp. d'objet direct / comp. circ. 276
comp. d'objet direct : comp. essentiel 248

INDEX

H

I

J

L

M

S

S ou **x**
pluriel des noms
(des trous / des bijoux ; des pneus / des feux) 28

Sa
→ *Déterminants possessifs*

Sarrau → **sarraus**
pluriel des noms 28

Schéma narratif 508

Selon
préposition 198

Se + verbe
→ *Verbes pronominaux*

Selon que
conjonction de subordination 456, 457

Sémantique
qui fait appel au sens
→ *Critères sémantiques*

Sembler
→ *Verbes d'état*

Ses / ces
dét. possessifs / dét. démonstratifs 86

Si
adverbe d'intensité *(il est si beau)* 185
conjonction de subordination
(si j'avais de l'argent) 456-458

Si... que
locution conjonctive *(si riche qu'il soit)* 454

Sien
(le sien) → *Pronoms possessifs*

Situation d'énonciation 487, 496
→ *Énoncé*

Slogan 528

Son (sa, ses)
→ *Déterminants possessifs*

Sonnet 529

Soupirail → **soupiraux**
pluriel des noms 28

Style direct, indirect, indirect libre
→ *Discours*

Subjonctif 117, 127, 133
dans les prop. sub. 127, 436, 443, 447, 453, 455, 457

Subordination 203-206
coordination et subordination 207-210
→ *Propositions subordonnées*

Substitution 38, 263, 271, 293,
311-315, 332, 543, 549

Suffixation
(fleurir → fleuriste) 548

Sujet
→ SUJET 216-245
sujet / comp. d'objet direct 237, 260, 393
sujet dans les prop. sub. participiales 467
sujet collectif
(une foule de spectateurs passait / passaient) 138
sujet logique (réel) / sujet grammatical (apparent)
(il manque de l'argent) 223
→ *Accord, Attribut*

Superlatif
relatif *(le plus)* 51, 52
absolu *(très)*.............................. 53

Supprimable
adjectif attribut / épithète 342, 348
complément circonstanciel 246, 248
complément du nom 359
comp. d'objet direct / comp. circonstanciel ... 276
→ *Constituants non obligatoires*

Sur
préposition 198

Synérèse 522

Synonymes 534

Syntaxe
en poésie 523

T

Ta
→ *Déterminants possessifs*

Tant
adverbe d'intensité 185, 187

Tant que
conjonction de subordination 445

Te
→ *Pronoms personnels*

Tel
déterminant indéfini 87, 89

Mr. & Mrs. Charles H. Mutterperl

X

Y

Suivi éditorial : Évelyne Brossier

Relecture : Yves Tissier

Conception graphique :
– intérieur : Marie-Astrid Bailly-Maître
– couverture : Laurent Batard

Mise en page : MCP

Typographie :
Cet ouvrage est composé principalement en *Cicero* et en *Présence*.
Ces deux caractères ont été créés par Thierry Puyfoulhoux.

Achevé d'imprimer par : Grafica Editoriale Printing srl, Bologna - Italie
Dépôt légal : N° 72250 - Mai 2006